JUAN MANUEL SANTOS

JAQUE AL TERROR

LOS AÑOS HORRIBLES DE LAS FARC

JUAN MANUEL SANTOS

JAQUE AL TERROR

LOS AÑOS HORRIBLES DE LAS FARC

Prólogo de Carlos Fuentes

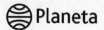 Planeta

Fotos de cubierta: archivo *El Tiempo* y Ministerio de Defensa
Fotos interiores: cortesía del Ministerio de Defensa

© Juan Manuel Santos, 2009
© Editorial Planeta Colombiana S. A., 2009
   Calle 73 N.º 7-60, Bogotá

Primera edición: diciembre de 2009
Segunda edición: diciembre de 2009
Tercera edición: enero de 2010

ISBN 13: 978-958-42-2302-9
ISBN 10: 958-42-2302-X

Impreso por: Worldcolor S. A.

A los hombres y mujeres
de las Fuerzas Militares y la Policía de Colombia.

A su honor, a su valor y su entrega,
que han devuelto a nuestra nación no sólo la seguridad
sino también el derecho a la esperanza.

Agradecimientos

Realizar el recuento de estos tres años históricos de combate y golpes contra las FARC no ha sido una tarea fácil. Exigió un esfuerzo no sólo de la memoria, sino también investigativo, que requirió el aporte de muchas fuentes para consolidar un testimonio que haga honor a la labor cumplida y a los logros alcanzados.

Muchos, de forma generosa y desinteresada, contribuyeron con sus remembranzas, análisis y anécdotas a completar este gran mosaico de acciones y resultados que de otra forma, si dependiera exclusivamente de mis recuerdos y vivencias directas, habría sido insuficiente. Agradezco especialmente la colaboración de los comandantes y los oficiales que participaron en las operaciones. También a los encargados del Programa de Atención Humanitaria al Desmovilizado, y a quienes fueron mis viceministros, Juan Carlos Pinzón y Sergio Jaramillo.

Igualmente, y en forma muy particular, a Juan Carlos Torres, quien puso todo su talento investigador y capacidad organizativa al servicio de este libro, así como a quienes, con rigor académico y confidencialidad, revisaron y comentaron algunos de sus apartes.

Por supuesto, a mi admirado amigo Carlos Fuentes, cuyo prólogo abre maravillosamente esta obra, y la enaltece.

Prólogo

Por CARLOS FUENTES

En 1988, daba yo un curso sobre cultura iberoamericana cada martes y jueves en una edificación en el perímetro del *Yard* de la Universidad de Harvard, alrededor del cual se centra la vida universitaria.

El cupo del auditorio es de unas cuatrocientas plazas y tuve la fortuna de que hubiese "llenos" en cada una de mis conferencias. Asistían estudiantes requeridos de grados, pastoreados por mi asistente, la muy dinámica profesora chilena Verónica Cortínez. Pero asistían también personas de la comunidad, de otros cursos y, sobre todo, de la egregia Fundación Nieman, que recibía a doce periodistas, seis norteamericanos y seis extranjeros, librándolos, año con año, de sus tareas en la prensa y permitiéndoles doce meses de lectura, diálogo y presencia universitaria.

Varios jóvenes periodistas asistían a mi curso en Harvard. Recuerdo a Frank del Olmo, el muy talentoso méxico-norte-americano que, antes de fallecer, ascendería al puesto de editor en *Los Angeles Times*. A Gustavo Gorriti, periodista escritor peruano y, sobre todo, a Juan Manuel Santos, joven periodista colombiano, subdirector del periódico *El Tiempo* en Bogotá y político en ciernes.

Ésta es biografía y aún, por fortuna, no termina. Yo desconocía entonces la ficha biográfica aunque lo que me impresionaba, aun antes de tratar a Santos, era su presencia en la primera fila del auditorio. Su mirada felina, sus ojos de gato transformado en puma, barómetro de una sonrisa franca, permanente y, por ello, casi amenazante. Una mirada de atención continua, de curiosidad severa, de advertencia disimulada.

Luego lo sumé a mi magnífica lista de amigos colombianos, una sucesión que inició Jorge Gaitán Durán, director de la mítica revista *Mito* que, en la Colombia de mediados de siglo, logró combinar la presentación de textos de vanguardia con reportajes políticos acerca de la violencia —creciente, permanente, repetida— del mundo del interior colombiano. Mis amistades colombianas partían, primero, de la vecindad de Alfonso López Michelsen en el primer edificio de condominios de la ciudad de México, en la avenida llamada entonces de la Fundición, hoy de Rubén Darío, como si la industria cediese el paso, improbablemente, a la poesía (o como si ésta, la poesía, no pudiese existir sin la industria). López Michelsen ocupaba el segundo piso del edificio; yo, el tercero. Él escribía *Los elegidos*; yo, *La región más transparente*. Nuestros respectivos teclazos, lejos de fundirse poéticamente, se difundían en batalla sonora. Llegamos a un acuerdo: él escribiría de mañana, yo de tarde. Significó que mi primer encuentro con Colombia se tradujo en una negociación y un acuerdo.

La sucesión de mis amistades colombianas siguió con Fernando Botero, joven pintor, entonces, de temas taurinos y vívidas naturalezas muertas, quien me presentó a Álvaro Mutis, recién llegado éste a México y centro de una fiesta que le ofrecí en la Fundición de Rubén, fiesta en la que Mutis conoció de un solo golpe a todos sus amigos mexicanos. Favor que me devolvió presentándome, poco más tarde, a Gabriel García Márquez en los pasillos de la productora de cine Barbachano Ponce, apodada apropiadamente por Mutis "La Mansión de Drácula". La presencia alegre, dichosa y dicharachera, de García Márquez disipó las brumas transilvánicas con un rayo de luz tropical. Conocía sus cuentos publicados en mi propia *Revista Mexicana de Literatura* pero desde antes, en la revista *Mito* de Gaitán Durán, cerrando así el círculo de mi relación, cálida, por no decir apasionada con Colombia y los colombianos.

Mi amistad, más reciente, más joven, con Juan Manuel Santos, venía, así, a abrir un nuevo capítulo de esa relación: continuación, renovación. Al conocerle en Harvard, estaba yo empeñado en la primera redacción de una novela sobre la guerrilla en Colombia. Tenía una fotografía de mi padre, tomada en 1938 en Bogotá, en la que aparece junto al entonces presidente de Colombia, Alfonso López Pumarejo, padre de mi vecino López Michelsen. En la foto, el presidente y mi padre visten de riguroso frac al mediodía. Esta imagen de una Colombia elegante, civilizada, culta, contrastaría brutalmente con la violencia —constante, subyacente, antigua y profética a la vez— que describía Gaitán Durán. La cultura colombiana era fuerte, era cierta, y la representaban los amigos que he mencionado. La violencia también era cierta, y antigua. El énfasis solía colocarse en el asesinato del líder Jorge Eliécer Gaitán el 9 de abril de 1948, primer acto del "Bogotazo", un arranque de violencia desesperada que al cabo encontró tres cauces de organización.

Las FARC (Fuerzas Armadas Revolucionarias de Colombia), cercanas al Partido Comunista, dirigidas por el cuasi-invisible *Tirofijo* Marulanda, y portadoras de la promesa agraria: la tierra para quienes la trabajan. El ELN (Ejército de Liberación Nacional), afín a la Revolución Cubana pero con una connotación religiosa ejemplificada por el padre Camilo Torres y compuesto por jóvenes airados de origen burgués y un cura español renegado, *el Cura Pérez*.

Más interesante me resultaba el M-19 (Movimiento 19 de Abril), no tanto por sus tácticas como por sus personalidades. Aquellas iban de robar a los ricos para dar a los pobres a la violenta toma de la Corte Suprema en 1985, con su secuela de muertes;

del robo de la espada de Simón Bolívar a la convicción de que sólo la violencia traería el cambio a Colombia.

Me interesó más el m-19, sobre todo (atribúyanlo a mi imaginación de novelista) por el perfil de sus dirigentes. Carlos Pizarro Leongómez, el "comandante papito" del Movimiento m-19. Pizarro provenía de una familia de la burguesía colombiana. Su padre era militar de carrera, agregado militar en Washington y hombre de probada honradez. La madre, chilena, era maestra de escuela y mujer cercana a la problemática social de los barrios pobres. Junto con sus hermanos, Pizarro había recibido una educación tradicional, en el hogar y en la escuela religiosa. Es decir: creció en ese caldo de cultivo de la insurgencia latinoamericana que es el hogar de una clase media alta, ilustrada, inconforme, inquisitiva. También estaba allí Jaime Bateman, alegre costeño, dispuesto a "nacionalizar la revolución" contra los dogmas del Partido Comunista. Estaba Álvaro Fayad, integrado al monte y al campesinado, para darle al m-19 un sentido "nacionalista, democrático, revolucionario". Estaba Iván Marino Ospina, portador de una memoria personal de la violencia, prueba de la guerra intestina lejos de la convivencia "civilizada", entre liberales y conservadores. Todos murieron. Estaba Antonio Navarro Wolf, el sobreviviente, el testigo, quien regresó la espada de Bolívar.

Para 1988, cuando conocí a Juan Manuel Santos, ya el presidente Belisario Betancur, contra viento y marea, había declarado (en 1982, mucho antes que Barack Obama) "sí se puede", abriendo el camino a un proceso de reintegración a la política. Sólo que el proceso de cambio de la guerrilla a la política coincidió con el ascenso de los cárteles de la droga y el asesinato de figuras políticas como el ministro de Justicia Rodrigo Lara Bonilla, los candidatos Jaime Pardo, Luis Carlos Galán, Bernardo Jaramillo y, en 1990, el propio Carlos Pizarro, quien abandonó las armas por los votos y fue asesinado en campaña, a bordo de un avión comercial, por un joven sicario escondido en el baño del aparato. Los guardias asignados a Pizarro no pudieron proteger al candidato. En cambio, mataron al muchacho asesino y dispuesto a morir, en cuyo zapato se halló el recado de darle a su madre la suma convenida por el asesinato.

El presidente César Gaviria (1990-1994) abrió la puerta al ingreso de la guerrilla a la política pero reforzó la acción contra los narcotraficantes mediante el ofrecimiento de no extraditar a quienes se entregasen voluntariamente a las autoridades, declarándose culpables. Éstos no serían extraditados a los Estados Unidos, sino juzgados en Colombia. El capo Pablo Escobar accedió a este ofrecimiento, sólo para escapar en 1992, acabando con el cese-al-fuego de Gaviria y desencadenando la guerra de los cárteles que al cabo absorbió a los movimientos de la guerrilla política, asociándolos a la generalizada guerra de la droga.

El presidente Andrés Pastrana (1998-2002) intentó de nuevo la reconciliación, asignándoles territorios propios a las narcoguerrillas, provocando la expansión y recrudecimiento de las fuerzas paramilitares de las AUC, y promoviendo canjes de prisioneros.

Juan Manuel Santos, ministro de Defensa Nacional en el gobierno de Álvaro Uribe, sucesor de Pastrana, heredaba así una larga historia de conflictos. Éstos, cabe añadir, no se iniciaron con el asesinato de Gaitán y el "Bogotazo" en 1948. La "violencia" ha sido endémica en la historia colombiana a partir de la independencia en 1819: del bandidaje de los veteranos desocupados de la revolución al levantamiento de Urdaneta en 1830, a la conspiración de Sardá en 1833; de la rebelión de los pastusos y la Guerra de los Supremos en 1840 a las guerras civiles en Bucaramanga y Palonegro a fines del siglo XIX, con cien mil muertos; de la Guerra de los Mil Días y la pérdida de Panamá en 1903 a la huelga bananera de 1928, relatada por García Márquez en *Cien años de soledad*, y la matanza de Ciénaga ese mismo año, la violencia ha marcado la historia de Colombia antes del "Bogotazo".

Lo notable es que la violencia convivió con la creación de un sistema político bipartidista (liberales y conservadores) y con un auge cultural que convirtió a Bogotá en la "Atenas de Suramérica". Aunque el poder bipartidista no impidió la violencia rural entre liberales y conservadores, ni el antagonismo respecto a la reforma liberal de la educación, las medidas renovadoras de los presidentes Tomás Cipriano de Mosquera (1845-1849) y José Hilario López (1849-1853) y la resistencia conservadora del presidente Mariano Ospina Rodríguez (1857-1861), así como el intento de "Orden y Progreso" positivista del presidente Rafael Núñez (1880-1882) que abrió camino al dominio del Partido Conservador hasta 1930.

Quiero decir que la gestión descrita por Juan Manuel Santos en su libro no es inocente, en el sentido de que carga con los pecados originales de la historia de Colombia que aquí evoco, es consciente del peso del pasado pero no declina la esperanza del porvenir. Sobra decir que no estoy de acuerdo con todo cuanto dice, elogia o condena mi amigo Juan Manuel Santos. En México vivimos en una frontera violenta con los Estados Unidos de América y me parece cada vez más claro que sólo la despenalización (o la legitimación), por paulatina que sea, del consumo de estupefacientes puede dejar sin clientela a los capos. En 1933, el presidente Franklin Roosevelt acabó con la prohibición del alcohol. Siguió habiendo borrachos, pero ya no hubo Al Capone.

En honor de Santos está su propósito de crear bases políticas y judiciales que permitan ganar la guerra sin vulnerar los derechos humanos. "No se puede defender las instituciones obrando por fuera del marco institucional", declara el autor, y añade: "La condición fundamental de un ejército victorioso es la legitimidad, porque el que triunfa pisoteando la ley y los derechos, lo hace a costa de sí mismo y de lo que dice defender".

Con este propósito, el ministro Santos propuso varios "pilares" que evocan, sin duda, los "siete pilares de la sabiduría" de T. E. Lawrence, donde el llamado Lawrence de Arabia da cuenta de sus campañas militares en el desierto contra la dominación turca. Santos propone un pilar de instrucción en materia de derechos humanos. Un pilar de disciplina militar y de reforma a la justicia penal militar. Un pilar de protección de poblaciones vulnerables (indígenas, afrocolombianos, sindicalistas) y un pilar de cooperación. Cero tolerancia frente a violaciones de los derechos humanos por las fuerzas armadas. "Un ejército que no se gana, con su actitud recta y respetuosa de la comunidad, el apoyo y la confianza del pueblo, es un ejército derrotado de antemano…". Más desmovilización que capturas y más capturas que bajas, ha sido la consigna del ministro Santos.

Muchos factores la han puesto a prueba. El caso de los "falsos positivos", o sea, presentar como narcoguerrilleros ajusticiados por el ejército a muchachos con antecedentes judiciales pero ajenos al combate guerrillero. Ejemplo clarísimo de violación de derechos que, en palabras de Santos, constituye la "situación más grave que tuve que asumir". En cambio, Santos se siente frustrado porque no pudo avanzar más en asegurar la defensa de soldados y policías. Éste es el pilar que faltaba construir y que Santos, al dejar el Ministerio, heredó a sus sucesores.

Heredó algo más: una política de Estado que no sólo concierne a Colombia y que se funda en cinco puntos. Primero, la voluntad de actuar: selección de objetivos, deliberación, decisión y ejecución. Todo lo contrario de abulia, inhibición, compulsión o, aun, de hipobulia. Segundo, la estrategia que articule a las instituciones y les dé propósito (voluntad). Tercero, la consolidación del control estatal del territorio. Cuarto, la protección de la población. Y quinto, la eliminación del comercio de drogas.

Semejante política implica unificar a las agencias del Estado (ojo, México); recuperar las regiones ocupadas por el narco; proveer servicios de seguridad, justicia y educación, y religar a los soldados con sus pueblos de origen, dándole seguridad a su propia región. Acciones militares y de rescate de rehenes (operaciones Jaque y Fénix) que describe Santos en su libro dan cuenta de la estrategia seguida por el autor.

"El Estado llegó para quedarse", proclama Santos, y yo me asombro de que, durante mi vida, haya habido opiniones que reclamaban la ausencia del Estado y el imperio del mercado. Hoy todos entienden que el mercado es sólo parte de la vida económica y social, y que el Estado, sin serlo todo, es más que el mercado, aunque menos que la sociedad.

Quiero, ahora, dejarle, a mi vez, la palabra a Juan Manuel Santos. Muchos lectores de este libro estarán de acuerdo con Santos. Otros, disputarán sus asertos. Es la suerte de todo libro vivo, como es éste: no satisfacer a todos todo el tiempo. Que "la cruzada por la legitimidad" quedará como un referente muy importante de esta época de la vida colombiana, me parece seguro. Que el tiempo le dará razones, sinrazones y oposiciones a cuanto aquí se lee, también. Que el libro de Juan Manuel Santos no es comprensible sin el pasado histórico de Colombia, es algo a tomar en cuenta. Que, al cabo, lo que yo he intentado en estas páginas es aclarar, y aclararme, mi personal relación, como mexicano, con Colombia y los colombianos, es lo más cierto de todo.

A Juan Manuel Santos lo consideré, como Sarmiento a Domingo, mi mejor alumno. En mi novela *La silla del Águila* le auguré la presidencia de Colombia en el año 2020. Ojalá la ocupe antes.

Annus horribilis

(A modo de prefacio)

El jueves 6 de diciembre de 2007, en el campo de paradas de la Escuela Militar de Cadetes General José María Córdova, al culminar una ceremonia de ascenso de oficiales superiores, presenté, ante un auditorio de uniformados y civiles, un apretado recuento de los éxitos que habían alcanzado las Fuerzas Armadas durante el año que terminaba.

No era cualquier balance.

El año había comenzado con la fuga, gracias a la presión ejercida por la fuerza pública, de Fernando Araújo, ex ministro y uno de los secuestrados más preciados de las FARC, a la que se había sumado, meses después, la increíble odisea del subintendente de la Policía John Frank Pinchao, que escapó de sus verdugos y sobrevivió 17 días en la selva hasta que fue rescatado por un helicóptero de la misma Policía.

Habían sido dados de baja cabecillas estratégicas de las FARC como alias *JJ*, alias *Negro Acacio* y alias *Martín Caballero*, con gran poder dentro de la organización, además de otros mandos medios como Cristian Pérez, Hugo Sandoval, Felipe Arango, el Campesino, el Indio, la Burra y Diego Cristóbal. Otros peligrosos jefes de las FARC, como Hernán y Embera habían sido capturados.

Para ese momento, en tan sólo los primeros once meses del 2007, se habían desmovilizado de ese grupo terrorista 2.370 de sus integrantes, cansados de desperdiciar sus vidas en un proyecto llamado al fracaso, incluidos varios con más de diez años de pertenencia a la guerrilla. El promedio era de casi siete militantes de las FARC desmovilizados cada día.

La opinión pública nacional e internacional se había volcado contra las FARC y exigía, en una sola voz, la libertad de los cientos de secuestrados en su poder. El vil asesinato de once de los doce diputados del Valle del Cauca que habían sido plagiados desde abril de 2002, masacre que las FARC intentaron encubrir bajo cínicos comunicados, había levantado una inmensa ola de indignación, que se plasmó en las impactantes marchas ciudadanas del 5 de julio.

Frente a este panorama general, en mi discurso del 6 de diciembre resumí los resultados de ese año con una frase que utilizaba una expresión en latín: "¡El 2007 ha sido el *annus horribilis* de las FARC!".

Usé un término que, en su momento, hizo popular la reina Isabel II de Inglaterra cuando declaró que 1992, el año en que terminaron los matrimonios de sus hijos Carlos y Andrés, y en el que se incendió el Castillo de Windsor, había sido un *annus horribilis* (año horrible o catastrófico), en contraposición al término más conocido de *annus mirabilis* (año milagroso o maravilloso). Luego Kofi Annan, secretario general de las Naciones Unidas, dijo en un discurso que el año 2004 había sido un año particularmente difícil, un *annus horribilis*.

Entonces pensaba yo que el 2007 había sido el año más catastrófico para las FARC en toda su historia. Pero, por fortuna, estaba equivocado. Su *annus horribilis* apenas comenzaba.

¿Quién hubiera supuesto entonces que, en el primer semestre del 2008, acabarían bajo tierra tres de los siete miembros de su Secretariado, incluido alias *Manuel Marulanda*, su fundador y principal cabecilla? ¿Quién hubiera previsto que la marcha contra las FARC del 5 de julio se vería desbordada por las impresionantes manifestaciones del 4 de febrero y el 20 de julio de 2008, con eco en todos los rincones del planeta? ¿Quién hubiera imaginado que las Fuerzas Armadas de Colombia, en una operación impecable que merecería la admiración del mundo entero, rescatarían a Íngrid Betancourt, tres norteamericanos y once oficiales y suboficiales de la fuerza pública secuestrados por las FARC, sin disparar un solo tiro?

La revista *Cambio*, en su edición del 12 de junio de 2008, recogió el término que yo había utilizado en diciembre, y tituló un artículo de análisis sobre las FARC con la expresión "Annus horribilis" y el siguiente subtítulo: "El 18 de junio se cumple un año de la masacre de once diputados del Valle, inicio de la hecatombe de las FARC". De acuerdo con *Cambio*, "el 18 de junio de 2007 (…) se convirtió en el primer eslabón de una cadena de reveses que ha hecho de estos últimos doce meses el peor año de los 45 de historia de las FARC, tanto en el terreno militar como en el político". ¡Y eso que todavía no había ocurrido la Operación Jaque!

Con estos nuevos hechos en el balance, he replanteado mi análisis inicial: el *annus horribilis* de las FARC no ha sido tan sólo un año sino, en realidad, dos años: los transcurridos desde la liberación del ex ministro Araújo, en los albores del 2007, hasta comienzos de 2009, cuando seguimos debilitando a esta organización terrorista en todo el territorio nacional.

La espectacularidad de la Operación Jaque, que culminó con el rescate incruento de quince secuestrados y que es, sin duda, la operación militar y de inteligencia más importante en la historia de la lucha contra las FARC (muchos la consideran la más espectacular contra el terrorismo a nivel mundial), puede opacar un proceso complejo e ininterrumpido de golpes contra este grupo narcoterrorista, que lo ha llevado, después de casi medio siglo de terca obstinación en los métodos de la violencia y la intimidación, a su peor momento en toda su existencia.

Por eso es importante que contemos el proceso en su totalidad. Es un aporte a la memoria de un país que, como Colombia, lleva más de seis décadas sin conocer un día de paz pero que vislumbra, al fin, gracias a un gobierno comprometido con el tema de la seguridad —el gobierno del presidente Álvaro Uribe—, y gracias a unas Fuerzas Militares y de Policía que están en su máximo nivel y que han hecho sacrificios heroicos, un futuro de tranquilidad, oportunidades y libertad para todos.

A dar esa mirada global al doble, casi triple, "año catastrófico" de las FARC está destinado este libro que es, al tiempo, testimonio histórico y homenaje a una nación valiente y sufrida que comienza a despertar de la larga pesadilla que ha significado este grupo y su actividad criminal y terrorista.

Podría hablar también de los contundentes golpes asestados contra otras organizaciones delincuenciales. El ELN, sumido cada vez más en la irrelevancia, ha perdido, a manos de la fuerza pública, a varios de sus principales cabecillas. Se han desmontado las dos más poderosas organizaciones del narcotráfico, como eran el cartel del Norte del Valle y la organización de los mellizos Mejía Múnera, capturando o dando de baja a sus capos. Se está batallando contra las bandas criminales que han surgido en territorios que estaban antes bajo la influencia de los grupos ilegales de autodefensa, hoy desmovilizados.

Sin embargo, he decidido enfocar este libro en la lucha contra las FARC, la organización guerrillera más antigua del continente, considerada como terrorista por más de treinta Estados —incluidos los de la Unión Europea—, porque es la principal instigadora de la violencia y el narcotráfico en el país. Las FARC tienen responsabilidad incluso en la formación de los grupos ilegales de autodefensa, que se crearon como una reacción a su actividad secuestradora y extorsiva, y que luego se convirtieron en organizaciones tan terribles como aquella que pretendían combatir.

Mientras las Fuerzas Militares y de Policía registran en las encuestas una opinión favorable superior al 70%, las FARC apenas tienen simpatías en menos del 2% de la población, y son repudiadas por la abrumadora mayoría del pueblo colombiano, que ve en ellas su principal obstáculo para alcanzar un desarrollo armónico y en paz. Por eso es tan importante contar la forma en que, en estos últimos años, el gobierno y las Fuerzas Armadas han doblegado a esta organización, atravesando un punto sin retorno que conducirá, en un futuro que esperamos cercano, a su sometimiento a las normas de la democracia y del Estado de derecho.

Termino este prefacio con una reflexión adicional. El gran genio y fundador de la ciencia moderna, Isaac Newton, escribió a un amigo esta frase sabia: "Si yo he visto más allá que otras personas, es porque estoy parado en hombros de gigantes". Lo mismo aplica a todos aquellos que hemos tenido la honrosa responsabilidad de conducir las riendas de la Política de Seguridad Democrática del presidente Álvaro Uribe durante estos años históricos. Si hoy estamos cosechando resultados, como nunca se habían visto, es "porque estamos parados en hombros de gigantes".

Como ministro de Defensa, designado para este cargo por el presidente Uribe en julio de 2006, me correspondió liderar este proceso porque me encontraba "en el lugar indicado en el momento oportuno". Pero debo hacer un justo homenaje a mis antecesores, que allanaron el camino, con políticas adecuadas y un continuo esfuerzo de fortalecimiento y profesionalización de la fuerza pública, para alcanzar los resultados de que hoy damos cuenta.

Desde el gobierno del presidente Pastrana —quien, al tiempo que dialogó con las guerrillas, comenzó este proceso de fortalecimiento militar y policial, con el impulso del Plan Colombia— fueron fundamentales los aportes de los ministros Rodrigo Lloreda (q.e.p.d.), Luis Fernando Ramírez y Gustavo Bell. En el primer periodo del presidente Uribe, destaco y agradezco el trabajo adelantado por la ministra Marta Lucía Ramírez, y los ministros Jorge Alberto Uribe y Camilo Ospina.

Tuve la suerte, también, de contar con un equipo de trabajo formidable y armónico, tanto en el Ministerio —con el apoyo de los viceministros Juan Carlos Pinzón, Sergio Jaramillo y el general (r.) Fernando Tapias, y el secretario general Luis Manuel Neira— como en las instituciones armadas.

Desde el comienzo de mi gestión como ministro estuve acompañado por brillantes estrategas y ejecutores como el general Freddy Padilla de León, comandante de las Fuerzas Militares; el almirante David René Moreno, jefe de Estado Mayor Conjunto de las Fuerzas Militares; el general Mario Montoya, comandante del Ejército hasta los primeros días de noviembre de 2008, y su sucesor, el general Óscar González; el general Jorge Ballesteros, comandante de la Fuerza Aérea, y el almirante Guillermo Barrera, comandante de la Armada. En la Policía Nacional, conté con la colaboración de dos excelentes directores, como fueron el general Jorge Daniel Castro y, en particular, el mayor general Óscar Naranjo. Todos ellos, además de grandes patriotas son excelentes seres humanos que me han honrado con su amistad y respeto.

Bajo su dirección, más de 420.000 colombianos que visten el uniforme de Colombia —oficiales, suboficiales, soldados, infantes de marina, policías— han sido los valientes y heroicos ejecutores de la Política de Consolidación de la Seguridad Democrática que hoy produce resultados históricos. Todos ellos, y sobre todo aquellos que cayeron en cumplimiento de su misión, que han perdido sus extremidades o sufrido graves deterioros en su salud por proteger a sus compatriotas, merecen nuestra mayor gratitud y admiración. Ellos están vivos y presentes en el corazón reconocido de los colombianos que hoy, de nuevo, vuelven a recorrer las carreteras, pueblos y campos de nuestro territorio sin temor y con fe en el futuro.

Nada de esto, sin embargo, se hubiera podido lograr sin el liderazgo, la inspiración y el respaldo del presidente Álvaro Uribe Vélez, un mandatario que siempre ha tenido claro —como decían los romanos cuando inventaron la república— que la seguridad es la primera condición para el desarrollo. En toda operación, por riesgosa que ella fuera, contamos con la certeza del apoyo del presidente Uribe, quien siempre estuvo al tanto de cada movimiento y cada avance, ejerciendo su función constitucional de Comandante Supremo de las Fuerzas Armadas de la República, e inyectando moral y compromiso a los soldados, infantes y policías que libran la batalla por la paz.

No tengo ninguna duda: si estamos donde estamos es porque andamos "en hombros de gigantes". Ellos son los protagonistas de esta epopeya histórica que ha significado el peor momento para las FARC en toda su existencia y, por consiguiente, el mejor momento para Colombia.

RESURRECCIÓN DE LOS MONTES DE MARÍA

Carmen querido, tierra de amores,
hay luz y ensueños bajo tu cielo,
y primavera siempre en tu suelo
bajo tus soles llenos de ardores.

Fragmento de *Carmen de Bolívar,*
porro de LUCHO BERMÚDEZ.

CAPÍTULO I

La liberación de Fernando Araújo

Sin duda, el hecho fundamental que marcó el inicio de los peores años de las FARC fue la operación militar que condujo a la liberación del ex ministro Fernando Araújo Perdomo, secuestrado desde diciembre del año 2000 y mantenido por años en la región de los Montes de María, bajo responsabilidad del frente 37 que dirigía alias *Martín Caballero*.

Antes de este buen suceso, habíamos obtenido logros importantes, entre los cuales se destaca la captura de alias *Chepe* o *el Boyaco*, en una impecable operación que se basó en un proceso de inteligencia adelantado por la Policía por más de ocho meses, y que contó con la participación del Ejército, la Armada y la Fuerza Aérea. El Boyaco, uno de los traficantes de armas y drogas más importantes de las FARC, fue aprehendido el 17 de octubre de 2006, junto con su socia, alias *la Negra*, y otros 19 guerrilleros, en zona selvática del municipio de El Retorno en el departamento del Guaviare. Fue un golpe de gran impacto para los terroristas, pues este delincuente era el enlace para la coordinación de la actividad de narcotráfico con cabecillas como alias *Negro Acacio*, del frente 16, y alias *César*, del frente primero, custodio de los secuestrados que luego serían rescatados en la Operación Jaque.

La operación contra el Boyaco fue, además, la primera que se realizó después de una serie de reuniones que hicimos con los comandantes y los oficiales encargados de las operaciones, donde insistimos en el concepto de las operaciones "conjuntas". La doctrina se siguió al pie de la letra, y los trabajos se distribuyeron en forma milimétrica y coordinada entre las diferentes fuerzas. Fue una operación en la que no se disparó ni un solo tiro. ¡Vencer sin combatir!, como aconseja Sun-Tzu.

El Boyaco y la Negra fueron extraditados a Estados Unidos, donde enfrentan cargos por narcotráfico y terrorismo.

Otra captura de importancia en el segundo semestre de 2006 fue la de Horacio Castro, alias *Fernando Caicedo*, quien fue ubicado el 18 de noviembre por unidades élite del Ejército en un populoso barrio del sur de Bogotá. Castro había sido coordinador de una mesa temática durante el proceso de diálogo que adelantó el gobierno de Andrés Pastrana con las FARC en San Vicente del Caguán, y hacía parte de su frente internacional, desde donde estaba adelantando contactos con organizaciones del extranjero, sustituyendo en ese papel a alias *Rodrigo Granda*, quien por entonces se encontraba preso en una cárcel del país.

Sin demeritar capturas tan significativas como las dos mencionadas, la Operación Linaje adelantada por el Comando Conjunto del Caribe a partir del 31 de diciembre de 2006 para rescatar a Fernando Araújo de su lugar de cautiverio, en una zona denominada Aromeras Norte, en la región de los Montes de María, fue de tal envergadura y tuvo un resultado tan espectacular y tan doloroso para las FARC, que sitúo en ella el inicio de los golpes maestros que están generando, uno tras otro, la decadencia definitiva de esta organización terrorista.

Los Montes de María

Los Montes de María es una región natural ubicada entre los departamentos de Bolívar y Sucre, en la zona caribe del país, que abarca un área superior a los 6.000 kilómetros cuadrados e incluye a siete municipios bolivarenses (Córdoba, El Carmen de Bolívar, Marialabaja, San Jacinto, San Juan Nepomuceno, El Guamo y Zambrano) y ocho sucreños (Colosó, Chalán, Morroa, Ovejas, San Antonio de Palmito, Los Palmitos, San Onofre y Toluviejo).

Geográficamente, los Montes de María son el centro estratégico de unión entre la parte norte y la parte sur de la costa Caribe, y de ésta con el resto del país, ubicado entre dos importantes carreteras: la troncal del Caribe, que une a Sincelejo con Cartagena, vía San Onofre, y la troncal del Occidente, que lleva de Sincelejo a Barranquilla, vía el Carmen de Bolívar.

Desde el punto de vista económico, es una región de las más ricas que existen en la costa caribe. Allí hay importantes cultivos de tabaco, ñame y aguacate, además de cultivos maderables y tierras aptas para la ganadería.

En el campo cultural, la diversidad de sus expresiones la han hecho famosa en el país. Lucho Bermúdez, el gran compositor y director de orquesta, que popularizó el ritmo del porro, es oriundo de Carmen de Bolívar. De San Jacinto son los conocidos Gaiteros de San Jacinto, y las hamacas más famosas de Colombia. Allí se encuentra, incluso, un museo arqueológico que exhibe piezas consideradas entre las más antiguas de América. Ovejas es la sede del Festival Nacional de Gaitas, y Morroa no se queda atrás con su Festival Nacional del Pito Atravesao, un instrumento autóctono de la región.

Con todas estas características, los Montes de María estaban llamados a ser una región próspera y tranquila, que no conociera más sobresaltos que los que producen las gaitas, los pitos y los tambores. Infortunadamente, el cruce perverso de intereses del narcotráfico, los grupos de autodefensa y las guerrillas, en su lucha por controlar esta zona neurálgica, que es paso obligado desde Medellín y el eje cafetero hacia la costa caribe, alteraron su historia y la convirtieron en una de las áreas de mayor peligrosidad del país.

Hace un cuarto de siglo llegó la guerrilla y comenzó a destruir el equilibrio que había en la región. Posteriormente llegaron las autodefensas. Para principios del siglo XXI, los Montes de María (como sucedía en buena parte del país) eran prácticamente una cárcel en la que los habitantes no se sentían con libertad de circular por temor a los constantes secuestros en carreteras, conocidos como "pescas milagrosas". No más en el año 2000 hubo prácticamente un retén ilegal con secuestros cada semana. Las extorsiones y asesinatos estaban a la orden del día. Tanto la guerrilla como las autodefensas disputaban el control para crear corredores de movilidad y establecer zonas de influencia. Su saña no conocía límites.

Allí operaron el EPL, hasta su desmovilización en 1991; el llamado Ejército Revolucionario del Pueblo (ERP); el ELN, y las FARC, a través de sus frentes 35 y 37, dependientes del Bloque Caribe. Todos vivían del secuestro y la extorsión, lo que generaba desplazamientos y una zozobra continua a todos los moradores.

Por su parte, las autodefensas, en su afán de consolidar su poder regional, actuaron con tremenda sevicia y ejecutaron masacres terribles como las de El Salado, Chengue, Pichilín y Macayepo, de cuyos macabros detalles apenas hoy nos estamos enterando.

De alguna manera, guerrillas y autodefensas, contra todo lo que pudiera imaginarse, se respetaban sus territorios. Cada cual obtenía los mayores recursos de su actividad de narcotráfico y de la intimidación a la población.

Comienzo de la recuperación

Cuando el presidente Uribe inició su mandato, en agosto de 2002, la situación en los Montes de María era alarmante. Por ello, una de sus primeras medidas fue la de crear una zona de rehabilitación y consolidación para el control del orden público en quince municipios de Sucre y nueve de Bolívar, incluidos todos los que conforman los Montes de María. También utilizó una figura similar en el departamento de Arauca.

Gracias a dicha medida, que estuvo vigente entre septiembre de 2002 y abril de 2003, y al fortalecimiento militar y policial en la región, la situación de seguridad comenzó a cambiar. El ELN estaba cada vez más disminuido y las FARC, viendo decrecer su capacidad de secuestro y sus posibilidades de movilización, iniciaron un proceso de repliegue y de concentración de fuerzas que las llevó a unir las capacidades de sus frentes 35, que comandaba alias *Manuel* o *Mañe*, y 37, bajo órdenes de Martín Caballero.

Con la puesta en marcha de la Política de Seguridad Democrática y los recursos obtenidos del impuesto de guerra, la Infantería de Marina, componente de la Armada con mayor presencia en la región, prácticamente se dobló. Se crearon dos batallones de contraguerrilla, y los puestos de infantes de marina de mi pueblo, sobre la idea original de los soldados campesinos. Adicionalmente, la Policía se estableció permanentemente en todas las cabeceras municipales, afianzando así la presencia de las autoridades y ganando la confianza de la población, que por mucho tiempo vivió atemorizada, al punto de que en los pueblos de la zona muchas veces nadie le vendía un raspado o un refresco a un soldado, un infante o un policía, por temor a las represalias de la guerrilla.

Durante la década del noventa y hasta el año 2004, el control de la zona lo ejercían principalmente la Armada, a través de la Primera Brigada de Infantería de Marina, con sede en Corozal (Sucre), y la Fuerza Naval del Caribe, con sede en Cartagena. En las cabeceras municipales y las carreteras principales había también apoyo permanente de la Policía.

Se realizaron incontables operaciones contra los diversos grupos ilegales en el área, y para la ubicación y rescate de Fernando Araújo, como la Operación Fénix en marzo de 2003, con resultados plausibles en términos de desmantelamiento de campamentos de las FARC y neutralización de algunos de sus militantes. Sin embargo, también sufrieron las tropas muchas bajas, por efecto de las minas antipersona sembradas por los terroristas. Martín Caballero era un verdadero experto en el uso de esas minas y eso hacía mucho más difícil su captura.

Algo muy importante fue la recuperación de la seguridad en las carreteras. En la medida en que la fuerza pública aseguró las vías de comunicación y se acabaron las pescas milagrosas de la guerrilla, la economía comenzó a fluir de nuevo y el ambiente general mejoró.

Para el 2004 casi todas las vías estaban abiertas y controladas las veinticuatro horas del día. Sólo algunos tramos, como el que une a los municipios de Carmen de Bolívar y Zambrano o a San Jacinto con Corozal, mantuvieron por más tiempo algunas restricciones nocturnas, que fueron finalmente retiradas en el 2007. Yo mismo levanté, a comienzos de dicho año, la última restricción que pesaba sobre una carretera nacional, que era la vía San Juan Nepomuceno-Cartagena.

Partiendo de las carreteras aseguradas, las tropas legítimas iban extendiendo su control a ambos lados de las vías, cada vez metiéndose un poco más campo adentro. Hay que tener en cuenta que los Montes de María presentan una topografía muy complicada que, si bien no es particularmente alta (su cima mayor, el cerro Maco, apenas supera los 800 metros), está llena de desniveles y profundos peñascos que separan una montaña de otra, con cañadas al medio y tupida vegetación.

El 24 de diciembre de 2004 se dio un cambio fundamental en la estrategia para la recuperación de la seguridad en los Montes de María y otras zonas de orden público en la región caribe del país, con la creación del Comando Conjunto del Caribe, con sede en Santa Marta y jurisdicción sobre diez departamentos, cuyo primer comandante fue el general Mario Montoya Uribe.

El Comando Conjunto del Caribe replicó, en el ámbito regional, lo que significa el Comando General de las Fuerzas Militares en el ámbito nacional: la reunión de la inteligencia y las capacidades logísticas del Ejército, la Armada y la Fuerza Aérea bajo un solo mando, para dirigir las operaciones, con criterio unificado, en una zona del país.

En este comando quedaron incluidas las divisiones primera y séptima del Ejército, la Fuerza Naval del Caribe, la Primera Brigada de Infantería de Marina, y las bases de la Fuerza Aérea en Barranquilla y Medellín, con una cobertura de 250.000 kilómetros cuadrados, y un pie de fuerza que hoy supera los 64.000 hombres en total.

Como era de esperarse, el trabajo conjunto de todas las fuerzas a través del Comando, siempre en coordinación con la Policía, el DAS y la Fiscalía, generó mayores resultados y avances de seguridad, logrados a través de múltiples y sucesivas operaciones, en las que tropas altamente entrenadas, con una combinación de equipos terrestres, fluviales y aéreos, hacían cada vez más mella a los terroristas

A esto se unieron dos circunstancias afortunadas: por una parte, la desmovilización de las autodefensas que operaban en el área, como parte del proceso general de sometimiento a la justicia de los llamados paramilitares, en desarrollo de la Ley de Justicia y Paz. Los grupos que actuaban allí, como el llamado Bloque Héroes de los Montes de María, se desmovilizaron en el 2005, lo que alivió la presión sobre los habitantes. Si bien algunas bandas criminales emergentes han intentado continuar el negocio del narcotráfico de las autodefensas, éstas han sido en gran parte neutralizadas por la Policía. Hoy puede decirse que la época aciaga de las matanzas de los paramilitares pasó para siempre en los Montes de María, y que sus instigadores y ejecutores, en su mayoría, están presos y respondiendo ante la justicia.

Otro factor positivo para la seguridad de la zona fue la desmovilización, entre fines de 2006 y mayo de 2007, de la totalidad de los miembros que integraban el ERP, una disidencia del ELN que por varios años se dedicó al secuestro en la región. Se calcula que fueron responsables de por lo menos 140 plagios, y sin duda se trataba de una de las organizaciones terroristas que más daño habían hecho a su economía. Gracias a la continua presión militar, y agobiados también por el acoso de las FARC, que querían eliminar su competencia criminal, cerca de 50 de sus últimos integrantes se entregaron, con sus armas, a tropas del Comando Conjunto del Caribe, marcando el fin de esta organización delictiva.

La Operación Linaje

Martín Caballero, el cabecilla del frente 37, presumía del secuestro del ex ministro de Desarrollo Económico Fernando Araújo, y lo custodiaba como su mayor botín, porque le daba prestigio ante sus pares de la guerrilla. No llegó a imaginar que dicho plagio terminaría por acarrear la práctica extinción de su frente y del frente 35, y el fin de su vida criminal.

Fernando Araújo, secuestrado en Cartagena el 4 de diciembre de 2000, no sólo había hecho parte del equipo de gobierno del presidente Pastrana sino que era su amigo personal. No es de extrañar entonces que, dada la calidad del personaje, el mismo presidente hubiera exigido a las Fuerzas Armadas una actuación especialmente esmerada para lograr la ubicación y el rescate del doctor Araújo.

Con ese fin, y bajo la dirección de un brigadier general de la Infantería de Marina, se crearon unidades de inteligencia con los propósitos específicos de liberar al ex ministro y lograr la captura o la baja de su secuestrador, Martín Caballero, azote implacable de la región de los Montes de María.

Esta inteligencia se fue perfeccionando y actualizando con el paso de los años; se volvió una inteligencia compartida (concepto en el que yo insistiría hasta la saciedad) entre las diversas fuerzas a raíz de la creación del Comando Conjunto del Caribe, y nunca dejó de avanzar hacia los dos objetivos planteados. Cada día era más completa la información que se tenía sobre las actividades de Caballero y el paradero de Araújo, quien inicialmente había sido custodiado por diversas compañías del frente 37 pero últimamente —y ante la escasez creciente de hombres generada por la incesante campaña militar— era vigilado por el mismo Caballero y sus secuaces.

Se interceptaron comunicaciones, se supervisaron las actividades de los familiares y amigos del cabecilla, y su sistema de aprovisionamiento, hasta obtener un perfil muy aproximado de las actividades de su frente, el cual, desde la arremetida de la Fuerza Naval del Caribe en 2003, prácticamente se había fusionado con el frente 35 que dirigía el Mañe.

De esta forma, se iba estrechando el cerco sobre secuestradores y secuestrado. Varias operaciones se lanzaron entre el 2003 y el 2006, pero Caballero siempre lograba escapar y ocultar a su rehén, si bien se notaba cada vez más la precariedad de su situación.

A pesar de los múltiples intentos fallidos, las Fuerzas Armadas no perdían su norte. Sin los grupos de autodefensa, sin la amenaza del ERP, con el ELN en franca retirada —en parte también por el asedio de las mismas FARC—, sólo quedaba terminar con los reductos de esta guerrilla y liberar a su último secuestrado en la zona, para consolidar la seguridad en los Montes de María.

Para diciembre del año 2006, cuando el ex ministro cumplía nada menos que seis años de secuestro, los datos acumulados por la inteligencia del Comando Conjunto del Caribe, gracias a informes de desmovilizados y otras personas de la zona que accedieron a colaborar con las autoridades, eran inequívocos: Martín Caballero y un grupo de por lo menos 200 guerrilleros tenían a Fernando Araújo en un campamento ubicado en la zona de las Aromeras Norte, en el sector del Cocuelo, en jurisdicción del municipio de Carmen de Bolívar, prácticamente bordeando el río Magdalena.

El nombre de "Aromeras" viene de un arbusto denominado aromo que prolifera en la región, tupido y espinoso, que dificulta la movilización y limita la visibilidad apenas a distancias entre diez y veinte metros, pues su frondosidad no deja ver más allá. A menudo los guerrilleros, para escapar de las operaciones militares, tienen que arrastrarse por debajo de los aromos porque de otra manera resulta imposible moverse.

Con la certeza de la ubicación de Araújo —el sitio exacto lo dio una persona infiltrada que nos colaboró por la recompensa y por ayudar a su familia—, el Comando General de las Fuerzas Militares, bajo la dirección del general Freddy Padilla de León, diseñó un plan de acción, que sometió a consideración del presidente Uribe y mía, por la importancia de la misión y el riesgo que podría correrse.

La idea era ejecutar una operación de asalto, utilizando helicópteros de la Fuerza Aérea y el Ejército, con tropas élites del Ejército enviadas desde Barranquilla, con la expresa intención de rescatar sano y salvo al doctor Araújo, aprovechando el factor sorpresa. Una vez realizado el asalto, entrarían efectivos de la Infantería de Marina a hacer los cierres del terreno para capturar o dar de baja a Martín Caballero y su grupo.

¿Cómo se garantizaría el factor sorpresa? Durante los días previos al señalado para la operación se efectuarían continuos vuelos de helicópteros sobre la zona, de forma que los guerrilleros se acostumbraran a ellos, confiando en que se trataba de operaciones de transporte y no ofensivas. Así, cuando el 31 de diciembre llegaran los helicópteros con las tropas de asalto, la ventaja de la sorpresa correría a favor de nuestros hombres.

La operación —que en su componente de inteligencia se había llamado "París" y en su ejecución definitiva se denominó "Linaje"— sería realizada por el Comando Conjunto del Caribe, entonces dirigido por el general Óscar Enrique González Peña, quien había recibido el comando de manos del general Mario Montoya en marzo de 2006. No deja de ser simbólico que años después el general González sucediera también al general Montoya en la comandancia del Ejército.

Junto al general González, que tenía mando sobre las unidades del Ejército, la Armada y la Fuerza Aérea del área, trabajaron también el almirante Roberto García Márquez, comandante de la Fuerza Naval del Caribe, y el coronel Bautista Cárcamo, comandante de la Primera Brigada de Infantería de Marina, quien por años había estado persiguiendo, como un objetivo prioritario, la liberación de Araújo.

El presidente y yo entendimos que esta operación, gracias a la precisa información de inteligencia que se tenía, era una oportunidad única para rescatar al ex ministro y golpear al grupo terrorista que más daño estaba haciendo en los Montes de María, y le dimos nuestro aval.

No obstante, el presidente dejó claro que antes de lanzar la operación buscaría el visto bueno de la familia de Araújo, que había sido siempre muy solidaria con la acción de las Fuerzas Armadas, y con la que se mantenía en permanente contacto. Es así como, unos días antes de la operación, llamó a Alberto Araújo Merlano, padre del ex ministro, y le contó que la inteligencia militar había detectado el sitio exacto donde lo mantenían y que estaba todo listo para lanzar una operación de rescate.

Yo por mi lado también hablé con don Alberto y con su hijo Gerardo, viejo amigo desde mis épocas de periodista.

— ¿Contamos con la autorización de la familia? —le pregunté.

El patriarca de la familia Araújo pidió un tiempo para pensarlo y consultarlo con su familia, y finalmente me dijo que adelante, que la familia autorizaba. Don Alberto también le comunicó al presidente Uribe su aprobación al intento de rescate, reiterándole su total confianza en el accionar de la fuerza pública.

Surtido ese paso, comenzaron a prepararse las distintas unidades que iban a participar en las fases de asalto y de cierre, si bien se compartimentó la información de forma que muy pocos, sólo los altos mandos, sabían para qué se estaban alistando.

Temprano en la mañana del domingo 31 de diciembre de 2006, mientras la mayoría de los colombianos se levantaba con el ánimo de preparar las celebraciones de fin de año, cerca de 1.800 miembros del Ejército, la Armada, la Fuerza Aérea y la Policía, así como personal de apoyo del DAS y la Fiscalía, estaban listos para entrar en acción para lograr la libertad de un hombre que había soportado, con estoicismo y dignidad, el martirio de más de seis años de secuestro.

Esa mañana el presidente, el alto mando y yo nos encontrábamos en el aeropuerto militar en Rionegro (Antioquia), esperando a que se mejorara el tiempo para viajar al Chocó. La operación se realizaría apenas nos diera el visto bueno un comando que habíamos enviado para verificar las coordenadas y la información exacta para el desembarque de los helicópteros. El comando, sin embargo, no pudo llegar al sitio para tener verificación visual del campamento; lo que sí pudo establecer es que se estaban preparando para moverse. Eso nos planteó una grave disyuntiva: o se hacía la operación sin el ciento por ciento de la información que nos habíamos propuesto tener, o perdíamos semejante oportunidad. El general Padilla me puso de presente el urgente dilema.

Esa es la típica situación en que resulta mucho más cómodo ser ministro que presidente. Confieso que yo estaba muy temeroso pero, gracias a Dios, tenía al presidente Uribe disponible y al lado, y cuando le consulté, no titubeó. Esa fue una constante con el presidente Uribe: nunca se lavaba las manos y, por el contrario, asumía personalmente la responsabilidad de las decisiones más complejas. Por supuesto, siempre se lo agradecí.

Se utilizaron dos helicópteros artillados, cinco helicópteros de transporte y un avión de la Armada, desde el cual el almirante García Márquez dirigió la operación. Llegaron a la zona poco después de las diez de la mañana. Los guerrilleros, como había ocurrido en los últimos días, pensaron que se trataban de sobrevuelos rutinarios y siguieron con su actividad habitual. Pero esta vez fue distinto. El helicóptero Arpía UH-60 de la Fuerza Aérea identificó el blanco del campamento y lanzó un primer cohete, mientras ráfagas de ametralladora salían de los cuatro Black Hawk del Ejército que lo escoltaban. Pronto, decenas de soldados de las Fuerzas Especiales del Ejército se descolgaron por cuerdas de los helicópteros y comenzaron a avanzar con dificultad y muy poca visibilidad, entre las espinosas ramas de los aromos.

El asalto resultó tan sorpresivo que los dos guardianes que acompañaban a Araújo en su carpa, por simple instinto de conservación, se escondieron, situación que aprovechó el ex ministro —que había diseñado en su mente desde hacía años un plan de fuga ante una situación como ésta— para tirarse al piso y arrastrarse fuera del campamento.

A partir de este momento comenzó una odisea de cinco días de caminata por parajes inhóspitos, sin prácticamente nada para comer, que culminó el 5 de enero, cuando arribó, flaco y extenuado, al corregimiento de San Agustín, a una distancia de doce kilómetros en línea recta del campamento del que se había escapado, donde finalmente entró en contacto con un grupo de infantes de marina adscrito al Batallón N.° 2 de Infantería de Marina. Así terminó el calvario de este hombre —que luego contó con detalle en su emocionante libro *El Trapecista*—, cuya lucidez y calidad humana deslumbraron a los colombianos, que celebramos esa primera semana de enero de 2007 su regreso a la libertad. Pocos meses después fue designado por el presidente Uribe como canciller de la República, cargo en el cual representó con dignidad al país y mostró al mundo, en su propia persona, la infame realidad del terrorismo de las FARC.

Recuerdo aquel viernes 5 de enero, cuando Araújo apareció en San Agustín, como un día de inmensa felicidad y alivio. Porque las jornadas previas habían sido de terrible angustia.

Cuando el último día del 2006 las tropas entraron al campamento abandonado por la guerrilla, después de un combate que concluyó con la baja de seis terroristas —incluidos la compañera y el hijo mayor de Martín Caballero— y la huida de los demás, se encontraron con la sorpresa de que el secuestrado no estaba, lo que nos generó gran preocupación. Supusimos que había podido escabullirse, aprovechando la confusión del ataque, pero no tuvimos un momento de paz, como no lo tuvieron tampoco sus familiares, hasta que no supimos a ciencia cierta que estaba a salvo. Cientos de hombres de la Infantería de Marina y el Ejército se dedicaron a buscar, metro por metro a Araújo, en tanto otros continuaban la persecución de Caballero, que había escapado del cerco con el grueso de su cuadrilla.

Durante los días posteriores al ataque del 31 de diciembre siguieron los combates, en los que se presentaron nuevas bajas y heridos en la guerrilla. Infortunadamente también hubo una baja y varios lesionados en las tropas legítimas. Murió el infante de marina Tayron Almanza Martínez y perdió las piernas por causa de una mina antipersona el infante Enrique Alfonso Pérez, mártires ambos de una operación que marcó el comienzo de la decadencia definitiva de las FARC.

Yo me había trasladado a Cartagena desde el jueves 4 por la tarde para reunirme con todos los responsables de la operación en las instalaciones de la base naval y revisar paso a paso la situación. La información de inteligencia nos conducía a una conclusión que era al tiempo alentadora y preocupante: el ex ministro había escapado y teníamos que encontrarlo primero que la guerrilla, si es que ya no lo tenía.

Cuando Araújo llegó el viernes a San Agustín y pudo, al fin, utilizar el teléfono celular del sargento Morales, a cargo del destacamento de Infantería de Marina que tuvo el primer contacto con él, lo llamé —como también lo hicieron el presidente Uribe, el general Padilla y el almirante Barrera, comandante de la Armada— y comprobé, a través de su voz entrecortada y emocionada, la excelente noticia de su libertad. Al fin habíamos sacado de manos de las FARC al primer secuestrado de aquellos que la guerrilla denominaba "canjeables" por su alto valor político. Era un resultado sin precedentes que nos llenaba de esperanza.

En ese mismo momento me fui para la base a esperarlo y a felicitar a su familia y a nuestros hombres. Tuve oportunidad de abrazarlo, de conversar con él y de admirar el coraje de un hombre valioso que no se había dejado vencer por las adversas circunstancias. Me sorprendió la lucidez mental con la que llegó y la forma como manejó la rueda de prensa. La alegría de sus padres, de sus hijos y hermanos, de sus amigos, era la mayor recompensa a tantos años de esfuerzo y sacrificio de las Fuerzas Armadas para ubicarlo y rescatarlo.

Fernando Araújo estaba al fin libre, después de seis años y 26 días de secuestro, y de cinco días de fuga. Ahora nos quedaba neutralizar al responsable de esta infamia y de tantas muertes, secuestros, desplazamientos y extorsiones en los Montes de María: Gustavo Rueda Díaz, alias *Martín Caballero*.

CAPÍTULO II

La caída de Martín Caballero

Como parte del nuevo plan de guerra de las Fuerzas Militares, llamado Consolidación, que reemplazó al Plan Patriota del primer periodo de gobierno del presidente Uribe, se determinó crear una fuerza conjunta de tipo élite, con participación de Ejército, Armada y Fuerza Aérea, que tuviera la capacidad de llegar a una zona del país para cumplir una misión específica en un tiempo no muy prolongado.

Esa fuerza, que hacía parte de lo que se denominó Fuerza Conjunta de Acción Decisiva (Fucad), con cerca de 7.000 hombres, comenzó a operar en marzo de 2007 sobre la región de los Montes de María en una especie de operación "rastrillo", similar a la que se utilizó exitosamente en Malasia contra las guerrillas chinas.

El mismo mes —con la participación de la recién constituida Fucad— se lanzó la campaña militar Alcatraz, bajo control del Comando Conjunto del Caribe, dentro de la cual se obtuvieron los más importantes resultados contra los frentes 35 y 37 de las FARC, al punto de llevarlos prácticamente a su desintegración.

El prontuario de Caballero

Después de la fuga de Fernando Araújo, Caballero había quedado particularmente afectado. Su compañera y su hijo mayor habían muerto en la operación de asalto de las fuerzas especiales del Ejército el 31 de diciembre de 2006, y en los meses subsiguientes fueron capturados su primo, otros dos hijos y su sobrina, a quienes había involucrado en su actividad criminal.

Los 25 años que llevaba dedicado al terrorismo, el asesinato, la extorsión y el secuestro estaban pasándole una dura factura de cobro.

Caballero, oriundo de Barrancabermeja, militó, siendo adolescente, en las juventudes comunistas y había ingresado desde muy joven a las filas de las FARC. Hacia 1996 se instaló en la zona de los Montes de María, donde realizó actos vandálicos como las tomas de las poblaciones de Córdoba, San Jacinto, Macayepo y San Cayetano. A partir de entonces, consolidó su poder de intimidación sobre esta región estratégica, extendiendo su actividad criminal hasta las ciudades de Cartagena y Barranquilla.

Se calcula que Caballero fue responsable de la voladura de por lo menos medio centenar de torres de energía y de varios tramos del oleoducto Caño Limón-Coveñas. Dirigió innumerables secuestros, incluido el del ex ministro Araújo, e hizo de este delito, así como de la extorsión a los empresarios y ganaderos de la zona, sus principales fuentes de ingresos. También controlaba el movimiento de drogas por la zona hacia el Golfo de Morrosquillo, desde donde se embarcaba la cocaína en lanchas rápidas para su distribución internacional. El frente 37 bajo sus órdenes llegó a contar con cerca de 500 miembros en su momento de mayor capacidad, hacia el año 2002.

Su actividad terrorista había llegado a blancos inimaginables para cualquier otro guerrillero. En mayo de 2002 planeó un atentado, oportunamente desmontado por las autoridades, contra el ex presidente norteamericano Bill Clinton, con ocasión de su visita a Cartagena, y en abril del mismo año atentó contra Álvaro Uribe, entonces candidato a la presidencia, a cuya caravana puso una bomba en pleno centro de Barranquilla. El candidato salió ileso gracias a su vehículo blindado y a la pericia de su conductor, pero cuatro personas humildes murieron a consecuencia de la explosión.

No por nada Caballero era considerado como el hombre más importante de las FARC en el Caribe colombiano, más aún desde cuando Iván Márquez, jefe del Bloque Caribe, se refugiaba en la zona fronteriza con Venezuela. De alguna manera Caballero —aun sin formar parte del Secretariado— representaba en el norte del país lo que el Mono Jojoy significaba en el suroriente. Sin duda era un peligroso enemigo al que había que neutralizar.

Se cierra el cerco

Con la activación de la Fucad, el cerco sobre los frentes 35 y 37 se fue estrechando cada vez más.

Al tiempo que en el primer semestre del año se desmovilizaron todos los integrantes que quedaban al ERP, también se dieron importantes deserciones en las filas de las FARC. Horacio, con más de 22 años en la guerrilla, se desmovilizó el 31 de enero junto con alias *Judith*. También se acogieron al programa de reinserción Josefa, Toño Varita, Antonio y Henry de Jesús Serpa.

Cada desmovilizado representaba una valiosa fuente de información para las Fuerzas Armadas y un motivo de desmoralización para los guerrilleros que seguían en el monte, en condiciones cada vez más precarias. El mismo Caballero comentaba, ante la continua arremetida de la Fucad, que lo obligaba a cambiar de campamento cada cinco o diez días, que la situación era tan grave que "incluso una yuca se había convertido en un objetivo de guerra".

El 1.º de julio de 2007, finalmente, se dio un golpe a la yugular de la estructura de seguridad de Caballero. Tropas del Batallón 30 de Infantería de Marina, con el apoyo del Ejército y la Fuerza

Aérea, entraron en combate con una cuadrilla del frente 37 dirigida por alias *Humberto* o *el Indio Embera*, el hombre de confianza
de Caballero, sindicado de varios ataques a puestos de Policía y
de emboscadas contra la Policía y la Infantería de Marina en la
carretera que une a Carmen de Bolívar y Zambrano, además del
asesinato de decenas de civiles.

La confrontación se desarrolló en una zona cenagosa del
municipio de Córdoba (Bolívar). En medio de la oscuridad de la
noche, y después de haber sufrido dos bajas, el Indio Embera y sus
hombres se escondieron en las aguas de la ciénaga y amanecieron,
literalmente, con el agua al cuello, rodeados por las tropas, por
lo que no tuvieron otra salida que entregarse.

El general Freddy Padilla de León se trasladó a la zona con
algunos periodistas y recibió formalmente la rendición del guerrillero y de nueve de sus hombres.

—Nosotros aceptamos este acto de arrepentimiento —dijo el
general—. Ustedes se van a dar cuenta de que no van a lamentar
el paso que han dado.

Y continuó:

—Yo sé, Embera, que usted era la mano derecha del cabecilla
que delinque en los Montes de María, de Caballero, y me alegra
mucho que se haya rendido a las tropas para que su conciencia
se tranquilice, para que tenga tiempo de arrepentirse de tanto
daño que le ha hecho al pueblo colombiano y para que les diga
a sus compañeros que insisten en tener las armas que ese no es
el camino.

La entrega de Embera, más la incautación de armamento,
municiones y explosivos que se realizó en dicha oportunidad,
representó un duro golpe para lo que quedaba de las FARC en
los Montes de María, golpe que tuvo continuidad el día 24 del
mismo mes cuando tropas de la Fucad abatieron en combate a
alias *Oswaldo*, cabecilla de finanzas del frente 35, que desde hacía
ya un tiempo se había fusionado con el 37.

Oswaldo, con quince años en las FARC, había sido el terror de poblaciones de Sucre como El Roble, Sincé, Galeras y San Benito Abad.

Con cada desmovilización, cada captura, cada abatimiento, cada desmantelamiento de campamentos o destrucción de campos minados, el grupo de Caballero iba perdiendo aire y capacidad de movimiento

La Operación Aromo

Finalmente, y después de más de seis meses de haber lanzado la Operación Alcatraz, la información de inteligencia, recogida pacientemente durante todo ese tiempo, y corroborada por los datos precisos proporcionados por dos informantes de toda credibilidad, determinó la ubicación precisa del campamento en que se encontraba Martín Caballero, en una zona llamada Aromeras Sur, en jurisdicción de Carmen de Bolívar.

Decenas de operaciones se habían realizado en los últimos años para atraparlo, sin éxito, y ahora al fin se tenía certeza de su localización. La mañana del miércoles 24 de octubre se dieron los últimos retoques a la operación de ataque al campamento de Caballero, a la cual se puso el nombre de "Aromo", por los arbustos que caracterizaban la zona. Sería una operación conjunta, ejecutada por la Fucad bajo dirección del Comando Conjunto del Caribe, en la que se bombardearía primero el campamento y luego entrarían fuerzas especiales del Ejército y la Infantería de Marina a hacer los cierres y consolidar la escena.

Enteramos al presidente Uribe de la operación, quien nos deseó toda la suerte, y quedamos pendientes de los resultados. Sabíamos que este día podría señalar el fin de una era de terror en los Montes de María y toda la región Caribe del país.

Hacia las cinco y treinta de la tarde, el general Óscar González, comandante del Comando Conjunto del Caribe, dio la orden de salida a los aviones y helicópteros artillados de la Fuerza Aérea, que despegaron hacia el sitio El Aceituno, en las Aromeras Sur, donde se encontraba Caballero. Media hora después, las aeronaves estaban sobre el blanco y descargaron sus bombas y artillería contra el refugio guerrillero, perfectamente mimetizado entre la vegetación.

— ¡Blanco perfecto! —anunció un radio-operador al general González.

Al mismo tiempo, comandos de tropas especiales de la Fucad descendieron de los helicópteros y comenzaron a asegurar el terreno, sin encontrar mayor resistencia. Los guerrilleros que habían sobrevivido al bombardeo habían huido, dejando atrás a muertos y heridos.

Pronto las tropas llegaron al núcleo del campamento. Allí estaban los cadáveres de 20 terroristas, incluido nada menos que el de Martín Caballero. ¡Había muerto el causante de tanto dolor y tanta miseria en los Montes de María! Otros tres guerrilleros que habían resultado heridos, dentro de los cuales estaba Jorge Peligro, un experto explosivista, fueron capturados y se les prestaron los primeros auxilios.

Esta vez la suerte —que lo había ayudado a escapar tantas veces— no estuvo del lado de Caballero. Según supimos por algunos de los sobrevivientes, al caer la tarde él había apagado su teléfono celular y había hecho apagar los de sus lugartenientes para ver el noticiero en su televisión. Cuando entraron las tropas al campamento y uno de los soldados recuperó el morral junto a su cadáver, encontró el celular de Caballero y lo encendió. De inmediato salió el aviso de un mensaje de texto, recibido unos minutos atrás, que decía: "Tenga cuidado que le van a caer". Caballero no lo leyó, y ahí terminaron sus días. Por supuesto, en medio de la paradoja, nos preocupó este mensaje que mostraba que subsistían informantes de la guerrilla con algún nivel de acceso a los planes militares.

La confirmación de la baja de Caballero fue informada de inmediato al general González y al almirante Guillermo Barrera, comandante de la Armada, quienes a su vez lo reportaron al general Padilla, y éste a mí y al presidente Uribe, quien le dijo:

—Mándemeles mis felicitaciones a todos los soldados y oficiales que participaron en la operación. Ha sido el triunfo de un trabajo perseverante.

En efecto, la perseverancia había sido la clave. Gracias a un esfuerzo continuado de varios años se había acabado el mito del guerrillero capaz de burlar todos los cercos. Esta vez había caído uno de los peores, e incluso encontramos un computador que sería fuente de muchos datos sobre la estrategia, finanzas y movimientos de las FARC. Un segundo computador que estaba en el campamento quedó inservible por el bombardeo.

En la rueda de prensa que ofrecimos para informar la baja de Caballero resaltamos que el resultado no había sido una casualidad sino producto de una labor paciente de conocimiento del área y de acercamiento a la población que en los últimos años había realizado la Primera Brigada de Infantería de Marina, de un excelente trabajo de inteligencia y, sobre todo, de un nuevo modelo de operaciones conjuntas, que integraba todas las capacidades de nuestras fuerzas en un solo propósito.

Al finalizar, enfaticé tres puntos ante los medios:

"1. Este es otro excelente ejemplo de la política de consolidación: con el respaldo de la población, la fuerza pública está liberando de las FARC a toda una región del país como es la costa atlántica y garantizando el retorno a la normalidad. Los colombianos nos cansamos de las FARC: les estamos dando la espalda, mientras que la fuerza pública los está capturando y dando de baja.

"2. Caballero no es el primer cabecilla de importancia que cae —acabamos de dar con JJ y Acacio— y no será el último: que sepan los mandos de las FARC que no tienen futuro y que los encontraremos hasta en el último rincón del país.

"3. Y que sus hombres y mujeres acojan nuestra invitación y se desmovilicen. La fiesta popular de reconciliación y desmovilización que presenciamos recientemente en el Carmen de Bolívar es el ejemplo del nuevo espíritu que reina en los Montes: la gente quiere trabajar, estudiar, divertirse: quiere una vida normal".

Hay que destacar la importancia de la colaboración ciudadana, que proporcionó la información precisa para la ubicación del cabecilla. A los eficaces informantes se les pagó una recompensa de 1.700 millones de pesos.

Una oración por el enemigo

A primeras horas de la mañana del 25 de octubre me dirigí, con los altos mandos militares y de Policía, a Carmen Bolívar, la "tierra de amores" a la que le cantó el maestro Lucho Bermúdez, para saludar a las tropas y la población.

Cuando llegamos al aeródromo del municipio, cientos de sus habitantes nos recibieron con vivas y aplausos. Fue un momento muy emocionante. Sentí que no se trataba del festejo macabro por la muerte de un hombre que les había hecho mucho daño, sino de algo más positivo: era una fiesta de la esperanza, la constatación jubilosa de que otra vez eran dueños de su destino, de que podrían trabajar y recorrer sus tierras sin temor a la intimidación y la violencia.

En un acto improvisado, hablé ante los habitantes de Carmen de Bolívar, y les dije:

—Hoy ustedes y toda Colombia pueden ver el futuro con mucho mayor optimismo, porque les estamos ganando esta guerra a las FARC. (...) Ya con Martín Caballero y sus secuaces fuera de combate vamos a ver progreso, más trabajo y bienestar económico.

Además, envié un mensaje a los guerrilleros y milicianos que aún quedaban en la región:

—Ésta es su oportunidad para que se desmovilicen y se reintegren a la vida civil y a sus familias. Si no, terminarán en la cárcel o en la tumba.

Faltaban sólo tres días para las elecciones de alcaldes y gobernadores, diputados y concejales, en todo el país, que las FARC habían intentado boicotear, como siempre, con amenazas y asesinatos. Por eso les dije a los pobladores de Carmen de Bolívar, que por primera vez en mucho tiempo podrían acudir a las urnas sin la intimidación de Martín Caballero y su grupo, lo siguiente:

—La mejor respuesta que ustedes les pueden dar a los terroristas, que siguen creyendo que asesinando civiles van a lograr algún cometido, es salir a votar masivamente por el candidato de su preferencia.

En el mismo aeródromo en el que aterrizamos estaban los 20 cuerpos de los terroristas abatidos, en bolsas negras que no permitían ver sus rostros, con etiquetas de identificación. Los habitantes de Carmen de Bolívar se asomaban por la cerca que rodeaba el lugar y muchos querían ver a aquel que los había intimidado por tanto tiempo, como si quisieran asegurarse de que en realidad estaba muerto.

El almirante Guillermo Barrera, comandante de la Armada, también se acercó a contemplar los cuerpos en las bolsas negras. Rápidamente encontró el de Martín Caballero, pero no quiso ver la cara del criminal al que había perseguido por años, desde cuando había sido comandante de la Fuerza Naval del Caribe y había liderado la Operación Fénix en el 2003. No necesitaba verlo. Por tanto tiempo había seguido los informes de inteligencia que construían un perfil del cabecilla, que sentía que lo conocía lo suficiente.

Al contemplar su cuerpo inerte, el comandante de la Armada no pudo menos que recordar las muertes de tantos infantes de marina, tantos compañeros, tantos civiles, que este hombre había ocasionado injustamente. Era el enemigo, pero ahora sólo quedaba rezar por él y pedir a Dios que lo perdonara. El almirante Barrera se acercó a la bolsa que tenía el nombre "Martín Caballero" en la etiqueta, puso su mano derecha sobre el pecho del difunto y rezó una oración por su alma. Luego se levantó y se persignó.

CAPÍTULO III

Como un castillo de naipes

Las organizaciones de delincuentes, una vez pierden su cabeza, acaban por desmoronarse como castillos de naipes. Eso es lo que ocurrió con los frentes 37 y 35 de las FARC después del abatimiento de Martín Caballero.

La Operación Alcatraz no terminó con este resultado sino que continuó durante el 2008, sin interrupción, con el fin de limpiar definitivamente la zona de los Montes de María de los agentes de violencia que aún subsistían.

A la muerte de Caballero, alias *Manuel* o *Mañe* —quien había sido herido en la operación del 31 de diciembre de 2006 que produjo la libertad de Fernando Araújo—, que hasta entonces comandaba el frente 35, tomó su puesto en el frente 37, y alias *Dúber* asumió la cabeza del frente 35. Se trataba de unidades ya muy menguadas que, más que tener capacidad de daño, tenían como prioridad sobrevivir al asedio de la fuerza pública. Esperaban que la ofensiva cesara en algún momento, pero esto nunca ocurrió.

El 11 de febrero de 2008, las tropas del Comando Conjunto del Caribe, guiadas por información de cooperantes de la zona, se enfrentaron en combate con la cuadrilla dirigida por Dúber y lo dieron de baja en una zona rural del municipio de Ovejas (Sucre), junto a alias *Pedro Stalin*, considerado el cabecilla ideológico-político del frente 35. Otro guerrillero se entregó.

El prontuario de Dúber incluía, además de toda clase de actos terroristas, secuestros y extorsiones, la explosión de un burro-bomba contra la estación de Policía de Chalán (Sucre) en marzo de 1996, acto sádico que escandalizó al país en su momento.

Con su muerte, se neutralizó la capacidad terrorista del frente 35, ya que era él quien coordinaba la instalación de campos minados y las extorsiones.

Y los naipes del castillo siguieron cayendo. El día 29 del mismo mes de febrero le correspondió el turno al Mañe, quien había quedado al mando de los restos del frente 35 y 37. Con apoyo del DAS y el Cuerpo Técnico de la Fiscalía, efectivos de la Primera Brigada de Infantería de Marina lo capturaron en área rural del municipio de Córdoba Tetón (Bolívar), cuando intentaba huir vestido de civil.

Mañe, avezado extorsionista, quiso sobornar a los infantes ofreciéndoles tres millones de pesos que llevaba en efectivo, pero estos cumplieron con su deber y lo pusieron a órdenes de la Fiscalía. Así terminaba la larga carrera criminal del reemplazo de Martín Caballero, que le había ayudado a organizar los dos frentes que operaban en los Montes de María y había sembrado de sangre y dolor su territorio. Entre muchas otras sindicaciones, Mañe está acusado del asesinato de un ex alcalde de San Benito Abad y de su conductor, en marzo de 2001, a quienes apalearon hasta matarlos y luego los desmembraron con machetes. De ese tamaño era la sevicia de este criminal.

Fue el presidente Uribe quien dio la noticia al país sobre la captura de Mañe, en un foro de infraestructura para la costa caribe que tenía lugar en Santa Marta. Con inocultable satisfacción pidió a los asistentes un aplauso para la fuerza pública y felicitó públicamente al comandante general de las Fuerzas Militares:

—Aquí lo mandan a felicitar todos los gobernadores y alcaldes y parlamentarios del litoral, de la región Caribe —le dijo el presidente al general, que lo escuchaba al otro lado de la línea telefónica—. Un aplauso al general Padilla. La ciudadanía está muy contenta, mi general. Lo felicito.

Por fortuna, los golpes se siguieron produciendo a ritmo acelerado. El 11 de marzo, agobiados por la fuerte presión militar, se desmovilizaron ante tropas del Comando Conjunto del Caribe, en área rural de Los Palmitos (Sucre), doce integrantes de los frentes 35 y 37, entre los que se encontraban alias *Arturo Katire* y alias *Albeiro* o *Chicharrón*. Katire había estado encargado de la custodia de Fernando Araújo durante cerca de tres años, antes de entregarlo al cuidado directo de Caballero, y era el candidato con más opción para reemplazar a Mañe en la dirección de los debilitados frentes.

A fines de abril, el segundo cabecilla del frente 35, alias *Pollo Isra*, fue dado de baja en combate en San Benito Abad (Sucre). El 19 de mayo fue capturado el tercero del mismo frente, alias *Federico* o *Cortico*, en jurisdicción de Majagual (Sucre), con otro guerrillero más. Eran todos hombres con un promedio de 20 años de vinculación a las FARC, por lo que cada vez más los frentes 35 y 37 se iban quedando sin cuadros de mando.

Pero quedaban dos golpes de gracia más. Después de la baja de Dúber, el mando del frente 35 había recaído en alias *Jáder*, con tres sentencias condenatorias por secuestro extorsivo sobre su cabeza, quien había acompañado a Caballero, Mañe y Dúber en su largo recorrido criminal. Jáder se había ocultado en Medellín, con una mujer que le servía de escolta, pero fue ubicado gracias a la información suministrada por varios guerrilleros desmovilizados.

El 22 de mayo de 2008, cuando los hombres del CTI de la Fiscalía y del Gaula de la Infantería de Marina llegaron hasta su guarida, Jáder intentó jugar una última carta identificándose con una cédula falsa, pero pronto fue descubierto y capturado junto con su compañera. En el lugar en que se escondía se encontraron varios computadores y diez millones de pesos en efectivo.

El otro golpe de gracia fue la captura del último cabecilla significativo del frente 37 y los reductos del frente 35, que era alias *Daniel King*, quien había sucedido a Arturo Katire después de su desmovilización. Él y su compañera fueron hallados el 20 de junio por hombres de la Infantería de Marina y del CTI en un apartamento en Santa Marta. King había participado activamente en el secuestro de Fernando Araújo y en la preparación del frustrado atentado contra Bill Clinton, y se encargaba también de organizar milicias de apoyo en Cartagena y los municipios aledaños.

Así llegaron a su fin, en la práctica, los frentes 35 y 37 de las FARC que por tantos años sembraron terror en la hermosa región de los Montes de María y en otras zonas del Caribe colombiano. Del medio millar de hombres que llegó a comandar Martín Caballero pasaron a apenas una decena de guerrilleros rasos que hoy huyen de las autoridades, sin capacidad para rearmarse o reagruparse, esperando el momento de su desmovilización o su captura.

Los golpes se sucedieron unos a otros gracias a la persistencia de las Fuerzas Armadas y al coraje de sus hombres, a su trabajo conjunto y coordinado, a su inteligencia renovada y su capacidad de infiltración del enemigo, y a la creciente colaboración ciudadana. Fueron años de arduo trabajo que rindieron su primer fruto cuando el ex ministro Fernando Araújo, aprovechando la intrépida acción militar para rescatarlo, se arrastró debajo de los aromos y huyó hacia la libertad.

Después de esto cayeron, como un castillo de naipes, el Indio Embera, Oswaldo, Martín Caballero, Dúber, Pedro Stalin, Mañe, Katire, Albeiro, Pollo Isra, Federico, Jáder y Daniel King, y con ellos muchos más guerrilleros rasos, además de otros tantos que se desmovilizaron.

No cabe duda de que el 31 de diciembre de 2006, día de la fuga de Fernando Araújo, puede considerarse como el punto de inicio de los peores años de las FARC en toda su historia.

CAPÍTULO IV

El regreso de la paz

La recuperación de la seguridad y el destierro de los grupos armados ilegales que por años asolaron los Montes de María es, hasta el momento, el ejemplo más exitoso de consolidación de una zona del territorio nacional.

¿A qué me refiero cuando hablo de consolidación? Esto requiere una breve explicación:

Durante el primer periodo de gobierno del presidente Uribe el objetivo fundamental de las Fuerzas Armadas fue lograr el control territorial en la mayor parte de la geografía nacional, es decir, erradicar los grupos terroristas y recuperar el monopolio de las armas por parte del Estado. La política que se aplicó entonces fue la Política de Defensa y Seguridad Democrática, que se plasmó en el terreno operacional a través del plan de guerra denominado Plan Patriota.

Cuando llegué al Ministerio de Defensa, en julio de 2006, encontramos que era necesario adaptar la política a nuevos retos que iban más allá del control territorial. Dado el nivel de avance que presentaba la Política de Seguridad Democrática, ya no bastaba con que las tropas sacaran del territorio a los violentos, sino que había que garantizar que estos nunca regresaran para lo cual se requería consolidar la presencia del Estado en las áreas recuperadas.

La cultura de la ilegalidad encuentra terreno fértil donde la presencia del Estado es débil o incluso nula. Por eso, nuestra nueva labor sería garantizar, a través del trabajo coordinado de las Fuerzas Militares y la Policía, que los habitantes de regiones que estuvieron por décadas sometidas a la violencia recibieran los servicios públicos y sociales de las instituciones del Estado. A esto lo llamamos "consolidación social del territorio".

La nueva política que pusimos en práctica a partir del 2006 se denominó, entonces, Política de Consolidación de la Seguridad Democrática, y el plan de guerra pasó a llamarse Plan Consolidación.

Ahora tenemos dos herramientas igualmente importantes para garantizar una seguridad sustentable: la presencia de la fuerza pública en las zonas recuperadas y la llegada, con vocación de permanencia, de las instituciones estatales para proveer a la población los servicios básicos de justicia, educación, salud e infraestructura.

En las áreas en las que aún no estén dadas las condiciones para la debida operación de las instituciones del Estado, que coordina el Centro de Coordinación de Acción Integral de la Presidencia de la República (CCAI), la fuerza pública, a través de sus batallones de ingenieros, realiza las obras más esenciales para la comunidad.

Un refresco en la plaza

En los tiempos de Martín Caballero los pueblos de los Montes de María habían perdido la alegría que los caracterizaba. No se celebraban los tradicionales carnavales o corralejas, el turismo desapareció y las plazas se desocupaban a las seis de la tarde, cuando todos se refugiaban en sus casas, evitando problemas.

En Carmen de Bolívar prácticamente había homicidios a diario: un día causados por la guerrilla, otro día por las autodefensas.

Pero las cosas cambiaron desde aquel 24 de octubre de 2007 en que Caballero cayó muerto por el bombardeo de la Fuerza Aérea. Un habitante de la región dijo a un periodista que, al otro día de su abatimiento, las tierras se valorizaron entre diez y veinte millones, y no exageraba. Hoy la propiedad raíz en los Montes de María vale cuatro o cinco veces más que hace dos años. Inversionistas extranjeros han vuelto a mirar hacia esta zona rica en recursos naturales, y apta para la ganadería. La misma Federación Nacional de Cafeteros ha iniciado programas para volver a cultivar café en la zona, y las empresas tabacaleras lideran iniciativas para revivir el sembrado de tabaco.

Días antes de dejar el Ministerio asistí a una ceremonia en Ovejas en la que la Philip Morris le entregó a un centenar de campesinos los créditos necesarios para sembrar cultivos de tabaco, que la compañía se comprometió a comprarles. Uno de los beneficiados me dijo: "Nunca nos imaginamos que volveríamos a recuperar nuestras tierras".

Hoy de nuevo es posible algo tan sencillo como tomar un refresco en la plaza de Carmen de Bolívar a las diez de la noche, sintiendo la caricia de la brisa y escuchando la música alegre de la costa. En otras palabras, los habitantes de los Montes de María han recuperado su derecho a la felicidad.

Para mayo de 2008 se consideró que la labor de la Fucad se había cumplido, y se retiró de los Montes de María, devolviendo la responsabilidad del control del área a la Primera Brigada de Infantería de Marina. Además, dentro de la filosofía de la Política de Consolidación de la Seguridad Democrática, se creó, con sede en Cartagena, el Centro de Fusión de Acción Integral de los Montes de María, encargado de coordinar la labor de consolidación social de este territorio, al fin recuperado de la amenaza criminal.

A través de este centro de fusión —similar a otro que funciona en la zona de la Macarena, en el suroriente del país— se busca recuperar el tejido social, lastimado por años de zozobra e intimidación; promover y facilitar la creación de proyectos productivos, y mejorar las instalaciones sanitarias, educativas, de servicios públicos, y la infraestructura vial de la región.

Poco a poco, los miles de campesinos desplazados por la violencia han ido retornando a sus veredas. Un artículo del diario *El Tiempo*[1] contaba el caso de una mujer, Omaira Villegas, que tuvo que escapar con su familia de Macayepo, corregimiento de Carmen de Bolívar, hacia Sincelejo, en el año 2001, para evitar que la mataran. Las FARC habían asesinado en dos años, por orden de Caballero, a quince de sus familiares. "Gracias a la fuerza pública", declaró Omaira, "poco a poco la vida empieza a retornar a Macayepo". Ésta es sólo una entre miles de historias de dolor y desarraigo que hoy comienzan a sentir el alivio del regreso de la seguridad a sus vidas.

La transversal de la paz

Los ingenieros del Ejército, entre tanto, están avanzando en la construcción de una vía que comunicará la parte alta de los Montes de María con las dos troncales que los rodean, la del Caribe y la de Occidente, de forma que sus habitantes tengan más facilidad para sacar sus cosechas —de aguacate, cacao, maíz, ñame— hacia los principales centros urbanos de la costa y del interior. Y luego a los mercados de Estados Unidos, cuando se apruebe el Tratado de Libre Comercio.

Es la Transversal de los Montes de María, una carretera que bien podría llamarse "la transversal de la paz".

Este proyecto, ejecutado en su totalidad por los ingenieros militares, conectará el Carmen de Bolívar con San Onofre (Sucre), con una extensión de 38 kilómetros y una inversión cercana a los 12.000 millones de pesos, beneficiando a unos 175.000 habitantes de la región.

---

1.   Vicente Arcieri G. "Se unen esfuerzos por los Montes de María", 8 de octubre 2008.

El 9 de agosto de 2008 acompañé, junto con los altos mandos militares, al presidente Uribe a revisar el estado de avance de la vía, que deberá estar finalizada para finales del 2010. Después de tantos años de esfuerzo militar, volvíamos a la zona, ya no para constatar un acto de guerra, sino para supervisar el adelanto de una obra civil. ¡Era un buen cambio!

Por fortuna, no hay que esperar hasta que la transversal esté construida para sentir el nuevo aire que hoy respira la región. Ya las empresas transportadoras han vuelto a recorrer la vía que lleva de Sincelejo a Carmen de Bolívar, sin temores de secuestros o actos vandálicos. De nuevo los turistas están llegando por tierra a las hermosas playas de Tolú y Coveñas, en el Golfo de Morrosquillo, y están redescubriendo, kilómetro por kilómetro, la belleza, la cultura y el folclor de los quince municipios de los Montes de María.

Otra vez suenan las gaitas y las chirimías, los tambores y el pito "atravesao", y los porros inmortales de Lucho Bermúdez. Los montemarianos han vuelto a bailar, a sembrar, a reír y a soñar.

Después de años de sacrificios, en los que muchos hombres de las Fuerzas Armadas perdieron su vida, su salud o su integridad para liberar a esta zona, se ha hecho realidad la última estrofa de "El Mochuelo", la popular canción de Adolfo Pacheco, un compositor nacido en San Jacinto, en el centro mismo de una región que atravesó el infierno de la violencia y que hoy mira esperanzada hacia el futuro:

"Esclavo negro canta,
entona tu melodía;
canta con seguridad
como anteriormente hacías
cuando tenías libertad
en los Montes de María"

MENTIRAS Y FIASCOS

Más rápido cae
un mentiroso que un cojo.
REFRÁN POPULAR

CAPÍTULO V
El engaño del Caguán

Las FARC han construido su carrera criminal sobre un sendero de mentiras: las que dicen a sus integrantes para adoctrinarlos y convencerlos de permanecer en la guerrilla; las que dispersan en sus comunicados, intentando desviar la atención de sus actos terroristas, o incluso justificarlos, y las que se cuentan ellas mismas para construir una razón para seguir viviendo en la selva, atacando a sus compatriotas, sin ninguna posibilidad de triunfo.

Tal vez la mentira más prolongada que le vendieron las FARC al país, por años, fue la supuesta voluntad de paz durante el proceso de diálogo y negociación que lideró el gobierno del presidente Andrés Pastrana en la zona de distensión del Caguán. Con ínfulas de estadistas recibían a personalidades nacionales y extranjeras, y atendían mesas temáticas y debates. Sin embargo, tenían claro desde un principio que su objetivo no era la paz sino el fortalecimiento de sus tropas y la obtención de un estatus de beligerancia, vale decir, de un reconocimiento por parte de la comunidad internacional.

A la guerrilla hay que juzgarla por sus actos más que por sus palabras. Mientras hablaban de paz, secuestraban, asesinaban, extorsionaban, destruían poblaciones y continuaban con su actividad de narcotráfico. Lo mismo hacen hoy: mientras insisten en supuestos acuerdos humanitarios, mantienen a cientos de colombianos secuestrados, ejecutan masacres como la de los indígenas de la etnia awá en febrero de 2009, reclutan niños a la fuerza, extorsionan, ponen bombas, trafican con droga y hasta cometen ecocidio al propiciar que se tumbe bosque tropical para poder sembrar más coca.

Las revelaciones de Fidel Castro

El tamaño del engaño que urdieron las FARC durante el proceso del Caguán vino a quedar al descubierto con el reciente libro de Fidel Castro, *La paz en Colombia*, en el que el ex presidente cubano revela el informe que su enviado personal José Arbesú le rindió sobre sus conversaciones con Manuel Marulanda.

De acuerdo con el reporte, fechado en febrero de 1999, las FARC trabajaban en dos escenarios: político y militar. Mientras en el político adelantaban los diálogos, en el militar se preparaban "para ir escalando y ganando posiciones, que les permitan avanzar tan fuertemente como la coyuntura política interna y externa lo permita".

Marulanda le confesó a Arbesú que habían preferido negociar con Pastrana porque éste "daba mayor garantía al sistema y a los Estados Unidos y, por tanto, el tiempo necesario para fortalecer nuestro trabajo no sólo en lo militar sino también en lo político, sobre todo en las grandes ciudades".

Las revelaciones que siguen del informe de Arbesú a Castro sobre sus conversaciones con el jefe de las FARC son aún más escalofriantes:

"En el Plan Estratégico Militar trabajarán por continuar la guerra y los combates lejos de los municipios despejados e ir acercando los frentes guerrilleros a las grandes ciudades, activando el accionar de la propaganda armada en las ciudades, a la vez que preparan una fuerte ofensiva militar en el curso de estos meses para continuar golpeando a las fuerzas armadas e ir creando las condiciones para una ofensiva final. Eso explicaba la ausencia de otros miembros del Secretariado en la reunión con nosotros.

"Para esta ofensiva final tendrán que existir factores en el plano nacional, como que el gobierno se vaya desgastando por la crisis económica y financiera, lo que hace más impopular el proyecto neoliberal de Pastrana y favorece la política de alianza de las FARC con otros sectores sociales. (…)

"Antes de esa ofensiva final, tienen previsto como alternativa dividir el país en dos, tomando el poder en dos o tres departamentos del sur (Caquetá, Putumayo, Meta), mientras que en el norte mantendrán cercadas y bloqueadas a las grandes ciudades. En ese caso buscarían una solución negociada sobre la base de los diez puntos programáticos de las FARC y estarían en mayor ventaja de negociar; en caso esto no sea posible, continuarán la guerra hasta la toma del poder, que se ejercerá convirtiendo a los 80 frentes guerrilleros en la columna medular de un poder popular y que los mejores comandantes asuman la conducción de las fuerzas armadas".

Como es natural, al finalizar el encuentro entre Arbesú y Marulanda, éste le indicó al cubano que podía transmitirle al presidente Pastrana todo lo que habían conversado "salvo lo relativo al Plan Estratégico Político-Militar". Y así lo hizo Arbesú. Sólo vinimos a conocer en letra de molde los planes de guerra y expansión que adelantaban las FARC mientras sostenían los diálogos del Caguán con la publicación del libro de Fidel Castro en el 2008.

Hay que recordar que el mismo presidente Pastrana, en el discurso con que dio por terminado el proceso de paz, el 20 de febrero de 2002, denunció también las mentiras de las FARC, en un emotivo párrafo que dirigió personalmente a Manuel Marulanda:

"Yo le di mi palabra y la cumplí, siempre la cumplí, pero usted me ha asaltado en mi buena fe, y no sólo a mí, sino a todos los colombianos. Desde el primer momento usted dejó vacía la silla del diálogo cuando yo estuve ahí, custodiado por sus propios hombres, listo para hablar. Decretamos una zona para sostener unas negociaciones, cumplimos con despejarla de la presencia de las Fuerzas Armadas, y usted la ha convertido en una guarida de secuestradores, en un laboratorio de drogas ilícitas, en un depósito de armas, dinamita y carros robados. Yo le ofrecí y le cumplí con el plazo de las 48 horas, pero usted, y su grupo, no han hecho otra cosa que burlarse del país".

CAPÍTULO VI

La masacre de los diputados

La mentira es un arma de las FARC y, en la medida en que sus falsedades son descubiertas y sacadas a la luz pública, pierden una herramienta fundamental para su trabajo de desinformación y guerra política contra el Estado.

En los años 2007 y 2008 las falacias de esta guerrilla se volvieron, como un bumerán, contra ellos mismos, y minaron cualquier credibilidad que aún les quedara.

Uno de los episodios más oscuros de la carrera criminal de las FARC, que quedó grabado indeleblemente en la adolorida conciencia de los colombianos —junto a otras atrocidades como la masacre de Bojayá en mayo de 2002, el carro-bomba en el club El Nogal en febrero de 2003 y el asesinato de los secuestrados en Urrao en mayo del mismo año— fue la masacre de once de los doce diputados del Valle del Cauca que habían plagiado en abril de 2002, los cuales fueron asesinados a mansalva por sus captores el 18 de junio de 2007, en las selvas del suroccidente colombiano.

Enceguecidos por la macabra orden del Secretariado de matar a sus rehenes antes que permitir una liberación por parte de las Fuerzas Armadas, los hombres del frente 60 de las FARC dispararon cobardemente sobre los indefensos secuestrados creyendo que había llegado una patrulla del Ejército. La realidad fue que un grupo del frente 29 de la misma guerrilla los había atacado, confundiéndolos con una facción enemiga del ELN, y se había producido un breve enfrentamiento entre los dos bandos terroristas, suficiente para que el cabecilla del grupo a cargo de la custodia de los diputados diera la orden terrible, que fue cumplida sin reparos: "¡Mátenlos y vámonos!".

El único que se salvó de la matanza, por estar confinado en un lugar aparte debido a una sanción disciplinaria, fue el diputado Sigifredo López, quien fue liberado en febrero de 2009 y ha podido contar lo que vivió en ese día aciago.

La masacre fue un acto terrible, e igualmente vergonzosa fue la forma en que las FARC trataron de cubrirla y de echar la culpa a la fuerza pública colombiana, jugando con el dolor de los familiares, a quienes dilataron al máximo la entrega de los cuerpos de sus seres queridos.

"Patadas de ahogado"

La sucesión de correos electrónicos que se cruzaron entre los miembros del Secretariado, planeando cómo cubrir el asesinato colectivo, que vinimos a conocer gracias a la información encontrada en los computadores de Raúl Reyes, es una de las muestras más dicientes de la crueldad y frialdad de este grupo, que no tienen ninguna consideración por el valor de la vida humana.[2]

Alfonso Cano, jefe en ese entonces del Bloque Occidental de las FARC, a cuyo cargo estaban los dos frentes que colisionaron accidentalmente el 18 de junio, fue el primero en notificar a los demás miembros del Secretariado lo que había pasado:

---

2.   Los correos que cito fueron publicados por la revista *Semana* en su edición del 2 de junio de 2008, en el artículo "Así fue la masacre".

"Por una grave confusión con otra unidad de las FARC que los confundió con 'elenos' y los atacó, la guardia ejecutó a once de los doce rehenes porque pensaban que el Ejército los atacaba. Grave equivocación que nos creará muchos problemas. Si hay Ejército cerca en el lugar donde ocurrieron los hechos y podemos arrastrarlos para ese lugar, le podemos echar la culpa de lo ocurrido al enemigo".

Desde el comienzo, Cano deja ver la intención de culpar al Ejército de la masacre que ellos mismos habían ejecutado.

Manuel Marulanda, con sangre fría, hizo el 22 de junio un análisis de los posibles pasos a seguir:

"Con motivo de lo ocurrido, para ver si entre todos logramos encontrar una salida más comprensible para el público y familiares en la cual murieron todos ellos y si el secreto se mantiene hasta el momento, me surgen dos propuestas: la primera, aplazar el comunicado por largo tiempo hasta cuando las dos partes estén sentadas en la mesa hablando del tema del intercambio. Segundo, informar que la custodia de los prisioneros junto con ellos desertó y en su persecución cayeron todos, cuyos cadáveres estamos dispuestos a entregar a los familiares teniendo en cuenta que los refranes dicen: 'que estas son patadas de ahogado'. Porque los hechos son los hechos".

Marulanda ya preveía, con la astucia de un hombre de campo acostumbrado a lidiar con estos temas, que la verdad tarde o temprano saldría a flote, "porque los hechos son los hechos". No obstante, él y sus cómplices siguieron tramando cómo escapar ilesos de las consecuencias de sus acciones.

Cano, en un correo del 26 de junio, dio más detalles a los miembros del Secretariado sobre cómo había sido la matanza:

"Tanto el jefe de la guardia de los retenidos, que es el jefe del frente 60, como el jefe del 29 frente atribuyen el hecho a la intensa tensión en que se debaten nuestras unidades por la confrontación permanente con el Ejército. Sobrevivió un diputado que estaba sancionado en otro sitio, el diputado sobreviviente no vio nada, sólo escuchó".

El debate seguía entre la comandancia de las FARC. El siguiente en terciar en el asunto fue alias *Timochenko*, el único que propuso decir la verdad de los hechos:

"Ante lo que se presentó con los diputados me inclino por que asumamos la responsabilidad de lo sucedido y responsabilizar al gobierno por su negativa al intercambio en medio de ofensivas permanentes para su rescate. Entiendo que quedó uno vivo. Si no hay problemas de seguridad, el comunicado lo podría llevar él".

Como es natural, la propuesta de Timochenko no prosperó, y el Secretariado decidió anunciar la muerte de los once diputados en un comunicado público, intencionalmente ambiguo, dado a conocer el 28 de junio, diez días después de la masacre, en la página de internet de Anncol, al servicio de las FARC.

En el texto dan noticia de la muerte de los diputados, pero tienen mucho cuidado en no admitir ninguna responsabilidad y hablan, en cambio, de un grupo militar no identificado, sembrando la duda respecto a si se trató del Ejército en una operación de rescate. La mentira es patente:

"El Comando Conjunto de Occidente de las FARC informa que el día 18 del presente mes, once diputados de la Asamblea del Valle que retuvimos en abril de 2002, murieron en medio del fuego cruzado cuando un grupo militar sin identificar hasta el momento, atacó el campamento donde se encontraban.

"Sobrevive el diputado Sigifredo López quien no estaba en ese instante junto a los demás retenidos".

Al final del comunicado, el cinismo adquiere proporciones grotescas cuando expresan sus condolencias a los familiares y responsabilizan de la situación al presidente Uribe:

"A los familiares de los diputados fallecidos les manifestamos nuestro profundo pesar por la tragedia. Haremos lo que esté a nuestro alcance para que puedan recoger los despojos mortales lo más pronto posible.

"La demencial intransigencia del presidente Uribe para llegar a un intercambio humanitario y su estrategia de rescate militar por encima de toda consideración conlleva a tragedias como la que estamos informando".

Primeras reacciones

La noticia de la muerte de los diputados cayó como un baldado de agua fría sobre el ánimo nacional. Nadie esperaba una tragedia de estas proporciones.

De inmediato me comuniqué con el general Padilla y el general Montoya, y verificamos si había alguna probabilidad de que tropas nuestras hubieran chocado con la cuadrilla de la guerrilla que tenía en su poder a los secuestrados asesinados. Pero pronto descartamos esa hipótesis. No había en ese momento operaciones en el área y, además, desconocíamos la zona precisa en que los movían. Así lo hizo saber ese mismo día el presidente Uribe en un comunicado de 18 puntos:

"8. Los diputados habrían sido asesinados por las FARC, vilmente. La Fuerza Pública no estaba en operativo de rescate porque no había sitio de ubicación.

"9. (…) el 18 de junio no hubo combates en los departamentos de Cauca y Valle del Cauca.

"10. El asesinato de todos los secuestrados, sin sobrevivientes, salvo uno que estaría por fuera del grupo, muestra premeditación criminal que se quiere confundir con fuego cruzado con la Fuerza Pública, fuego cruzado que no existió. La muerte de los secuestrados, sin bajas guerrilleras, sin soldados asesinados ni heridos, muestra que no hubo fuego cruzado, que los terroristas de las FARC quieren ocultar el crimen de lesa humanidad que habrían perpetrado".

El comandante general de las Fuerzas Militares, por su parte, produjo un breve comunicado reafirmando el hecho de que no había operaciones militares en la zona:

"Inteligencia militar no ha tenido conocimiento alguno sobre la exacta ubicación del lugar de cautiverio de los señores diputados del Valle secuestrados por las FARC; por lo tanto, no se ha ordenado adelantar operaciones militares de rescate. De haber tenido conocimiento el comandante general de las Fuerzas Militares de una operación de tal envergadura, se le hubiese comunicado con la debida antelación, de acuerdo con las instrucciones, al señor Ministro de Defensa y al señor Presidente de la República".

El general Padilla daba cuenta acá de un procedimiento que teníamos establecido. Ninguna operación de rescate de los secuestrados llamados canjeables por la guerrilla podía llevarse a cabo sin previo conocimiento y autorización del presidente Uribe y mía.

Para nosotros era claro que las FARC eran las únicas responsables de la masacre. No obstante, éstas lograron su cometido de desinformación con algunos crédulos en el país y el exterior. La cancillería francesa, por ejemplo, en lugar de condenarlas, afirmó a través de un portavoz que el "uso de la fuerza para liberar a los secuestrados" en Colombia debe estar "totalmente prohibido". Incluso, algunos de los familiares de los diputados alcanzaron a responsabilizar al gobierno por la supuesta acción fallida de rescate.

"Saldremos bien librados"

Manuel Marulanda y los miembros del Secretariado se frotaban las manos por el éxito relativo de su estrategia. Habían informado sobre la muerte de los once diputados, pero la condena contra ellos no había sido contundente por la duda que habían logrado sembrar. Ahora tenían que enfrentar un problema adicional: ¿cómo devolver los cuerpos sin que resultara patente, cuando los examinaran, que ellos habían sido los asesinos?

El jefe de las FARC le envió el 5 de julio un correo electrónico a Alfonso Cano, con su análisis de la situación:

"De acuerdo con el nuevo comunicado confirmando la presencia de operativos conjuntos ejército-paras etc. contra FARC en la región y de nuestra parte manteniendo el secreto inicial y a la vez sosteniendo la versión de una fuerza desconocida que asaltó el campamento, donde mostremos el lugar de entrada y salida del grupo asaltante nos salvamos, no importa la clase de especialista en investigaciones. Ello quiere decir que si usted antes de permitir la entrada de comisiones humanitaria a recibir los restos de los diputados organiza y planifica bien todo para efecto de investigaciones, saldremos bien librados a pesar de semejante campaña".

La sugerencia de Marulanda generó aún más dolor e incertidumbre a los familiares de las víctimas, pues las FARC dilataron al máximo la entrega de los cuerpos, confiando en invalidar o dificultar el proceso de examen forense.

Precisamente, el mismo 5 de julio en que el cabecilla daba instrucciones para manejar la escena del crimen frente a las eventuales investigaciones, cientos de miles de colombianos, en las principales ciudades del país, salieron a las calles en una Marcha Nacional contra el Secuestro y expresaron su repudio frente a este crimen atroz. Era una manera de mostrar la indignación por el asesinato de los diputados y por los cientos de secuestrados que aún quedaban en poder de los grupos armados ilegales. En Cali, los familiares clamaron por la pronta devolución de los restos mortales de sus seres queridos sin saber que la guerrilla, ese mismo día, estaba haciendo planes para dar largas a dicha entrega.

Finalmente, el 8 de septiembre de 2007, 80 días después de la masacre, una comisión de la Cruz Roja Internacional tuvo acceso al lugar donde estaban enterradas las once víctimas.

A pesar del tiempo transcurrido, el informe forense —realizado por una misión técnica especial de la OEA y por el Cuerpo Técnico de Investigaciones de la Fiscalía— reveló datos escalofriantes: los once cuerpos presentaban 95 heridas de fusil, la mayoría de ellas ocasionadas por la espalda. El que menos impactos recibió tenía cinco balazos y el que más, catorce. Los cadáveres habían sido vestidos con prendas diferentes a aquellas que llevaban el día de la matanza, y algunos tenían en la boca restos de seda dental y fragmentos de cepillos de dientes, lo que indicaba que estaban aseándose al momento de ser asesinados.

Las FARC habían sido descubiertas, una vez más, en una macabra mentira, lavándose las manos de sus propios actos terroristas. A pesar de que nunca lo aceptaron expresamente, la confirmación definitiva de la forma en que intentaron ocultar su acción llegó en marzo de 2008 a través de los computadores encontrados en el campamento de Raúl Reyes. Allí estaban los correos electrónicos a que he hecho referencia, que muestran el serpenteante camino de engaños que urdieron para evadir su responsabilidad.

Hay que reconocer, sin embargo, que la guerrilla de alguna forma fue exitosa en su estrategia de desinformación, pues la noticia sobre la muerte de los diputados no generó la condena internacional sobre ella que debió haber causado, y terminó diluida en el tiempo, entre la ambigüedad de su comunicado y la larga espera para la entrega de los cuerpos.

Nunca es tarde para que la comunidad internacional y las organizaciones de derechos humanos expresen su repudio ante unos terroristas capaces de asesinar a sangre fría a once hombres indefensos en mitad de la selva, sin más motivo que su paranoia y la arrogancia de creerse dueños de sus vidas.

CAPÍTULO VII
"Aquí vivimos muertos"

Otro caso típico de engaño, en el que las FARC abusan de la condición de indefensión de los secuestrados, son las llamadas pruebas de supervivencia. Los familiares, con justificada angustia, claman por cualquier carta, fotografía o video que les traiga noticias sobre sus seres queridos, y algunas veces la guerrilla accede a entregarlos, aunque, siguiendo su pérfida lógica, intenta convertir dichas pruebas en instrumentos a su favor.

Los rehenes que han ido recuperando su libertad cuentan que las FARC, días antes de las pruebas de supervivencia, los preparan para que aparenten una condición de bienestar y salud muy distinta a la que en realidad viven, aislados, enfermos y encadenados en medio de la selva. La instrucción del Mono Jojoy es que los peluqueen, los afeiten, les den más comida, los vistan con ropa nueva, para hacer creer que están bien tratados aun en medio de su cautiverio.

Incluso los obligan a decir mentiras. Ese fue el caso del soldado del Ejército William Giovanni Domínguez, liberado en febrero de 2009, quien fue forzado a hablar en un video sobre Emmanuel, el hijo de Clara Rojas, aun cuando el niño no estaba en poder de la guerrilla desde hacía más de dos años. Según palabras del soldado Domínguez:

"Una vez yo mandé una prueba de vida, donde decía que Emmanuel estaba conmigo y que allá le hacían muñecos de palo y todo eso. Eso fue un montaje de las FARC".

En medio de esta cruel dinámica de los secuestros, en octubre de 2007, cuando el presidente Hugo Chávez contaba con la autorización del presidente Uribe para ser facilitador de un acuerdo humanitario con las FARC, éstas, a petición del mandatario venezolano, decidieron enviar pruebas de supervivencia de Íngrid Betancourt, Luis Eladio Pérez, los tres contratistas norteamericanos y once militares y policías que estaban bajo custodia del frente primero.

El objetivo de Chávez era entregarle la prueba de supervivencia de Íngrid al presidente de Francia, Nicolás Sarkozy, en una visita a París que tenía prevista para fines de noviembre.

Esta vez la guerrilla se encontró con un obstáculo que no imaginaba. Los secuestrados, cansados de posar y de hablar para lo que llamaban "el circo de las FARC", esta vez se negaron a pronunciar palabra o a fingir una salud o un estado de ánimo que no tenían. Fue así como, ante la cámara, quedó plasmada la protesta silenciosa de quince hombres y una mujer que se resistían a formar parte de una nueva farsa. Algunos simplemente miraban hacia el suelo, sin pronunciar palabra; Íngrid, en un estado lamentable, sentada en una rústica banca de madera, con una camisa sin mangas, el pelo larguísimo y la mirada perdida, era la expresión misma del dolor y la desesperanza.

Pero los guerrilleros no lograron su cometido de hacer llegar las pruebas a Chávez antes de su reunión con Sarkozy. Las operaciones militares y sus propias dificultades logísticas les impidieron enviarlas a tiempo, lo cual causó no poca molestia al mandatario venezolano.

Entre tanto, la inteligencia técnica del Ejército venía monitoreando las comunicaciones del frente primero y sabía muy bien del encargo de los testimonios de supervivencia, y de la ruta que seguirían para hacerlo llegar. Videos, fotografías y cartas habían sido enviados desde el Guaviare hasta Bogotá a través de tres milicianos —dos mujeres y un hombre— que llegaron a la capital, seguramente con la intención de entregarlos a alguien que los revisara y censurara antes de mandarlos a Venezuela.

Pero no alcanzaron a manipularlos. El 30 de noviembre de 2007 los tres milicianos fueron capturados en Bogotá con su cargamento, y se logró conocer así la verdadera condición de los secuestrados. Un golpe certero de la inteligencia militar. Yo llegué ese día de la India y apenas salí del avión, después de 24 horas de vuelo, me informaron el resultado de la operación que se acababa de ejecutar. Llamé de inmediato al presidente Uribe, quien convocó a una reunión esa noche en palacio para reconfirmar que las pruebas eran auténticas, como en efecto se hizo. El presidente ordenó hacer todo público para que después nadie dijera que el gobierno estaba jugando con las pruebas.

No cabe duda de que, si no hubiera sido por esta acción del Ejército, las pruebas se habrían revelado mucho más tarde y seguramente incompletas, siguiendo la costumbre de las FARC. La foto de Íngrid, demacrada y taciturna, le dio la vuelta al mundo y tuvo un efecto devastador para los planes de quienes querían poner al gobierno colombiano contra la pared.

Además de los videos, la carta que Íngrid escribió a su madre resultó ser un testimonio desgarrador sobre la crueldad del secuestro y la dureza de las condiciones en que se encontraban. Una sola frase de esta misiva refleja mejor que nada una situación que las FARC no hubieran querido jamás que se conociera:

"Aquí vivimos muertos".

CAPÍTULO VIII
Emmanuel

A los pocos días de conocerse las pruebas de supervivencia, y ya sin la intermediación de Hugo Chávez, que había sido cancelada por el presidente Uribe, las FARC anunciaron a mediados de diciembre su intención de liberar unilateralmente a la ex representante Consuelo González de Perdomo; la ex jefe de campaña de Íngrid, Clara Rojas, y su pequeño hijo, Emmanuel, de tres años y medio de edad, que había nacido en cautiverio. La condición planteada por la guerrilla era que sólo los entregarían al presidente Chávez o su enviado, y a la senadora liberal Piedad Córdoba.

En el gobierno recibimos la noticia con prudente optimismo y procedimos a realizar todas las gestiones para facilitar la entrega de los secuestrados. Se autorizó el ingreso de helicópteros venezolanos con la insignia de la Cruz Roja Internacional y de funcionarios de dicho país, así como de garantes internacionales de siete naciones —Argentina, Bolivia, Brasil, Cuba, Ecuador, Francia y Suiza—, incluido el ex presidente argentino, Néstor Kirchner.

De parte del presidente Uribe, del ministro de Defensa y los mandos militares no teníamos más intención que facilitar la entrega, así fuera hecha a delegados extranjeros y no colombianos. Lo realmente importante era que se lograra la libertad de estas personas. Con ese objetivo, se determinó la suspensión de operaciones militares en el área donde presuntamente serían liberadas para evitar cualquier tropiezo a la operación humanitaria.

Sin embargo, la inteligencia del Ejército, la misma que había logrado interceptar las pruebas de supervivencia el 30 de noviembre, tenía indicios que demostraban que la promesa de las FARC era imposible de cumplir.

Según dichos indicios, un niño de la edad y características de Emmanuel, con un problema en un brazo, tal como lo había descrito el fugado subintendente Pinchao, había sido entregado en San José del Guaviare al sistema de protección del Instituto de Bienestar Familiar desde mediados del 2005. En ese momento el niño presentaba serios problemas de desnutrición y signos de maltrato físico. La entidad social del Estado lo había enviado a un hogar sustituto en Bogotá, donde lo cuidaban y conocían bajo el nombre de Juan David.

La inteligencia militar ubicó la vivienda donde estaba el niño y reportó la situación y la hipótesis de que se trataba del hijo de Clara Rojas al general Mario Montoya, comandante del Ejército, quien ordenó montar una vigilancia estrecha sobre la casa. Para hacerlo, dos agentes de inteligencia, fingiendo ser una pareja, alquilaron un inmueble al frente del lugar donde lo tenían.

El general Montoya me informó del caso, que al comienzo me pareció disparatado. Si las FARC no tenían a Emmanuel, ¿por qué ofrecían liberarlo? Además —y éste era un factor que nos desorientó por un tiempo—, el soldado Domínguez en una prueba de supervivencia reciente había contado que el niño estaba con su grupo, y que lo veía jugar con juguetes que le fabricaban los mismos guerrilleros. Entonces, si Emmanuel había sido visto por el soldado en el 2007, ¿cómo podría ser el mismo niño que tenía el Bienestar Familiar desde el 2005? La respuesta era muy sencilla: las FARC habían obligado a Domínguez a mentir en su prueba de supervivencia.

Pérdida de comando y control

El caso de Emmanuel es una de las pruebas más patentes de la pérdida de "comando y control" en las filas de la guerrilla. ¿A que me refiero con esto? A la dificultad que existe para que las órdenes lleguen de los jefes a los diferentes frentes, por el continuo acoso de las Fuerzas Armadas, no sólo físico sino también a través de la inteligencia técnica. Cada vez los guerrilleros están más aislados, como confesó el mismo Alfonso Cano en un mensaje de noviembre de 2007: "Las comunicaciones nuestras están muy difíciles por los operativos militares tan tenaces que nos tienen".

Dicho aislamiento se traduce en falta de direccionamiento e imposibilidad de monitorear, por parte del Secretariado, lo que hacen sus hombres en las diversas zonas del territorio. En el caso del niño de Clara Rojas, la falta de "comando y control" se reflejó en que la comandancia de las FARC prometió devolverlo sin tener ni idea de que éste estaba desde hacía más de dos años en un hogar del Bienestar Familiar, vale decir, en manos del Estado.

Se cae el show de las FARC

¿Qué había pasado con Emmanuel? A comienzos del 2005, alias *Gentil Duarte*, cabecilla del frente séptimo, viendo las dificultades de tenerlo con ellos en los campamentos y caminatas, decidió entregarlo al cuidado de un hombre que vivía con su familia a la orilla del río Guaviare, en el municipio de El Retorno, a unos quince kilómetros al sur de San José del Guaviare. Se le indicó que lo cuidara, que no revelara su origen y que ellos volverían algún día por él.

El niño, según cuenta José Crisanto Gómez, el hombre que lo recibió, que vivía en condiciones de pobreza con su esposa, su suegro y sus hijos pequeños, presentaba síntomas de leishmaniosis y tenía una fractura en el brazo izquierdo. Pasados unos meses, en junio de 2005, su situación de salud empeoró, y a Gómez no le quedó más remedio que llevarlo al centro de salud, donde le diagnosticaron desnutrición y lo enviaron al hospital de San José del Guaviare. Allí, los médicos, viendo el mal estado de Emmanuel, a quien Gómez registró como Juan David Gómez Tapiero, decidieron remitirlo al Bienestar Familiar, entidad oficial que desde entonces se hizo cargo de él.

Gómez se preocupó al ver que el Estado le quitaba el niño que le había encomendado la guerrilla y pidió, sin éxito, que se lo devolvieran. Finalmente se rindió y regresó a su pueblo, atemorizado por las represalias de las FARC, pero confiado en que, llegado el momento, podría encontrarlo. Cuando los guerrilleros volvieron a su casa, más de dos años después, a recoger al niño, para cumplir con la liberación prometida, se encontraron con la sorpresa de su ausencia y amenazaron a Gómez con matarlo si no recuperaba a Emmanuel y lo devolvía en el transcurso de unos días.

La inteligencia del Ejército, que ya había tenido conocimiento del pequeño que estaba bajo protección del Bienestar Familiar, ató cabos cuando escuchó, en las comunicaciones de la guerrilla, que ellos no tenían al hijo de Clara Rojas y que lo estaban buscando. Juan David Gómez Tapiero tenía que ser Emmanuel.

Gómez, por su parte, viajó de El Retorno a Bogotá y comenzó desesperadamente a buscar el hogar sustituto donde podría estar el niño. También la guerrilla emprendió su búsqueda. Incluso una noche —según me comentó el general Montoya— dos carros con placas diplomáticas parquearon frente al hogar sustituto en que estaba Emmanuel, y unas personas de traje y corbata se bajaron. Luego de un rato salieron, aparentemente sin llevarse al niño. Esta extraña visita prendió nuestras alarmas, por lo que el 28 de diciembre lo retiramos del hogar del Bienestar Familiar y lo pusimos bajo custodia de personal especializado en un lugar secreto.

El 29 por la mañana reuní en mi oficina a los generales Padilla, Montoya y Naranjo, y al viceministro Sergio Jaramillo para analizar la situación. Allí les comenté que, antes de partir para Cartagena, a donde iba a pasar el fin de año, pondría al tanto de la situación a Bárbara Hintermann, jefa del Comité Internacional de la Cruz Roja en Colombia, para que después no se dijera que por culpa del gobierno no se había hecho la entrega. Así fue. Me reuní con Bárbara, con quien había hecho buenas migas en nuestro esfuerzo conjunto por mejorar la situación de los derechos humanos en las Fuerzas Armadas, en su apartamento de la calle 90 en Bogotá, y fue testigo de la reunión un amigo de ella de Oriente Medio, también de la Cruz Roja Internacional, que la visitaba en ese momento. Le dije que si la guerrilla no liberaba a Emmanuel, como lo había prometido, lo más probable era que el niño que teníamos a nuestro cuidado fuera el hijo de Clara, y se lo entregaríamos a ella.

Bárbara recibió la información con verdadero asombro, y quedamos en que todo quedaría bajo la más estricta confidencialidad. Al fin y al cabo, no estábamos totalmente seguros de que el niño que teníamos era el hijo de Clara.

Mientras tanto llegaron las delegaciones internacionales, procedentes de Venezuela, a la ciudad de Villavicencio, capital del Meta, que se había escogido como sede logística de la operación. También arribó el famoso director de cine Oliver Stone, invitado por el gobierno venezolano para filmar el regreso de los liberados. Sólo faltaba que las FARC hicieran saber a Chávez las coordenadas y hora de la liberación para que el operativo se pusiera en marcha.

Pero las horas transcurrían y nada pasaba. En Villavicencio el ambiente era tenso y ya se escuchaban versiones en el sentido de que por culpa del gobierno colombiano no se podría realizar la entrega. Esa noche del 30 me convencí de que nos iban a hacer una verdadera "maturranga" para hacernos quedar como los responsables del fracaso. Al otro día, muy temprano, recibí información de que esa versión ya estaba en la prensa argentina y en otros medios latinoamericanos. Al mismo tiempo, la guerrilla supuestamente le hizo llegar una carta a Chávez en la que alegaba falta de condiciones de seguridad para entregar a los secuestrados, la cual el mandatario venezolano dio a conocer por televisión:

"Señor Presidente, los intensos operativos militares desplega-dos en la zona nos impiden, por ahora, entregar a usted a Clara Rojas, Emmanuel y a la ex representante Consuelo González de Perdomo, como era nuestro deseo (…)".

Por supuesto, no era cierto lo de los "intensos operativos militares". Pero el macabro plan les estaba funcionando y esa mañana prácticamente todos los medios internacionales, basados en el falaz comunicado, comenzaron a difundir la noticia de que la liberación se estaba frustrando por culpa del Estado colombiano.

Alarmado por la situación, llamé al presidente Uribe, con quien habíamos planeado ir ese último día del año a visitar los soldados en un batallón del Caribe colombiano, a su finca en Córdoba donde se encontraba. Lo puse al tanto de lo que había sucedido en las últimas horas y le sugerí que fuéramos a Villavi-cencio, donde aguardaban los delegados internacionales en un ambiente de impaciencia, y contáramos lo que sabíamos, antes de que siguiera avanzando la campaña de difamación.

El presidente no vaciló y me dijo que estuviera listo, que me recogía en Cartagena, para volar hacia Villavicencio. La despe-dida del año con los soldados se la delegó al almirante Barrera, comandante de la Armada.

Cuando me estaba subiendo al avión del presidente, me llamó Elvira Forero, la directora del Instituto de Bienestar Familiar, con quien habíamos coordinado todo lo referente al niño, a in-formarme que alguien muy angustiado lo había ido a reclamar, y que el personaje, con voz temblorosa, había dicho que si no le devolvían el niño lo matarían a él y a su familia. Esa llamada me dio una gran tranquilidad porque confirmaba nuestra hipótesis. En el avión estaban los ministros de Agricultura, Andrés Felipe Arias, y de Medio Ambiente, Juan Lozano. Cuando les conté todo el drama, quedaron estupefactos, pero sonrientes.

Llegamos a eso de la una de la tarde a la base de Apiay y de inmediato nos reunimos con el grupo de delegados inter-nacionales que coordinaba el propio presidente Kirchner. Allí estaba también el canciller Maduro de Venezuela. Todos casi al unísono comenzaron a responsabilizar al ejército por el fracaso de la entrega. El presidente Uribe los escuchó pacientemente y puso al general Montoya a que explicara que el ejército no había hecho ningún tipo de operación en esa zona. Cuando el general se encontraba en plena exposición con mapa en mano, uno de los edecanes de palacio me pasó un papelito en el que me informaba que el presidente Chávez, en vivo y en directo por televisión, estaba difundiendo la versión de los supuestos operativos militares. Le sugerí al presidente Uribe que era hora de actuar y tomó la palabra para exponerles la hipótesis de que las FARC no tenían a Emmanuel y que esa era la verdadera razón por la cual no habían procedido a las liberaciones. Recuerdo muy bien el comentario del ex presidente Kirchner al enterarse del engaño de la guerrilla: "Si eso es así, entonces ¡quedamos como unos boludos!".

El presidente Uribe salió en seguida a dar una extensa rueda de prensa en la que explicó, con detalle, las razones que nos llevaban a pensar que Emmanuel estaba en poder nuestro y no de la guerrilla.

"Estamos llenos de motivos para desconfiar de las FARC y esto nos obligaba a transmitirlo a los delegados humanitarios internacionales", dijo el presidente.

Y luego continuó:

"Nos hemos obligado a traer a la mesa, en la reunión que acaba de concluir, una hipótesis para que se estudie; una hipótesis para que se examinen evidencias y se descarte o se ratifique esa hipótesis, mera hipótesis, sobre la cual no hay plena prueba. Es un asunto meramente hipotético. Indica que las FARC no se han atrevido a cumplir el compromiso de liberar a los secuestrados, porque no tienen en su poder al niño Emmanuel".

La perplejidad de los periodistas y del público en general fue total. El presidente Uribe estaba develando ante el mundo una de las mentiras más grotescas de la guerrilla, que demostraba, además, sus graves problemas de comunicación.

A los pocos días, las pruebas de ADN practicadas por el Instituto de Medicina Legal de Colombia, que serían luego reconfirmadas por el Instituto de Medicina Legal de la Universidad de Santiago de Compostela, en España, dejaron claro, sin lugar a duda, que el pequeño Juan David Gómez era en realidad Emmanuel, el primer niño nacido en cautiverio en la historia del secuestro en Colombia.

Aun antes de conocerse los resultados del instituto español, las FARC, viéndose acorraladas, no tuvieron más remedio que reconocer que no tenían a Emmanuel, y lo hicieron con uno de los comunicados más cínicos y absurdos que pueda imaginarse:

"Experto en cortinas de humo, el gobierno narco-paramilitar de Uribe Vélez, previa consulta a su amo en Washington, ha resuelto secuestrar en Bogotá al niño Emmanuel con el infeliz propósito de sabotear su entrega, la de su madre Clara Rojas y Consuelo González de Perdomo, al Presidente de la República Bolivariana de Venezuela, Hugo Chávez".

¡Faltaba más! ¡Ahora los secuestradores acusaban al gobierno de haber raptado al hijo de Clara Rojas! Por supuesto, nadie tomó en serio sus palabras, surgidas de la frustración de haber sido atrapados otra vez en la mentira.

Finalmente, el 10 de enero de 2008 fueron liberadas, con todas las garantías dadas por el gobierno colombiano y sus Fuerzas Armadas, Clara Rojas y Consuelo González de Perdomo en una zona selvática del Guaviare. Fueron recogidas por una delegación venezolana, acompañada por miembros de la Cruz Roja Internacional, y llevadas al vecino país, donde Chávez las esperaba. Esta vez no hubo espectáculos, ni delegados de siete países, ni director de Hollywood. El show se intentó hacer en el palacio de Miraflores en Caracas, pero ya no era lo mismo.

CAPÍTULO IX

Un país unido contra las FARC

La mentira de la guerrilla sobre el caso de Emmanuel fue la gota que rebosó la copa de la indignación de un grupo de jóvenes que, cansados de su continuo engaño e intimidación, y de ver cómo los violentos pretendían arrogarse la representación de un pueblo que los rechazaba, decidieron convocar, a través de un grupo de internet en la red social de Facebook, una marcha de protesta contra las FARC y contra sus métodos terroristas.

La iniciativa tuvo un eco inmediato y desbordó con creces los modestos cálculos de sus organizadores. Cerca de medio millón de personas se unieron al grupo virtual, y la convocatoria se expandió por todo el planeta, donde colombianos exiliados por la violencia terrorista o extranjeros solidarios se sumaron al sentimiento de indignación contra el grupo guerrillero, organizando también marchas en sus países de residencia.

Sin grandes financiaciones, sin partidos políticos detrás ni una participación oficial del gobierno, el proyecto se convirtió en una emocionante realidad. Millones de colombianos se tomaron las calles el lunes 4 de febrero de 2008 y marcharon, vestidos de blanco, ondeando banderas y coreando consignas, para expresar un rechazo colectivo a la violencia, que esta vez tenía nombre propio.

El lema de la movilización, repetido en pancartas y camisetas, lo decía todo: *"No más secuestros. No más mentiras. No más muertes. No más* FARC".

Nunca antes en la historia del país se había presentado una manifestación masiva de tales proporciones, que cubrió de blanco las avenidas de las principales ciudades de Colombia, y las plazas y parques en varios países del mundo. Yo participé de la marcha desde Tel Aviv, Israel, donde me encontraba en visita oficial. Tanto el primer ministro Ehud Ólmert como el presidente Shimon Peres y el ministro de Defensa Ehud Barak, con quienes me reuní ese día, nos dieron su total y absoluto respaldo. La guerrilla cosechó, con esa marcha histórica, la indignación y la condena que había sembrado con sus falacias, su cinismo y su insistencia en métodos como el secuestro, los atentados con bombas y las minas antipersona.

Hombres, mujeres, jóvenes, niños, ancianos, minusválidos, sin distinciones de raza, de credos o condición social, se sumaron a la ola humana y enviaron un mensaje claro de civilidad y democracia a los violentos, y también de solidaridad a los secuestrados. Ellos se enteraron por la radio, en medio de la difícil situación que vivían en la selva, de que la sociedad civil los recordaba y exigía su liberación.

La experiencia de la marcha se repitió con éxito similar —y con la participación de los mejores artistas colombianos, como Shakira, Juanes y Carlos Vives— el 20 de julio del mismo año, Día de la Independencia, cuando nuevamente los colombianos salimos a manifestarnos en contra del secuestro en todos los rincones del territorio. Habíamos decidido con el presidente que podría ser bueno descentralizar los desfiles patrios y, de hecho, el año anterior lo habíamos realizado en la isla de San Andrés. Esa mañana fue en Leticia, en pleno trapecio amazónico. En un espectáculo maravilloso por lo simbólico, con la presencia del presidente Uribe y de los mandatarios del Brasil, Luiz Inácio Lula da Silva, y del Perú, Alan García, Shakira tomó el micrófono y envió un mensaje a los guerrilleros que vale la pena recordar:

"Queremos pedirles a aquellos que se alzan en armas que se liberen ellos mismos de su propio secuestro, porque ellos también están secuestrados en las tinieblas de la selva. ¡Desmovilícense, se lo pedimos con el corazón en la mano! (…) Para que se liberen. Para que todos realmente podamos ser una sola Colombia, y vivir unidos y libres como nos lo merecemos".

RECUPERANDO EL PACÍFICO

Bello puerto del mar, mi Buenaventura,
donde se aspira siempre la brisa pura.

Fragmento de *Mi Buenaventura,*
currulao de PETRONIO ÁLVAREZ.

CAPÍTULO X
El secuestrador de los diputados

Mi llegada al Ministerio de Defensa, a mediados del año 2006, coincidió con la época de mayor crisis del puerto de Buenaventura en términos de violencia. Allí se mezclaban, en una combinación explosiva, los intereses del narcotráfico, entonces dominado por la organización de Wílber Varela, alias *Jabón*[3]; de las bandas criminales, que reclutaban desmovilizados de los antiguos Bloque Calima y AUC del Pacífico, y de las FARC, a través del frente 30 y del peligroso frente urbano Manuel Cepeda Vargas, que estaba dirigido por Milton Sierra, alias *Jota Jota* (*JJ*).

Uno de los desafíos inmediatos que tuve que asumir tan pronto me posesioné fue atender la oleada de crímenes en esta ciudad, la principal del país sobre su costa pacífica, con una

---

3.   *Jabón* fue asesinado en enero de 2008 en Venezuela, al parecer por un ajuste de cuentas de la mafia. Después de su muerte, su grupo de sicarios denominado Los Rastrojos ha seguido operando en el suroccidente del país, y está siendo combatido, como objetivo prioritario, por las Fuerzas Militares y la Policía.

población cercana a los 500.000 habitantes y a menos de 120 kilómetros de Cali, la pujante capital del Valle del Cauca. Ello implicó poner en marcha tres grandes procesos que iniciamos en un consejo de seguridad realizado en Tuluá con el entonces gobernador del Valle, Angelino Garzón: un proceso de control territorial, preventivo y educativo para el cual incrementamos el pie de fuerza de la Policía y de la Infantería de Marina en el municipio; un proceso de fortalecimiento de la inteligencia conjunta, particularmente de la Policía y la Armada, sobre las milicias de las FARC, y un proceso de estímulo permanente a la desmovilización de los guerrilleros.

Buenaventura es el puerto más grande e importante de Colombia y, sin embargo, presenta una crítica situación social, con altos índices de pobreza, exacerbada por la violencia que el narcotráfico y sus vendettas han generado en su suelo. Rodeada por una intrincada red fluvial, que incluye ríos como el Anchicayá, el Raposo, el Dagua, el Cajambre, el Calima y el San Juan, e infinidad de quebradas que desembocan en el océano Pacífico, la zona del puerto es considerada un corredor vital para los narcotraficantes, para la salida de drogas ilícitas y el ingreso de insumos para producirla. Además, está circundada por amplias regiones selváticas de difícil acceso.

Ese era el tamaño del reto que encontramos. Al igual que lo hicimos en los Montes de María, comenzamos a enfrentarlo con inteligencia conjunta y trabajo en equipo entre las Fuerzas Militares y la Policía, que pronto comenzaron a dar resultados.

Desmovilizaciones masivas

En los últimos meses del 2006, las FARC se ensañaron con la ciudad de Cali, a través de una serie de atentados terroristas que nos obligaron a reforzar las medidas de seguridad, y a convocar la colaboración ciudadana. La Policía fue particularmente efectiva en su persecución a estos terroristas y capturó en Palmira, el 13 de diciembre, a uno de los cabecillas del frente Manuel Cepeda Vargas, conocido como alias *el Chino*.

Esta captura fue el inicio del más grande proceso de desmovilización masiva de las FARC en su historia. El Chino, natural de Buenaventura, planteó su deseo de desmovilizarse y, para probar su voluntad de hacerlo, logró que otros 45 miembros de su grupo abandonaran las armas y se entregaran a la Policía. Además proporcionó importante información que luego serviría para capturar a otros hombres claves de la organización. Un año después fue asesinado en Cali por sus ex compañeros de las FARC, que no le perdonaron su decisión.

El Chino dejó claro, en un encuentro con el presidente Uribe en la capital del Valle, cómo operaban las milicias de las FARC en Cali, que él dirigía, y cuál era su vínculo con el narcotráfico:

"Las milicias bolivarianas se mantienen en la ciudad de Cali gracias a los aportes que se hacen a raíz de la coca. Coca que sale hacia el exterior. Todo el que mueva coca en Buenaventura tiene que hacerle un aporte a las FARC. Luego estos dineros llegan a la ciudad y con eso mantenemos la estructura".

Se dio un paso muy importante con estas desmovilizaciones, pero los atentados no cesaron. El 21 de enero de 2007 la guerrilla hizo estallar una bomba al paso de una patrulla policial en Buenaventura que dejó cuatro civiles y dos policías muertos, además de numerosos heridos. Al día siguiente viajé a dicha ciudad a presidir un Consejo de Seguridad y anuncié medidas extraordinarias para el puerto. Se creó un centro de acción unificado en Buenaventura, con efectivos de la Agrupación de Fuerzas Especiales Antiterroristas Urbanas de la Armada Nacional, y el apoyo de la Infantería de Marina y la Policía Nacional, bajo la supervisión del comandante de la Fuerza Naval del Pacífico. Se dispuso, igualmente, el traslado a esta ciudad del comando de la regional occidente de la Policía.

Pocos días después de este consejo, el 2 de febrero, la presión de la fuerza pública condujo a la entrega del cabecilla urbano del frente 30 de las FARC, alias *Seguidilla*, quien, al igual que el Chino, persuadió a 27 de sus compañeros a abandonar las armas y desmovilizarse. Siguiendo este ejemplo, el 7 de febrero 103 milicianos de los frentes 30 y Manuel Cepeda Vargas también decidieron dejar el camino de la violencia y acogerse al programa de reinserción del gobierno nacional. Además, entregaron armas de fuego, explosivos, munición y uniformes.

En total, se desmovilizaron, gracias a la labor de presión y persuasión de la Armada y la Policía, más de 170 hombres y mujeres de las FARC en Cali y Buenaventura ¡en menos de dos meses! Yo tuve la oportunidad de acompañar el acto oficial de entrega de los milicianos en la capital del Valle, un acto de esperanza y de reconciliación. Sin duda, se trataba de un golpe sin precedentes a la moral de la guerrilla y a su actividad terrorista en el Pacífico colombiano.

La caída de JJ

El frente Manuel Cepeda Vargas, a pesar de las deserciones, y tal vez como retaliación a ellas, siguió atentando contra la población y especialmente contra la Policía, que se había anotado resultados tan contundentes como las desmovilizaciones en Cali.

Fue así como hizo estallar, en la madrugada del lunes 9 de abril, un carro bomba frente al comando de la Policía Metropolitana de Cali, que destruyó sus instalaciones, causó la muerte a un taxista que pasaba al lado de la trampa mortal y generó destrozos en varias cuadras a la redonda.

Los caleños salieron a las calles y marcharon el 12 de abril para rechazar la violencia de los terroristas. "Lo que es con Cali es conmigo" decían las pancartas de estos vallecaucanos indignados que no estaban dispuestos a seguir siendo víctimas de los intolerantes.

Pero los días de alias *JJ*, el jefe del frente urbano Manuel Cepeda Vargas de las FARC y cerebro de estos atentados, estaban contados.

¿Quién era este hombre que se había ensañado contra el Valle del Cauca?

Milton Sierra, oriundo de Buenaventura, era un hombre con cierta preparación académica, que al parecer había estudiado en la universidad Patricio Lumumba de Moscú, y llevaba más de diez años ejerciendo su poder criminal, al frente de la facción de las FARC con mayor influencia en la zona de Buenaventura, en Cali y poblaciones aledañas.

Dentro de su extenso prontuario, que incluía decenas de asesinatos y secuestros, y múltiples actos terroristas, destacaban la toma armada de la represa de Anchicayá el 31 de agosto de 1999, en la que retuvo a seis periodistas y 120 trabajadores de la represa, y el ataque al puesto militar en el cerro Tokio en marzo de 2001, donde murieron 16 infantes de marina y dos fueron secuestrados.

Más recientemente, JJ había sido el cerebro y ejecutor del secuestro de los doce diputados del Valle del Cauca. En dicha oportunidad, los guerrilleros llegaron a la sede de la Asamblea y, haciéndose pasar por efectivos del Ejército, utilizando megáfonos, hicieron desalojar la edificación aduciendo una supuesta amenaza de bomba y subieron a los diputados a un bus que los llevó, sin saberlo, a un secuestro de años y a la muerte. Pasados algunos meses, JJ entregó sus rehenes a la responsabilidad del frente 60 de las FARC, dirigido por alias *el Grillo*, el mismo frente que disparó sobre ellos, en estado de total indefensión, el 18 de junio de 2007.

También había sido JJ el responsable del atentado terrorista del 9 de abril contra el comando de la Policía Metropolitana de Cali. Además, era el encargado del negocio de narcotráfico de las FARC en el área del Pacífico central del país, lo que hacía de su frente uno de los más poderosos y autosuficientes a nivel económico dentro de la organización terrorista. En total había en su contra 16 órdenes de captura vigentes por delitos como terrorismo, concierto para delinquir, homicidio agravado, rebelión y secuestro extorsivo, entre otros.

No es de extrañar que su captura o dada de baja fuera una prioridad de las Fuerzas Armadas en sus esfuerzos por mejorar la situación de seguridad del Valle del Cauca y de toda la región Pacífico.

Finalmente, el 6 de junio de 2007, una operación conjunta del Ejército y la Armada, a través de la Fuerza Naval del Pacífico, con apoyo de la Fuerza Aérea, puso fin a la larga carrera criminal del cabecilla del frente Manuel Cepeda Vargas.

JJ, con un pequeño grupo de guerrilleros, se desplazaba en una lancha por el río Cajambre, en área rural de Buenaventura, huyendo de la presión militar que lo había hecho movilizarse desde la zona del río Raposo, cuando fue detectado por los efectivos de las Fuerzas Militares. En un intercambio de disparos con las tropas, el jefe guerrillero fue impactado de un solo tiro en la frente, que le causó la muerte inmediata, y otros tres terroristas que lo escoltaban sufrieron la misma suerte. El golpe de gracia lo dio un francotirador de la Armada. Posteriormente, fueron destruidos en tierra sus dos últimos campamentos.

Los vallecaucanos recibieron con alivio la noticia del abatimiento del terrorista, que representaba para su región lo que Martín Caballero significaba en los Montes de María.

La baja de JJ constituyó el inicio de la caída de los más poderosos cabecillas estratégicos de las FARC en el territorio nacional. Le seguirían en pocos meses el Negro Acacio —cuya historia contaremos más adelante— y el mismo Caballero, además de decenas de mandos medios.

CAPÍTULO XI

El médico y el capo

El 7 de junio de 2007, el Ejército asestó otro golpe al corazón de las FARC, también en el Valle del Cauca. En una operación de tropas de la Tercera Brigada, en zona rural de Buga, en medio de combates con miembros de la columna Alirio Torres, se dio de baja a Luis Fernando Vanegas, alias *Cristian Pérez*.

Médico de profesión, Pérez había sido el galeno personal de Manuel Marulanda, y era, junto con Alfonso Cano, uno de los principales cabecillas ideológicos de la organización terrorista, desempeñándose como secretario y segundo al mando del llamado Movimiento Bolivariano, y líder también del Partido Comunista Clandestino Colombiano (PC3), a través del cual las FARC buscan infiltrar universidades y organizaciones comunales. Además, había participado en la cruenta toma a Toribío (Cauca) en abril de 2005.

Este pretendido "ideólogo" cayó en una operación en la que se desmanteló una fábrica artesanal para la elaboración de minas antipersona.

Nunca ha dejado de asombrarme cómo es posible que personas educadas para preservar la vida, como lo es un médico, puedan poner su talento y conocimientos al servicio de la muerte y la violencia, uno de cuyos símbolos más macabros son estas minas que se esconden en el suelo para mutilar o matar a sus víctimas indiscriminadas. Cristian Pérez, el "médico de Tirofijo", entregó más de veinte años de su vida a la lucha terrorista y murió en su ley.

Un capo en los matorrales

Entre tanto, después de la muerte de JJ, la situación del puerto comenzó a mejorar poco a poco, y los índices de homicidio, que habían llegado a niveles insólitos, empezaron a bajar. La fuerza pública se concentró en desarrollar planes de acción integral para mejorar las condiciones sociales de la población y se ganó así, con esfuerzo y paciencia, su confianza y colaboración.

El 28 de junio se supo de la masacre de los once diputados y, en las primeras versiones, se llegó a especular que era una represalia de las FARC por la baja de JJ. Sin embargo, las revelaciones posteriores —como ya vimos atrás— desmintieron esta hipótesis.

Lo cierto es que la guerrilla en el Pacífico colombiano pasaba por momentos muy difíciles. Cada vez eran más las desmovilizaciones y, con ellas, la información que alimentaba la inteligencia de las Fuerzas Militares y la Policía para continuar luchando contra la alianza perversa del terrorismo y el narcotráfico en la región.

Precisamente, en el campo del narcotráfico puro también se lograron éxitos sin precedentes, que contribuyeron a liberar la zona de la presión de los más peligrosos carteles. En agosto de 2007, las autoridades brasileñas capturaron en São Paulo a Juan Carlos Ramírez Abadía, alias *Chupeta*, y en septiembre del mismo año el Ejército Nacional capturó a Diego León Montoya, alias *Don Diego*.

Por otro lado, sin intervención de la fuerza pública, Wílber Varela, alias *Jabón*, fue asesinado en una vendetta de la mafia en Venezuela en enero de 2008.

De esta forma cayeron los tres principales jefes de los grupos que conformaban el cartel del Norte del Valle.

La captura de Don Diego presentó unas características especiales que vale la pena recordar, pues se trataba, en su momento, del pez gordo más importante del narcotráfico en el país, responsable de cerca del 70% de la cocaína que era enviada a Estados Unidos y Europa. No por nada el FBI lo había incluido en su lista de los diez criminales más buscados del mundo, al lado de Osama bin Laden, y el gobierno norteamericano ofrecía una recompensa de cinco millones de dólares por su captura.

En la caída de Don Diego primó el trabajo de inteligencia militar y la compartimentación de la operación, que fue secreta hasta el último momento. En las semanas previas habíamos tenido que sacar a algunos individuos de la fuerza pública, en una labor de depuración, por presuntos nexos con la organización del narcotraficante, a la que le pasaban información privilegiada. Esto explicaba que, en las múltiples operaciones que se habían realizado en su contra, a pesar de contar con datos fiables para encontrarlo, éste siempre lograba escapar, como si hubiera sido advertido con anticipación.

Pensando en esto, se decidió encomendar la misión a un grupo élite de las fuerzas especiales del Ejército que no fuera de la región del Valle del Cauca, para evitar cualquier posibilidad de filtración. Fue así como, aprovechando los datos recaudados por la inteligencia, las tropas llegaron en tres helicópteros a la precaria casa rural donde se encontraba oculto Diego Montoya, junto con su madre y cuatro personas más, en la vereda El Vergel del municipio El Zarzal, en el norte del Valle. El anillo de seguridad del capo abrió fuego contra el Ejército, buscando ganar tiempo para que su jefe huyera, pero las fuerzas especiales obraron con tal contundencia que los escoltas salieron a perderse. Finalmente, encontraron a Don Diego, oculto entre unos matorrales y en ropa interior. Siguiendo su costumbre mafiosa, intentó sobornar a los soldados, ofreciéndoles millones de dólares por dejarlo escapar, sin ningún éxito. Su captura representó el más grande golpe a los carteles de la droga desde la muerte de Pablo Escobar y la aprehensión de los hermanos Rodríguez Orejuela.

Nuevamente funcionó la teoría del castillo de naipes. Ya en enero de 2007 habíamos apresado a Eugenio Montoya, alias *Don Hugo*, hermano de Don Diego y segundo en su organización. Después de la captura del capo principal, sus sucesores también fueron cayendo uno tras otro: en mayo de 2008, la Policía capturó a Gildardo Rodríguez Herrera, alias *el Señor de la Camisa Roja*, en la Vega (Cundinamarca); en junio del mismo año, cayó en Zarzal (Valle) Jorge Iván Urdinola, alias *la Iguana*, gracias a un trabajo de inteligencia del Ejército, y un mes después la Policía capturó en Palmira a Óscar Varela García, alias *Capachivo*, el último jefe de la otrora poderosa organización de Don Diego.

Diego Montoya probó la suerte que les ha tocado a todos los capos del narcotráfico en nuestro país, que tarde o temprano son abatidos o capturados, pero que nunca se salen con la suya. Hoy se encuentra preso en Estados Unidos, respondiendo a los múltiples cargos que afronta en dicho país, al igual que su hermano Eugenio y su otro hermano Juan Carlos, que había sido extraditado desde el año 2005 y está pagando una condena de más de veinte años de prisión.

CAPÍTULO XII

Una captura cinematográfica

El frente urbano Manuel Cepeda Vargas de las FARC continuó debilitándose después de la caída de su máximo jefe. Gracias a la información de los desmovilizados, especialmente la proporcionada por el Chino, que había liderado el proceso de deserciones masivas, el 9 de noviembre de 2007 fueron capturados en una calle de Buenaventura alias *el Moño*, tercer cabecilla de las milicias y enlace con el área rural, y alias *Gotzila*, también cabecilla de milicias.

La aprehensión de este par de delincuentes fue realizada por el Gaula de la Armada en conjunto con la Policía Judicial después de tres meses de seguimiento. El Moño había estado detrás de los atentados contra la Policía en el puerto en los últimos meses, varios de los cuales terminaron con la muerte de agentes de esta institución, por lo que su captura era, de alguna forma, un asunto de honor policial.

Infortunadamente, en diciembre fue asesinado el Chino, cuya información y colaboración habían sido tan importantes para las autoridades. Gustavo Cardona Arbeláez, alias *Santiago*, quien había reemplazado a JJ en la dirección del frente Manuel Cepeda Vargas, lo mandó matar. Pero fue tarde para sus propósitos, pues los datos entregados por el Chino llevarían en pocos meses a su propia captura.

El involucramiento de las FARC con los narcotraficantes era cada vez más notorio. No sólo cobraban por dejar transportar droga o insumos por las zonas selváticas en que se encontraban, sino que manejaban directamente el negocio en connivencia con la banda criminal de Los Rastrojos, surgida del grupo de sicarios que trabajaban para el extinto capo Jabón.

El 7 de abril de 2008, la Armada dio un golpe por partida doble a la estructura de narcotráfico de la guerrilla en el Pacífico. Dio de baja a alias *el Indio*, el principal encargado del negocio en la zona, cabecilla de finanzas del frente Manuel Cepeda Vargas, y capturó a Jorge Rentería, alias *Jorge Morfi*, jefe del clan de "los Morfi", un mafioso con orden de extradición que era el principal aliado de las FARC en asuntos de narcotráfico. Morfi había sido el pionero en el envío de drogas a través del océano Pacífico utilizando semisumergibles. Los dos socios —el Indio y Jorge Morfi— manejaban el intercambio de sustancias alucinógenas por armas, que iban destinadas a los frentes 30 y Manuel Cepeda Vargas de las FARC. En suma: fue una moñona de gran calibre contra el narcotráfico en la zona.

"Turistas" en La Bocana

Ahora quedaba enfilar los esfuerzos hacia alias *Santiago*, el sucesor de JJ, un hombre sanguinario y sin escrúpulos, concentrado en el narcotráfico y los atentados terroristas en Buenaventura y Cali, que dirigía uno de los frentes más ricos de las FARC. No más en el 2007, el frente Manuel Cepeda Vargas había enviado al Comando de Occidente de la organización terrorista, a cargo de Alfonso Cano, más de 15.000 millones de pesos, lo que lo convertía en uno de sus mayores proveedores de recursos y también de armas.

La operación para capturar a Santiago fue verdaderamente cinematográfica y tuvo un sabor muy policial, pues se basó en un cerco de inteligencia, en la infiltración de unos agentes encubiertos y en la preparación de una zona donde se sabía que el terrorista iba a pasar unos días de descanso con su mujer, Claudia, conocida por sus habilidades de brujería, y la hija de ésta.

La inteligencia de la Policía descubrió con buena anticipación que Santiago había quedado de encontrarse con las dos mujeres —que residían en Cali— en unas cabañas de descanso frente al mar, en el corregimiento de La Bocana, a unos veinte minutos de Buenaventura, una zona de gran atractivo turístico por la belleza de sus playas. En las comunicaciones entre la bruja y el terrorista se determinó que éste se uniría a ellas a comienzos de mayo de 2008.

Con esta información, tres parejas de agentes encubiertos de la Policía se instalaron desde un par de días antes en el centro vacacional, fingiendo ser un grupo de turistas, y allí presenciaron la llegada de Santiago, con algunos guerrilleros que lo escoltaban, por supuesto de civil. Como vecinos de descanso, de forma desprevenida, los policías entablaron conversaciones casuales con Santiago y sus mujeres en un par de oportunidades, en tanto esperaban el momento adecuado para actuar.

La zona presentaba muchas dificultades para la operación porque la cobertura de celular era muy limitada y las posibilidades de llegar por tierra eran prácticamente imposibles por el anillo de seguridad e informantes que Santiago tenía alrededor de las cabañas. Así pues, la única oportunidad de arribar con tropas era por vía marítima y de noche, y ésta fue la opción que se tomó, para lo cual la Policía trabajó en coordinación con la Armada, que proporcionó la logística para el desembarque.

Antes del asalto, que se produjo en la madrugada del 8 de mayo, los agentes encubiertos se aseguraron de que Santiago no dejara de parrandear y tomar en los últimos días. La noche de la operación las tres parejas se unieron al grupo de Santiago, lo acompañaron a beber hasta tarde y lo dejaron en su casa de recreo, entregado al vicio con sus acompañantes, mientras ellos esperaban a los refuerzos. Finalmente, llegaron los comandos por mar, en lanchas de combate, desembarcaron en la playa del hotel e ingresaron a la cabaña donde encontraron a Santiago con las dos mujeres, borracho y bajo el influjo de estupefacientes. El peligroso cabecilla no opuso resistencia y siete más de sus lugartenientes fueron capturados. Tenía con él más de 150 millones de pesos en efectivo y dos memorias USB con una información que resultaría clave para las autoridades.

La información de Santiago

La espectacular operación que culminó con la captura de Santiago trajo muchas más revelaciones que las esperadas.

En las fechas previas al asalto se habían interceptado varias de sus llamadas telefónicas y se descubrió que Santiago, en coordinación con el Bloque Oriental, dirigido por el Mono Jojoy, había enviado un comando de guerrilleros a Bogotá con el objetivo de atentar contra el Ministro de Defensa. Ellos me identificaban, con razón, como uno de sus mayores y más visibles enemigos.

De acuerdo con la información que obtuvo la Policía, y que en su momento reveló el general Óscar Naranjo, las FARC habían destinado 600 millones de pesos para el pago de los milicianos que ejecutarían el atentado y para la compra de armamentos. Ellos ya llevaban un buen tiempo estudiando los alrededores de mi residencia y mis rutas de desplazamiento, además de las unidades de Policía más cercanas, sus equipos y su tiempo de reacción. Por fortuna, el plan fue develado a tiempo. Sin embargo, no sería ni el primero ni el último. En los casi tres años que estuve al frente de la cartera de Defensa se descubrieron por lo menos once planes concretos y avanzados para asesinarme, que las autoridades detectaron y desarmaron gracias a su impecable trabajo de inteligencia.

En las memorias USB que se le encontraron a Santiago había también importante información sobre la forma en que manejaba el negocio del narcotráfico en la zona del Pacífico y en que adquiría armamento para la guerrilla. Se supo por estos archivos que el frente Manuel Cepeda Vargas había comprado armas en Nicaragua y otros países de Centroamérica, las cuales distribuyeron a sus unidades terroristas en Cali y Buenaventura. También aparecían instrucciones de Alfonso Cano para atentar contra los candidatos "uribistas" en las elecciones regionales de octubre de 2007, y registros de pagos de sicarios para cometer asesinatos selectivos. Incluso, hay memorandos sobre la labor de las FARC para infiltrar instituciones educativas como la Universidad del Valle. En fin: era la agenda electrónica de un terrorista empeñado en dañar al país. No cabe duda de que su captura fue un logro fundamental de las Fuerzas Armadas.

CAPÍTULO XIII

El puerto renace

El panorama cambió sustancialmente en el Pacífico colombiano.

Con la muerte de JJ, Cristian Pérez y el Indio; con la captura de Santiago, el Moño y Jorge Morfi; con las continuas desmovilizaciones de milicianos, que no han cesado desde las entregas masivas de fines del 2006 y comienzos del 2007; con el desmantelamiento del cartel del Norte del Valle, incluidas las capturas de Chupeta, Don Hugo y Don Diego, el poder destructivo de las FARC y las organizaciones del narcotráfico ha disminuido. Pero no ha cesado por completo y falta mucho trabajo por realizar. Nariño se ha convertido en un verdadero laboratorio del crimen donde guerrillas, bandas criminales y narcotraficantes se disputan el territorio —o a veces se unen contra la fuerza pública— para hacer uso de ese importante corredor de salida hacia el Pacífico.

Mientras persista el influjo corruptor del negocio de las drogas ilícitas siempre habrá alguien dispuesto a enfrentar la ley para buscar dinero fácil, así tarde o temprano se convierta en una maldición que lo lleve a la cárcel o a la muerte. En el Valle sigue operando la banda de Los Rastrojos, dirigida por alias *Comba* y alias *Diego Rastrojo*, contra la cual están concentrados hoy los esfuerzos de la Policía y las Fuerzas Militares. El presidente Uribe ha señalado la prioridad de acabar con esta banda y ha fijado recompensas de hasta 5.000 millones de pesos por información que conduzca a la captura de los nuevos capos.

En cuanto al frente Manuel Cepeda Vargas, después de la captura de Santiago quedó bajo la dirección de Weiner Cabrera, alias *Iván Cárdenas* o *Narices*, quien ha enfocado sus esfuerzos en ejecutar atentados, como los carros bomba contra el Palacio de Justicia de Cali el 31 de agosto de 2008 y contra la Regional de Inteligencia de la Policía (Ripol) en la misma ciudad el 1.° de febrero de 2009. De alguna forma, este frente hoy, más que una célula guerrillera, es una unidad terrorista en transición a convertirse en una banda criminal.

Más recientemente, el 1.° de marzo de 2009, la Armada Nacional, con el apoyo de la Fuerza Aérea, capturó a alias *Negro Juancho*, segundo cabecilla del frente Manuel Cepeda Vargas, con dos guerrilleros más, en el área rural de Buenaventura, en cercanías del río Raposo. El Negro Juancho es responsable de al menos 28 atentados terroristas, entre ellos el ejecutado contra las instalaciones de la Ripol, que causó cuatro muertos y más de treinta heridos, incluidos cinco menores de edad. Este criminal había reemplazado al Indio, después de su baja, como jefe de finanzas del frente, y su captura representó otro duro golpe para las FARC. Se le encontraron —además de armas, municiones, celulares y doce millones de pesos en efectivo— 23 teléfonos celulares y 22 memorias USB que, sin duda, darán nuevas revelaciones sobre la operación y los planes del grupo guerrillero.

El cambio se siente

Hoy no podemos decir que la situación en Buenaventura y en Cali esté totalmente controlada, pero sí podemos afirmar que ha mejorado y que los avances en seguridad han sido sobresalientes.

En el año 2006, antes de que se produjeran los golpes referidos, Buenaventura registró una cifra récord de 408 homicidios. Para el año 2008, en sólo dos años, el número de homicidios había bajado a 206, prácticamente la mitad. También disminuyó la ocurrencia de este delito en Cali (en más de un 10%) y en el Valle del Cauca (en cerca del 13%).

Los casos de secuestro extorsivo decrecieron en el departamento un 25% en los últimos dos años, siguiendo la tendencia general del país, y los actos de terrorismo bajaron un 67%, pasando de 75 en el 2006 (casi la mitad de ellos en Buenaventura) a 25 en el 2008.

Pero hay algo más importante aún que la disminución de los indicadores del delito en la zona: la recuperación del sentido de pertenencia de los bonaverenses y el incremento de su confianza en las autoridades.

Por muchos años, cuando imperaba la violencia de las FARC y los carteles de la droga, los pobladores de Buenaventura habían perdido el orgullo sobre su hermosa región. Había una sensación, en muchos de ellos, de que estaban de paso, como si temieran afincar sus raíces en una tierra de nadie. Incluso, las empresas que trabajaban en el puerto no tenían su casa matriz en la ciudad costera sino en Cali u otros municipios aledaños.

Hoy las cosas están comenzando a cambiar, en un proceso positivo que ha sido posible gracias al debilitamiento de la guerrilla y las organizaciones del narcotráfico y, sobre todo, gracias a la presencia amiga y protectora de la fuerza pública, que representa no sólo seguridad sino también trabajo social por la comunidad.

La recuperación de Buenaventura y de la zona del Pacífico está en marcha. Pero como se dijo, falta mucho todavía: la guerrilla y las bandas criminales, aunque debilitadas, siguen operando, y hay muchas necesidades por suplir y muchas obras por realizar. El Estado colombiano y sus Fuerzas Armadas están con toda la disposición de cumplir con esta región esencial para garantizar la competitividad del país en los mercados mundiales.

No más a nivel de infraestructura, se habla ya de proyectos importantes para el puerto, que está comenzando a atraer la inversión extranjera. Mientras se prorrogó la concesión de la Sociedad Portuaria Regional de Buenaventura sobre uno de los terminales portuarios, lo que ha estimulado las inversiones, se autorizó el proyecto del Puerto Industrial Aguadulce, así como la concesión de otro puerto a empresarios españoles. Poco a poco vamos saliendo del rezago de tantas décadas en que dimos la espalda al mar del futuro, que es el océano Pacífico.

Se siente, además, un renovado espíritu de solidaridad en su gente y una mayor disposición de colaborar con las autoridades para que los tiempos funestos de JJ y Santiago, de Don Diego y Jabón no se repitan.

Buenaventura está volviendo a ser, para orgullo de sus habitantes y disfrute de los turistas, el "bello puerto del mar" del Pacífico colombiano "donde se aspira siempre la brisa pura".

INTELIGENCIA AL MÁS ALTO NIVEL

Los equipos y grupos de trabajo a través de los cuales el moderno comandante absorbe información y ejerce su autoridad deben ser un mecanismo bellamente interconectado, que trabaje sin dificultades. Idealmente, el todo debería ser prácticamente como una sola mente.

GENERAL DWIGHT EISENHOWER

CAPÍTULO XIV
Cooperación internacional

Antes de posesionarme como ministro de Defensa, por la experiencia que había tenido como ministro de otras carteras en dos administraciones anteriores —las de César Gaviria y Andrés Pastrana— y mi propia vivencia de juventud, cuando cursé dos años como cadete de la Escuela Naval de Cartagena, ya tenía algunos conceptos claros sobre la forma en que operaban las Fuerzas Armadas, sus principios y valores, su doctrina y sus componentes administrativo, logístico, operacional y de inteligencia.

He sido siempre partidario del trabajo en equipo, y así lo he implementado en todas las posiciones que he desempeñado. He visto muchas veces cómo se frustran las mejores intenciones por el imperio de los egos y las individualidades que, en busca de reconocimientos o halagos, desestiman el aporte de los demás, y he visto también cómo, cuando todos ponen su esfuerzo y talento al servicio de una causa, sin egoísmos ni protagonismos, las metas, por difíciles que parezcan, se alcanzan.

El éxito de cualquier gerente —y toda misión pública requiere de un gerente— radica en saberse rodear de un buen equipo, y saber liderarlo, haciéndolo marchar como un reloj bien calibrado, donde cada pieza es indispensable para el buen desarrollo de la tarea.

Por lo mismo, desde mi primer día en el Ministerio, consciente de los cientos de miles de hombres y mujeres que forman parte no sólo de las Fuerzas Militares y la Policía, sino de todas las entidades del sector Defensa, tuve la firme determinación de rodearme de los mejores e implementar un sistema de trabajo en equipo que se tradujera en resultados.

Unos días antes de asumir el cargo, viajé a Londres, donde me entrevisté con sir John Scarlett, director general del Servicio Británico de Inteligencia Secreta, el famoso MI6 de las películas de James Bond. El director compartió conmigo su convicción acerca de la importancia de la inteligencia para el combate contra el terrorismo y el negocio de las drogas ilícitas, y además me confirmó la ayuda del Reino Unido para la capacitación y asesoría en materias de inteligencia y contrainteligencia, ayuda que ha sido muy importante, particularmente para la Policía Nacional y la lucha contra el narcotráfico.

También por esos días hablé con un buen amigo, ex canciller y ex ministro de Seguridad Pública de Israel: Shlomo Ben-Ami, quien es, además, vicepresidente del Centro de Toledo para la Paz, del cual soy miembro. Ben-Ami, desde su experiencia, me recomendó la asesoría en inteligencia de una empresa formada por antiguos generales y miembros del Mossad —el reconocido servicio de inteligencia israelí—, asesoría que se concretó durante el año 2007, y que fue fundamental para el desarrollo del concepto de operaciones conjuntas al más alto nivel, que ha producido los más grandes resultados en la historia de la lucha contra organizaciones subversivas, hoy narcoterroristas.

Adicional a la cooperación británica e israelí, siempre contamos —de manera continua y muy positiva— con el apoyo de inteligencia, tecnología, capacitación y entrenamiento de las fuerzas de seguridad y defensa de Estados Unidos, un apoyo que nos ha ayudado a lograr y consolidar los avances que generan nuestras propias fuerzas, y que se ha enmarcado dentro del programa de cooperación militar del Plan Colombia, iniciado desde el año 2000 bajo las administraciones Pastrana y Clinton, y continuado por los gobiernos sucesivos.

Contrario a lo que algunos piensan, la cooperación de Estados Unidos, canalizada a través del Comando Sur de dicho país, se ha centrado en las áreas mencionadas —vale decir, en el campo de la asesoría y la instrucción— y no en el aspecto operacional. Las operaciones de combate a los guerrilleros y narcotraficantes son ejecutadas, todas, por personal colombiano, sin participación en el terreno de fuerzas extranjeras.

Los primeros días

La clave del éxito de cualquier labor de inteligencia radica en el secreto, pues se trata, básicamente, de infiltrar al enemigo para conocer sus planes, sus recursos, sus debilidades y fortalezas, determinar su localización y, en casos excepcionales, como la Operación Jaque, lograr que actúe conforme a nuestros objetivos.

Por lo mismo, toda misión de inteligencia exige un importante grado de compartimentación, esto es, que sólo sepa de ella la menor cantidad de personas posible, y que un número aún más limitado tenga acceso a toda la información. No obstante, la compartimentación —que es un principio básico de la inteligencia— puede jugar en contra de la misión cuando los datos obtenidos, por exceso de celo, no se comparten a tiempo con quienes los necesitan para actuar.

Cuando llegué al Ministerio, en julio de 2006, existía dentro de las Fuerzas Militares una organización llamada "Cancerbero" que buscaba, principalmente, reunir la información al más alto nivel y utilizarla para asegurar operaciones exitosas. La filosofía era adecuada, pero, en la práctica, no produjo mayores resultados.

Durante su tiempo de existencia —tal vez por falta de apoyo político o militar suficiente— no logró reunir inteligencia útil sobre blancos de alto valor, y la ausencia de resultados concretos fue minando su credibilidad en las fuerzas. De hecho, cuando alguien tenía una información valiosa, en lugar de compartirla en "Cancerbero", la entregaba al alto mando o al ministro de forma individual, muchas veces en busca de un protagonismo innecesario.

No era raro, en mis primeros meses en el Ministerio, que me buscaran altos oficiales y me comentaran sobre importantes datos que tenían sobre el enemigo, que, sin embargo, no entregaban directamente a los integrantes de otras fuerzas que podrían tener mejor oportunidad de aprovecharlos. Pronto me di cuenta de que esta era una falencia profunda que teníamos que remediar. ¿Cómo íbamos a derrotar a los terroristas y los narcotraficantes si entre nosotros mismos no nos confiábamos la información esencial? Era imperioso aplicar, de verdad, el concepto de inteligencia y operaciones conjuntas.

Asesoría israelí

En los primeros dos meses del 2007, especialistas de inteligencia israelíes, con experiencia en guerra de operaciones especiales, hicieron un trabajo de campo, visitando muchas unidades militares, para alcanzar un diagnóstico sobre nuestra situación de inteligencia. El objetivo era alcanzar una inteligencia en tiempo real que, una vez obtenida, se convirtiera en operaciones concretas en muy corto tiempo. Porque ¿de qué sirve la información sobre un campamento guerrillero si, por la falta de coordinación y celeridad, cuando las tropas finalmente llegan ya se ha cambiado de lugar?

Los expertos israelíes concluyeron que en nuestro país teníamos una buena inteligencia, con una tecnología que sin duda había que mejorar y con equipos humanos muy bien entrenados, pero que, a pesar de los aspectos positivos, no la estábamos usando bien porque la información obtenida no se compartía oportunamente ni se traducía en operaciones exitosas. Nos propusieron crear una organización, similar a una que funciona en su país, a la que denominaron Grupo Nacional de Planeación, para que procesara la inteligencia proveniente de diversas fuerzas y coordinara las operaciones que surgieran de ella.

Por supuesto, tenía que ser una organización cerrada y que no dispersara sus energías en muchos objetivos, sino que se concentrara en lo que llamamos "blancos estratégicos de alto valor", como los miembros del Secretariado de las FARC y otros cabecillas estratégicos como Martín Caballero, el Negro Acacio y Karina, además de algunos capos del narcotráfico. A cada uno de estos blancos se le asignaría un responsable de cualquier fuerza —Ejército, Armada, Fuerza Aérea o Policía—, la que tuviera más y mejor información sobre el blanco, y todas las demás reportarían a este mando responsable.

Dicho grupo —que dependía directamente del ministro y del comandante de las Fuerzas Militares, con unos altos oficiales a cargo de comandarlo en el área de inteligencia y de operaciones— se creó en mayo de 2007, y pronto asumió la estructura de una jefatura del Comando de las Fuerzas Militares y pasó a llamarse Jefatura de Operaciones Especiales Conjuntas (JOEC).

La asesoría israelí en este campo terminó en diciembre de 2007, pero sus enseñanzas marcaron el inicio de esta jefatura, que ha sido fundamental, por decir lo menos, para propinar los golpes estratégicos que se han dado a las FARC y al crimen organizado en los últimos años.

Al tiempo que los israelíes nos proporcionaron el concepto de esta organización centralizadora de la información de inteligencia, los asesores estadounidenses nos ayudaron a aplicarlo y a convertirlo en logros operacionales, siempre basándose en el esfuerzo en el terreno de tropas colombianas.

CAPÍTULO XV

La Jefatura de Operaciones Especiales Conjuntas

La JOEC no produce, ella misma, inteligencia; la JOEC es un centro coordinador que recibe y procesa la inteligencia sobre blancos de alto valor, y que tiene —esto es esencial— la capacidad de poner, en un momento dado, todos los recursos humanos, logísticos y técnicos de las Fuerzas Armadas, la Policía y el DAS al servicio de un objetivo, cuando la inteligencia recaudada así lo recomienda.

¿Qué representa la JOEC? La unión perfecta de inteligencia conjunta, capacidad de acción inmediata y decisión política, garantizada por la participación y el liderazgo del ministro de Defensa.

Como es fácil imaginarse, la creación de esta jefatura no contó con el apoyo entusiasta de muchos oficiales, que la veían como una intrusa en sus funciones y jurisdicciones.

Recuerdo el caso de un general de la Fuerza Aérea, a la sazón jefe de inteligencia de su institución, a quien llamé a mi despacho para vincularlo como jefe de inteligencia de la JOEC, por las excelentes referencias que tenía de él. Cuando le comenté de qué se trataba, el alto oficial, con absoluta franqueza, me respondió:

— Ministro, le agradezco mucho que haya pensado en mí, pero yo no quisiera asumir ese cargo, no me gustaría...

— ¿Por qué? —le pregunté, asombrado.

— Es que usted me está poniendo a realizar una tarea que no ha hecho nadie, a trabajar en algo que no existe, que es muy difícil...

— Mire, general —le dije—. Esto es muy importante, y usted se va a dar cuenta. Sólo le pido que trabaje, que si nos va bien, nos va bien a todos y, si nos va mal, al menos lo habremos intentado.

El general aceptó la designación, y estoy seguro de que no se arrepintió. Su labor al frente de la inteligencia de la JOEC ha sido fundamental para la consecución de tantos éxitos, como también lo han sido el compromiso y liderazgo del mayor general Luis Alberto Ardila, el mayor general Carlos Arturo Suárez y el mayor general Alejandro Navas, para nombrar algunos de los altos oficiales que han estado o están al frente de las tareas de la JOEC.

La resistencia al cambio, tan natural al ser humano, se sintió en los primeros meses de trabajo de la nueva jefatura. Recuerdo una reunión que tuvimos con los comandantes, segundos comandantes, jefes de operaciones y de inteligencia de cada una de las tres fuerzas militares, en la que varios plantearon inquietudes y reticencias a cooperar con este proyecto. A algunos me tocó decirles de forma enérgica: "Si usted no colabora, ¡se va!". Por fortuna, los resultados acabaron por demostrar las bondades del nuevo sistema, y hoy nadie duda de su eficacia.

Aun sin haberse constituido oficialmente, la jefatura tuvo participación en operaciones tan importantes como la búsqueda del subintendente John Frank Pinchao, en mayo de 2007, después de su intrépida fuga de un campamento de las FARC, y también dio apoyo a la Armada en la operación que culminó con la muerte de JJ, en junio del mismo año. Sin embargo, el logro que habría de posicionar definitivamente a la JOEC, y el sistema de inteligencia y operaciones conjuntas que simboliza, entre las mismas Fuerzas

Armadas fue la operación que dio de baja a alias *Negro Acacio* en septiembre de 2007, de la que trataremos más adelante.

La neutralización de Acacio concedió credibilidad al proceso que habíamos iniciado y demostró a los escépticos que sí valía la pena centralizar la información sobre los blancos estratégicos en una organización capaz de canalizarla y traducirla, sin demoras, en operaciones efectivas, con todos los recursos que se requieran.

En suma, con la JOEC hemos logrado lo que nos propusimos desde 2006: inteligencia en tiempo real y operaciones exitosas basadas en la información recopilada, ejecutadas en tiempo récord.

Proyección internacional

Después de los éxitos que se ha anotado la JOEC, dentro de los cuales se destacan, por su trascendencia estratégica, la Operación Fénix, que culminó con la baja de alias *Raúl Reyes*, y la Operación Jaque, que sacó sin un rasguño, y sin disparar una sola bala, a quince secuestrados de manos de las FARC, esta jefatura se apresta para su siguiente paso, que se ejecutará con la asesoría del Comando Sur de Estados Unidos: su constitución en un Comando de Operaciones Especiales Conjuntas.

Este comando tendrá, además de las funciones de centralización de inteligencia y coordinación de la JOEC, una fuerza operacional propia, conformada por las tropas más calificadas, en donde participen las unidades especiales y élite de las distintas fuerzas militares y de la Policía. Con unidad estratégica y de mando, las tropas del nuevo comando podrán movilizarse en muy corto tiempo a cualquier punto de la geografía nacional donde se encuentre un blanco de alto valor.

Será este Comando la fuerza capaz de actuar de forma decisiva —con movilidad aérea, comandos anfibios y grupos de comando altamente entrenados— sobre la retaguardia estratégica del enemigo interno —guerrilla o narcotráfico—, así como para la defensa frente a cualquier eventualidad externa.

Pensando en las Fuerzas Armadas del futuro, las que tendrá Colombia en un escenario de paz, el nuevo Comando de Operaciones Especiales Conjuntas se proyectará también como una fuerza multinacional capaz de operar en diversos escenarios del mundo donde se requiera el aporte de Colombia en misiones de control y de paz. Así lo han hecho nuestros batallones Colombia en la Guerra de Corea y en el conflicto del canal de Suez, y actualmente en la Península de Sinaí. Próximamente, por invitación de la OTAN, se apoyará la labor de este organismo en Afganistán, donde ya están representados los ejércitos de más de 40 democracias del mundo.

EL CARTEL DEL SURORIENTE

Ellos (las FARC) *no tienen ideología.*
Ellos están ahí por la plata, se volvieron capitalistas
y sólo quieren la plata, la plata, la plata....

Luis Fernando Da Costa, *Fernandinho*
Capo brasileño del narcotráfico
capturado en Colombia en abril de 2001.

CAPÍTULO XVI
En el corazón de las FARC

Cuando el gobierno del presidente Pastrana autorizó la creación de una zona de distensión para facilitar el diálogo y la negociación con las FARC en cinco municipios del suroriente de Colombia (uno del Caquetá —San Vicente del Caguán— y cuatro del Meta —Uribe, Vista Hermosa, La Macarena y Mesetas—), no hizo otra cosa que reconocer una zona que tradicionalmente había tenido presencia e influencia de la guerrilla.

A pesar de la existencia del Batallón Cazadores del Caguán en el casco urbano del primer municipio, lo cierto es que las FARC, desde antes de la zona de distensión, se movían por esa región como dueños y señores, imponiendo tributos, impartiendo su justicia revolucionaria y controlando, en todas sus fases, el negocio del narcotráfico.

Durante los más de tres años que duró el proceso de paz, la guerrilla logró posicionarse aún más en ese extenso territorio de 42.000 kilómetros cuadrados, puerta de acceso a la Orinoquia colombiana y a importantes accidentes geográficos como la Serranía de la Macarena.

Cuando el presidente Pastrana dio por terminada la zona de distensión, el 20 de febrero de 2002, el objetivo de la fuerza pública, en una operación que recibió el nombre de Tánatos, fue el de iniciar la retoma de esa área y garantizar la presencia de las autoridades.

Por supuesto, no era una tarea sencilla. Los guerrilleros conocían el terreno al detalle, tenían enorme influencia sobre la población civil y se camuflaron como paisanos. De alguna manera, no hicieron otra cosa que regresar al estado de cosas anterior al proceso de paz, pero fortalecidos por esos años en que tuvieron la oportunidad de construir caminos e infraestructura para su movilización y ocultamiento, de afianzarse logísticamente, y de asegurarse la lealtad o el temor de los pobladores.

En el primer periodo de gobierno del presidente Uribe, el Ministerio de Defensa y el Comando General de las Fuerzas Militares lanzaron un plan de guerra, conocido como Plan Patriota, para atacar los centros estratégicos de las FARC en todo el país, y muy particularmente en las regiones selváticas del suroriente.

Para ejecutarlo —y siguiendo el concepto de mando conjunto unificado, que ha sido tan importante para obtener los logros operacionales— se creó la Fuerza de Tarea Conjunta Omega, con un pie de fuerza original de más de 14.000 hombres (hoy supera los 20.000), encargada de combatir a los terroristas en ese inmenso espacio, de unos 82.000 kilómetros cuadrados, que comprende los departamentos del Meta y Caquetá, y otros que eran parte de los antiguos territorios nacionales, como Casanare, Guainía, Guaviare, Vaupés y Vichada.

La Fuerza Omega fue el componente militar más importante del Plan Patriota y hoy es un componente fundamental del Plan Consolidación, que lo continuó. Gracias a ella —que reúne elementos del Ejército, la Armada y la Fuerza Aérea—, y a un esfuerzo sostenido y masivo, las FARC han tenido que abandonar su antiguo santuario y cada vez más terminan arrinconadas en zonas fronterizas con el Brasil y Venezuela, o escondidas en lo más profundo de la selva, lejos de las poblaciones.

Con eje principal en la base de Larandia (Caquetá), y otras bases de importancia en Tres Esquinas (Caquetá) y Apiay (Meta), entre otras, la Fuerza de Tarea Conjunta Omega ha devuelto el control territorial sobre inmensas porciones de nuestra geografía al Estado, que comienza a llegar con servicios públicos, de justicia e infraestructura, y con presencia permanente de la Policía.

También se ha golpeado de manera particular la actividad del narcotráfico de las FARC en dicha zona.

El cartel de las FARC

En la década del ochenta, las FARC tomaron una decisión que marcaría su degradación final de movimiento con pretensiones subversivas a organización criminal: involucrarse en el negocio del narcotráfico, que en pocos años se convirtió en la principal fuente de financiamiento de todas sus actividades. Las FARC terminaron transformándose en un gran cartel de las drogas, decisión que trajo consigo el uso del terrorismo como herramienta de presión política, a través de la intimidación de la sociedad y la pérdida de sus valores y orientaciones ideológicas.

En marzo de 2006, una decisión de la justicia norteamericana puso en evidencia la nueva modalidad criminal de las FARC, cuando el Tribunal Federal del Distrito de Columbia expidió una acusación formal por el cargo de narcotráfico contra 50 integrantes de esta organización, incluidos todos los miembros de su Secretariado.

"Las FARC son una organización terrorista extranjera (…) que financia sus actividades mediante una red masiva de distribución. Aterrorizando a agricultores locales en Colombia y atacando a todos quienes amenacen sus operaciones, las FARC han erguido un imperio de la cocaína que es el mayor proveedor de Estados Unidos", dijo el fiscal federal Michael J. García, del Distrito Sur de Nueva York.

Otro tanto agregó la administradora de la DEA, Karen P. Tandy: "Desde su escondite en la selva, las FARC utilizan el narcotráfico para financiar el terrorismo en Colombia y ataques a ciudadanos inocentes, y envenenar a los estadounidenses".

El comunicado del Departamento de Justicia, entonces dirigido por Alberto R. Gonzales, hizo un adecuado recuento sobre la forma en que el narcotráfico se había convertido en la principal fuente de financiación de la guerrilla:

"Según la acusación formal, las FARC actualmente proveen más del 50% de la cocaína del mundo y más del 60% de la cocaína que ingresa a Estados Unidos. En un principio, las FARC les cobraban un impuesto a los otros narcotraficantes involucrados en la manufactura y la distribución de cocaína en áreas controladas por las FARC (…). Al reconocer el aumento en las ganancias disponibles desde la década de 1990 hasta la fecha, las FARC se movilizaron para involucrarse directamente en la producción y distribución de la cocaína mediante actividades delictivas como la fijación de los precios que se les pagan a los agricultores de toda Colombia por pasta base de cocaína —la materia prima utilizada para producir cocaína— y el transporte de la pasta base de cocaína a laboratorios ubicados en la selva que están controlados por las FARC, donde se la convertía en toneladas de cocaína terminada y luego se la enviaba desde Colombia hasta Estados Unidos y otros países. Al reconocer que la cocaína era el "alma" de las FARC, los líderes de las FARC acusados recolectaron millones de dólares en ganancias de la cocaína y utilizaron el dinero para adquirir armas para las actividades terroristas de las FARC contra el gobierno y el pueblo de Colombia (…)".

En la rueda de prensa, del 22 de marzo de 2006, en la que el gobierno norteamericano anunció esta decisión judicial, la ex embajadora en Colombia y entonces secretaria de Estado auxiliar, Anne Patterson, anunció un programa de recompensas por información que llevara a la captura de los principales líderes de este grupo narcoterrorista:

"Ahora tenemos en la mira a las FARC, responsable por gran parte de la cocaína traficada a Estados Unidos, y me complace anunciar estas ofertas de recompensa por sus principales líderes".

Resulta anecdótico que en esta rueda de prensa, que tuvo lugar en Washington, estuvo presente, en nombre del gobierno colombiano, el ex presidente Andrés Pastrana, quien a la sazón se desempeñaba como embajador en Washington.

El presidente Pastrana, que tendió la mano generosa del Estado a la guerrilla para buscar un acuerdo de paz, fue, paradójicamente, el mismo que, una vez roto el proceso de negociación, logró que la Unión Europea catalogara a las FARC como terroristas y el que atestiguó, en la capital de Estados Unidos, su transformación oficial en una nueva denominación que ellas, por supuesto, se niegan a reconocer: el cartel de las FARC.

CAPÍTULO XVII

Ofensiva en las selvas del suroriente

Hice ya referencia, al comienzo de este libro, a la captura de alias *Chepe* o *el Boyaco* el 17 de octubre de 2006. Éste fue el primer gran golpe estratégico a las FARC que asestaron las Fuerzas Armadas desde mi posesión como ministro, y lo recuerdo por ello especialmente, así como por las implicaciones que tuvo para el desmonte de su red mafiosa en el suroriente del país.

El Boyaco, que era uno de los guerrilleros pedidos en extradición por narcotráfico por Estados Unidos, había sido capturado en el estado de Táchira, en Venezuela, en el año 2004 y se había fugado ocho meses después, cuando ya estaba autorizada su extradición, utilizando el poder corruptor del dinero que hizo llegar su jefe directo, alias *el Negro Acacio*, cabecilla del frente 16.

Regresó al país y se internó en las selvas del Guaviare, desde donde coordinaba la actividad de intercambio de toneladas de cocaína por armas y explosivos para las FARC, para lo cual utilizaba una red con nexos internacionales que había creado en sus más de diez años de pertenencia a la guerrilla.

En esta labor, el Boyaco obraba en coordinación con el frente 16 del Negro Acacio, y con el frente primero encabezado por alias *César* y la compañera de éste, alias *Doris Adriana*, siempre bajo la orientación y control del Mono Jojoy, jefe del Bloque Oriental.

Sus millonarias transacciones y su capacidad como proveedor de armas lo habían convertido en un blanco de gran importancia para las Fuerzas Armadas, que le venían haciendo seguimiento desde el momento mismo en que se fugó de Venezuela. Desde comienzos del 2006, la Policía Nacional realizó intensas labores de inteligencia, con la ayuda de cooperantes de la región, las cuales llevaron, finalmente, a la localización del lugar donde se ocultaba el narcoterrorista, en un laboratorio de procesamiento de cocaína en medio de las selvas del Guaviare, en jurisdicción del municipio de El Retorno. El laboratorio, que incluía instalaciones para alojar a unos 300 hombres, estaba camuflado debajo de árboles de hasta 40 metros de altura, cuyas frondosas copas impedían su detección desde el aire.

Con base en la información obtenida por la Policía, las Fuerzas Militares unieron sus capacidades y, con el apoyo de la Fiscalía, lograron la captura del Boyaco; de su compañera, alias *la Negra* —que también estaba pedida en extradición—, y de 19 guerrilleros más.

La operación fue espectacular en su planeación y montaje. La Armada Nacional se encargó de transportar por río a cientos de soldados de las Fuerzas Especiales del Ejército hasta un lugar próximo al laboratorio; estos coparon el lugar y cayeron de sorpresa sobre los guerrilleros, que no tuvieron otra opción que entregarse, y, finalmente, la Fuerza Aérea, que había trabajado en el aseguramiento de la zona, se encargó de evacuar por aire a la tropa y los capturados, quienes quedaron a órdenes de la Fiscalía.

Como es regla en todo mafioso, el Boyaco intentó utilizar los recursos a su alcance para evadir su captura. Antes de ser plenamente identificado, solicitó a los soldados que lo dejaran hablar con el comandante de la operación y, una vez en frente del oficial, le dijo que no tenía dinero en efectivo consigo pero que, si lo dejaba hacer una llamada por un teléfono satelital, podía conseguir un millón de dólares a cambio de que lo soltara. Su tentativa de soborno, por supuesto, fracasó.

De esta forma, se privó a las FARC de un enlace crucial para su logística de producción y tráfico de drogas desde el oriente del país y, sobre todo, de aprovisionamiento de armas y explosivos.

Con la neutralización del Boyaco, que junto con la Negra, hoy están en Estados Unidos enfrentando cargos por narcotráfico y terrorismo, el control del cuantioso negocio de las drogas en el Guaviare, y de la red de intercambio de cocaína por armas, explosivos y sistemas de comunicación, recayó en gran parte en César y su compañera Doris Adriana, quienes serían luego capturados en el 2008.

Caída del Campesino

A mediados del 2007, el presidente Uribe se reunió en la base de Larandia con los jefes de las unidades militares que componen la Fuerza de Tarea Conjunta Omega e hizo un perentorio llamado a la acción:

—Hemos avanzado. En esta área, la más importante de todo el país para las FARC, esa organización se ha reducido a la mitad, pero hay que derrotar la otra mitad.

El 15 de julio de dicho año, como respondiendo a aquel clamor presidencial, las tropas del Batallón Contraguerrilla 17, adscritas a la Brigada Móvil N.º 2, encontraron un campamento de las FARC en zona rural del municipio de Mesetas (Meta), y entraron en combate con miembros del frente 42. Al final, quedó el cuerpo de un hombre que resultó ser alias *el Campesino*, segundo cabecilla de dicha cuadrilla, un guerrillero que se había hecho famoso por su actividad de secuestrador en los departamentos de Cundinamarca y Meta.

En los bolsillos y el morral del abatido se encontraron tres discos duros y varias memorias USB, que fueron trasladados, para su análisis, al Comando General de las Fuerzas Militares, en vista de la importancia que parecía tener la información guardada.

El contenido de los elementos encontrados al Campesino resultó ser la clave que permitió la realización de nuevas y exitosas operaciones contra las FARC: había frecuencias y ubicaciones de operadores de radio; datos sobre columnas y frentes, y diseño de planes terroristas, incluido uno al sistema de transporte masivo Transmilenio de Bogotá. También se encontró algo muy delicado: nada menos que información clasificada de las Fuerzas Militares, lo que llevó a la conclusión de que la guerrilla tenía infiltrados en los cuerpos castrenses, y generó una intensa actividad de contrainteligencia para prevenir y contrarrestar esta posibilidad.

Ataque al campamento de Carlos Antonio Lozada

Entre tanto, los hombres de la Omega, bajo el mando del general Alejandro Navas, y su Fuerza de Despliegue Rápido (Fudra), no habían cesado sus actividades en las regiones selváticas del Meta en busca de los cabecillas guerrilleros que estaban en la zona.

A los pocos días de la acción que concluyó con la baja del Campesino, las tropas llegaron al campamento donde se escondía Carlos Antonio Lozada, miembro del estado mayor del Bloque Oriental, hombre de confianza del Mono Jojoy, quien había sido, durante el proceso de paz del Caguán, negociador y vocero por parte de la guerrilla, y en el momento era uno de los tres voceros de las FARC para el tema del intercambio humanitario, además del cabecilla de la Red Urbana Antonio Nariño (RUAN), que tenía como objetivo nada menos que la capital de la república, mediante labores mixtas de terrorismo, espionaje e infiltración.

Lozada logró escapar, pero se supo, por informaciones de inteligencia, que quedó mal herido, con lesiones que le afectaron seriamente, y aún le siguen afectando, su movilidad. En medio de su huida, dejó su computador portátil, con una información tanto o aun más importante que la que se había encontrado en las memorias del Campesino.

Sin duda, los elementos tecnológicos que manejan los guerrilleros para guardar sus archivos, instrucciones y planes, acceder a internet y enviar y recibir correos electrónicos, se han convertido en su talón de Aquiles, cada vez que caen en poder de las autoridades. De los primeros que quedaron en manos de la fuerza pública están los recuperados en estas operaciones de la Fuerza de Tarea Conjunta Omega, y desde entonces los computadores de la guerrilla no han cesado de proporcionar datos cruciales sobre su actividad y relaciones.

Muchos se preguntan, sobre todo en el caso de bombardeos, cómo es posible que sobreviva la información archivada en los computadores portátiles, pero la explicación es muy sencilla: dichos computadores tienen un grosor muy pequeño que la onda explosiva generalmente no afecta. En las pocas ocasiones en que han sido dañados ha sido porque el proyectil o alguna esquirla les han caído directamente. De lo contrario, mantienen intacto su contenido, por lo que su incautación se ha convertido en uno de los insumos más provechosos para la inteligencia militar y policial, causando enormes así daños a la guerrilla.

Conocer al enemigo, saber cómo se comporta, cómo se comunica, qué hablan entre ellos y con sus aliados en el exterior, es una de las claves para ganar cualquier guerra, y con la incautación de los computadores hemos tenido acceso a esa fuente privilegiada de información.

El computador de Lozada, por ejemplo, con doble disco duro, tenía cerca de 14.000 archivos que contenían información, fotos e incluso videos sobre una gran variedad de actividades y proyectos de las FARC, desde los tiempos de la zona de distensión hasta planes que alcanzaban el año 2012. Había estudios del sistema de seguridad del Transmilenio, informes de seguimiento de personajes, programas de infiltración del Partido Clandestino Comunista Colombiano (PC3) en las universidades, listas de colaboradores y simpatizantes, instrucciones para fabricar y manejar explosivos, información sobre posibles blancos en Bogotá donde ejecutar atentados, cuentas de las finanzas de las FARC y los recaudos por extorsión y secuestro, y muchos otros datos que bien podrían hacer parte del "manual" de cualquier terrorista internacional.

Dentro de los archivos se encontraron, además, planes concretos para asesinar a por lo menos diez personajes de la vida nacional, incluidos, entre otros, el presidente Uribe, el Ministro de Defensa y el ex ministro del Interior Fernando Londoño. También había información sobre el banquero Luis Carlos Sarmiento y el ex vicepresidente Humberto de la Calle. En mi caso particular, había información sobre mis horarios, rutas, actividades, la zona donde vivo, vehículos en que me transportaba y mi esquema de seguridad.

Lozada huyó —herido—, pero dos de sus compinches cayeron en el combate. Entre ellos había uno de particular importancia, conocido como alias *Diego Cristóbal*, quien era el encargado de dirigir en Bogotá el PC3.

Diego Cristóbal había sido profesor en la Universidad Nacional y la Universidad Libre y, desde su actividad académica, se encargaba de reclutar estudiantes para la causa guerrillera. En los diálogos de paz había acompañado el trabajo de Lozada en los comités temáticos, y había estado también a cargo de las milicias urbanas en Bogotá, antes de asumir, por orden del Mono Jojoy, la coordinación de su partido clandestino.

Con estas bajas, se dio un golpe contundente a la actividad de infiltración política de las FARC en la capital del país y, muy especialmente, a la Red Urbana Antonio Nariño que lideraba Lozada y que quedó acéfala con esta operación. Las FARC intentarían reactivarla en el 2009, pero fracasaron en su tentativa, como se verá más adelante.

Una guerrillera en mi cocina

Dentro de la inmensa cantidad de información valiosa que había en el computador de Carlos Lozada, los expertos de inteligencia encargados de procesarla encontraron la hoja de vida de una mujer de nombre Marilú Ramírez, que resultaría ser una de las infiltradas de la guerrilla que más adentro había llegado dentro del estamento militar.

Marilú, que en el computador aparece claramente identificada como miembro de la organización terrorista, había hecho amistad con varios militares, desde hacía varios años, pretendiendo ser una estudiante de periodismo que hacía prácticas sobre el funcionamiento de las emisoras del Ejército. Luego, aprovechando la buena fe de sus conocidos uniformados, había entrado al círculo de altos oficiales, bajo la fachada de una muy simpática y entradora corredora de seguros, que asesoraba, además, en temas de compra y venta de vehículos. Siempre manifestaba su interés y afecto por las Fuerzas Armadas y terminó por inscribirse en el Curso Integral de Defensa Nacional (Cidenal), una capacitación especializada sobre temas de doctrina y estrategia de seguridad que se dicta a algunos civiles y oficiales de la Policía que están haciendo curso para general, en la Escuela Superior de Guerra, el cual tomó en el año 2005. Todo indica que fue Marilú la que proporcionó la información necesaria para que las FARC pusieran un carro-bomba en el parqueadero de dicha institución académica militar, en octubre de 2006, que causó más de una veintena de heridos.

Cuando se cruzó la información con los registros del computador de Lozada, nos dimos cuenta, para nuestro asombro, de que la aparentemente inofensiva Marilú había burlado, como tal vez ningún otro guerrillero antes, los controles y filtros de seguridad —que ordenamos de inmediato revisar y reforzar— y había tenido acceso a cierta clase de información privilegiada, potencialmente peligrosa en manos de la guerrilla. Además, se había granjeado, con su forma de ser extrovertida y alegre, la confianza de varios altos oficiales de las Fuerzas Armadas.

Su captura en octubre de 2007 sacó a la luz la historia de esta "mata-hari" de las FARC, pero yo no imaginaba entonces que su infiltración hubiera llegado hasta mi propio hogar. A los pocos días de conocerse su historia en los principales medios de comunicación, una antigua empleada de mi casa, que había querido superarse estudiando Comunicación Social —y quien, después de graduada, trabajó en el Ministerio—, vino a verme, conmocionada, para decirme que había visto la foto de Marilú que había salido publicada en la revista *Semana*, y que reconoció en ella a una compañera de universidad, con la que había hecho amistad, pues compartían un curso en los estudios a distancia en la Universidad Los Libertadores.

Eso ya era bastante grave, pero la historia iba más allá. En cierta ocasión, en que tuvieron que hacer un trabajo conjunto para sus clases, Marilú propuso que lo realizaran en mi casa, alegando que tenía dificultades para trabajar en la suya. Por esos días, yo estaba de viaje con mi familia, así que el apartamento estaba solo, por lo que mi empleada accedió. Fue así como Marilú, una peligrosa infiltrada de las FARC, sin yo sospecharlo, terminó ingresando a mi apartamento y haciendo un trabajo académico en la cocina de mi casa. ¡Incluso estuvo sentada en mi propia cama!

Por supuesto, la tarea de Marilú era otra, y no es de extrañar que en el computador de Lozada, a quien ella reportaba, como parte de la Red Urbana Antonio Nariño, se hallara tanta información sobre mi vida privada, escoltas y desplazamientos.

La holandesa de las FARC

Otro elemento encontrado en el campamento de Lozada atrajo la atención de los colombianos y también, por razones obvias, de los habitantes de los Países Bajos. Se trataba de un grupo de cuadernos, escritos en holandés, que resultaron ser el diario de una joven holandesa de nombre Tanja Nimeijer, conocida en la guerrilla bajo el alias de *Eillen*, que militaba en las filas de la guerrilla.

Nadie sabía, ni aquí ni en Holanda, sobre la presencia de Tanja en las FARC, y su testimonio escrito resultó, sin que ella se lo propusiera, una cruda radiografía de un grupo que alguna vez fue insurgente, que decía luchar contra los desigualdades —ideales justicieros que atrajeron a la ingenua europea, que creía que allí podría luchar por los más necesitados—, pero que ahora no era más que un grupo terrorista y narcotraficante, sin respaldo popular, arropado bajo un anacrónico ideario comunista que ni ellos mismos practican.

En los cuadernos, la joven Tanja, de apenas 29 años, hacía un recuento desilusionado de su vida en la selva, donde pasó a ser, como casi todos los integrantes de la guerrilla, una secuestrada más, sólo que sin cadenas, militante y rehén a la vez de una ideología totalitaria que no conoce ni respeta los derechos humanos. Hasta donde se ha sabido, alias *Eillen* sigue con las FARC, como combatiente rasa, y tuvo que pagar algunos castigos por la información que escribió en sus cuadernos y que llegó a conocimiento de la opinión mundial. Un aparte de su diario, de fecha 24 de noviembre de 2006, nos da una idea de la vida de esta holandesa que aún sigue en la clandestinidad:

"Estoy cansada, cansada de las FARC, cansada de la gente, cansada de la vida comunal. Cansada de nunca tener nada para mí sola. Y esto valdría la pena si se sabe por qué se lucha. Pero en verdad ya yo no creo en eso. Qué tipo de organización es esta, donde algunos tienen plata, cigarrillos, dulces, y donde los demás tienen que mendigar, para ser rechazados o gruñidos por los del primer grupo. Esto ha sido así desde cuando vine casi cuatro años atrás y nada ha cambiado. Una organización donde una chica con pechos grandes y cara bonita puede desestabilizar un mando que había estado trabajando unido por mucho tiempo. Donde tenemos que trabajar todo el día, pero los comandantes hablan mierda. ... Yo, quién sabe si nunca saldré de esta jungla".

El secuestrador de Alan Jara

La racha de acciones exitosas contra los guerrilleros en el suroriente del país, particularmente en el Meta, no cesó con el ataque al campamento de Lozada.

El 23 de julio, nuevamente en zona rural del municipio de Mesetas, en desarrollo de operaciones conjuntas, con el apoyo de la Fuerza Aérea, las tropas de la Cuarta División del Ejército dieron de baja a alias *Hugo Sandoval,* cabecilla del frente 26, y a otro miembro de su cuadrilla, encargado de su seguridad.

Sandoval, con cerca de 30 años de pertenencia a las FARC, era miembro del estado mayor del Bloque Oriental, y había sido encargado por el Mono Jojoy de recuperar el corredor de movilidad desde los Llanos Orientales hacia el departamento de Cundinamarca, que las tropas legítimas les habían quitado desde hacía algunos años, en desarrollo del Plan Patriota.

Su prontuario criminal incluía el plagio del ex gobernador del Meta, Alan Jara, el 15 de julio de 2001, a quien secuestró haciéndolo bajar de un vehículo de las Naciones Unidas, identificado con distintivos de este organismo internacional, en un acto violatorio de las normas humanitarias que mereció el repudio expreso del entonces secretario general de las Naciones Unidas, Kofi Annan[4].

Dentro de su actividad terrorista, Sandoval había sido el responsable de múltiples atentados con explosivos, carros-bomba, voladuras de puentes, de torres de energía e, incluso, de una casa-bomba en el municipio de El Dorado (Meta). También se le responsabilizaba de haber sido el autor intelectual del homicidio del alcalde del municipio de Lejanías y del candidato a la alcaldía del municipio de Granada, también en el Meta.

En suma, se trataba de un criminal de la mayor peligrosidad, con un alto rango dentro de las FARC.

En un solo mes cayeron El Campesino, Diego Cristóbal y Hugo Sandoval; quedó mal herido Carlos Antonio Lozada, y se incautaron computadores y memorias con valiosas informaciones. Sin duda, julio del 2007 fue un mes nefasto para la organización guerrillera, que vio retroceder sus intenciones de volver a acercarse a Cundinamarca y de incrementar su presencia en Bogotá, sin contar la frustración de los magnicidios y atentados que figuraban en sus planes.

Ahora quedaba ir por el hombre que representaba, más que ningún otro, el negocio del narcotráfico dentro de la guerrilla; el mayor proveedor de recursos financieros para el terrorismo, que se había convertido en una leyenda inalcanzable, aunque no lo sería por mucho tiempo más: el Negro Acacio.

---

4.   Alan Jara fue liberado unilateralmente por las FARC el 3 de febrero de 2009, después de siete años y medio de cautiverio.

CAPÍTULO XVIII

La caída del Negro Acacio

Difícil encontrar un hombre que simbolice de mejor manera el total involucramiento de las FARC con el negocio del narcotráfico, que se convirtió en su principal fuente de financiamiento, que Tomás Medina Caracas, alias *el Negro Acacio*.

Este moreno corpulento y sanguinario, de entera confianza del Mono Jojoy y del Secretariado, con casi 25 años en la guerrilla, cabecilla del frente 16, que se movía entre las selvas de los departamentos de Vichada, Guainía y Guaviare, en límites con el Brasil, se había convertido en al mayor proveedor de dinero, explosivos y armas para la actividad terrorista de su organización, que conseguía a cambio de cocaína en tratos con narcotraficantes internacionales.

Desde que asumió la comandancia del frente 16, hacia 1997, en reemplazo de alias *Esteban González*, que había iniciado, con la asesoría de narcotraficantes del Valle del Cauca, el negocio del cultivo y procesamiento de drogas en las selvas de la Orinoquia, el Negro Acacio había establecido una red de contactos con narcotraficantes mexicanos, paraguayos y brasileños, que llegaban a la zona en aviones cargados con armas y dólares, y recogían casi a diario primero base de coca y luego —cuando la guerrilla aprendió a procesarla— cocaína para su distribución internacional.

Fue Acacio quien lideró la negociación con una red criminal peruana, al parecer coordinada por el mismo Vladimiro Montesinos, jefe de inteligencia del gobierno de Alberto Fujimori, que proveyó a las FARC con un cargamento de 10.000 fusiles AK-47 que el gobierno peruano había comprado a Jordania, valorado en 11,5 millones de dólares. Las armas fueron arrojadas en paracaídas desde aviones sobre la zona selvática donde operaba Acacio, a finales del año 2000, y constituyen el más grande contrabando de armamento que jamás haya entrado al país.

El nombre del Negro Acacio se hizo visible ante la opinión pública en los primeros meses del año 2001, cuando cerca de 4.000 hombres de la recién creada Fudra adelantaron por varios meses la Operación Gato Negro, con epicentro en la población de Barranco Minas, en el Guainía, contra el frente 16 que Acacio comandaba. Entre los meses de febrero y abril de dicho año se destruyeron decenas de laboratorios de coca, se desmantelaron varios campamentos guerrilleros y se incautaron por lo menos 18 toneladas de base de coca, lo que dejó al descubierto el emporio criminal que manejaba dicho frente en esa zona remota del país.

Acacio logró escapar, pero la operación terminó con un trofeo inesperado. Cayó herido y fue capturado por las tropas colombianas su principal socio en el negocio del narcotráfico, el capo brasileño Luiz Fernando Da Costa, alias *Fernandinho*, que gozaba de la protección de las FARC. Fernandinho fue deportado al Brasil, donde hoy paga condena.

En una grabación de declaraciones del narcotraficante brasileño, realizada en la cárcel de Brasilia y revelada en Colombia por la revista *Cambio*[5], el narcotraficante admite que les compraba

---

5. "La confesión de Fernandinho". Revista *Cambio*, 6 de mayo de 2002.

droga a las FARC, a cambio de dinero y municiones, y que Acacio era su principal interlocutor, si bien éste siempre se estaba reportando con sus jefes del Secretariado. Afirma que la guerrilla deriva, según él oyó, el 90% de sus ingresos de la actividad del narcotráfico, y hace una descripción de las FARC que refleja su verdadera condición actual: "Ellos no tienen ideología. Ellos están ahí por la plata, se volvieron capitalistas y sólo quieren la plata, la plata, la plata…".

Si bien no se logró la captura del Negro Acacio, la Operación Gato Negro fue, sin duda, una operación exitosa, no sólo por la captura de Fernandinho y la neutralización de campamentos y laboratorios, sino porque quedó al descubierto, como nunca antes, los vínculos entre las FARC y el negocio internacional del narcotráfico.

"Comandante, oímos por ahí como unos aviones"

El Negro Acacio, a pesar de no formar parte del Secretariado, era para el gobierno colombiano y las Fuerzas Armadas un objetivo tan estratégico como cualquiera de sus miembros, por su importancia en la provisión de armas y recursos para la guerrilla. Tanto era así, que formaba parte de los blancos estratégicos asignados a la Jefatura de Operaciones Especiales Conjuntas (JOEC).

El manejo de la persecución y localización del capo guerrillero estaba asignado al Ejército, que hacía presencia en la zona donde éste se movía, pero fue finalmente la Armada la que obtuvo, mediante su capacidad de inteligencia, información precisa sobre su ubicación. Habían pasado más de seis años desde la Operación Gato Negro y Acacio se movía todavía en su territorio de siempre, en jurisdicción del municipio de Barranco Minas, haciendo sus habituales transacciones mafiosas. El guerrillero tenía sobre sí, no sólo 23 órdenes de captura de jueces colombianos, sino también una circular roja de Interpol y un pedido de extradición pendiente por parte de Estados Unidos.

Una vez la JOEC tuvo la información, en la primera semana de agosto de 2007, se planeó una operación inmediata, con el uso de todos los recursos disponibles, pero ésta se frustró porque el movimiento de tropas especiales alertó a algún informante de Acacio, y éste se movió del lugar donde se encontraba.

Por fortuna, la inteligencia humana y técnica pudo seguir su trabajo, y no perdieron la pista del cabecilla. Unas semanas después, en los últimos días de agosto, se volvió a confirmar la posición de Acacio, y ésta vez se planeó la operación con un nuevo ingrediente: las tropas no se moverían de donde inicialmente estaban —que era a más de 400 kilómetros del objetivo— sino que saldrían directamente desde allí a atacar el campamento del frente 16, para evitar que Acacio se volviera a escapar por un preaviso oportuno.

Así las cosas, en las primeras horas del domingo 2 de septiembre —y después de haber verificado exhaustivamente que no hubiera casas de población civil ni secuestrados en el área del campamento de Acacio— salió una flotilla de aviones Super Tucano de la base aérea de Apiay, en Villavicencio, directamente hacia la zona de Barranco Minas donde se encontraba el cabecilla con los hombres que conformaban su anillo de seguridad.

Poco después de las cuatro y media de la mañana los aviones ejecutaron un bombardeo preciso sobre el área, y reportaron que habían asestado en el blanco, aunque la confirmación de las bajas no podría hacerse sino hasta cuando desembarcaran las tropas del Ejército y aseguraran y consolidaran el terreno.

Antes del mediodía se intentó el desembarco pero el mal tiempo lo impidió, por lo que tuvo que posponerse hasta el final de la tarde, cuando los soldados finalmente llegaron al campamento, donde encontraron los cuerpos de catorce guerrilleros, fusiles, pistolas, equipos de comunicación e, incluso, cuatro aparatos de localización satelital GPS, pero ningún rastro de Acacio.

Sin embargo, esta vez no había huido. Interceptaciones a las comunicaciones de las FARC nos permitieron saber que los cuerpos sin vida del Negro Acacio, su radio-operador y su jefe de seguridad habían sido sacados de la zona por guerrilleros sobrevivientes. Era una información tan confiable, que pude reportar al país el lunes 3 de septiembre, en una rueda de prensa, sin asomo de duda y con la satisfacción de haber puesto fin a un imperio de terror y drogas de muchos años, que Tomás Medina Caracas, alias *el Negro Acacio*, y 16 terroristas más habían sido dados de baja.

Luego vinimos a saber, por sobrevivientes que luego se desmovilizaron, que Acacio fue advertido por uno de sus lugartenientes, sobre el inminente ataque:

—Comandante —le habría dicho—, oímos por ahí como unos aviones.

El cabecilla, que estaba entretenido en su tienda con su compañera, no hizo caso de la advertencia, y despachó a su vigilante:

— ¡No me joda, que estoy ocupado!

A los pocos minutos, recibiría los letales efectos de la artillería de la Fuerza Aérea Colombiana.

La evidencia de la muerte de Acacio

En la rueda de prensa en que anuncié, junto con los comandantes de las fuerzas militares y el director de la Policía, la caída del buscado terrorista, la pregunta más insistente y repetitiva de los periodistas se refirió a cómo podíamos estar seguros de la muerte de Acacio si no habíamos encontrado su cuerpo.

Mi respuesta fue:

—Nosotros no habríamos hecho esta rueda de prensa si no tuviéramos esa certeza, y por eso dijimos en el comunicado que fuentes de inteligencia, entre ellas de las propias FARC, nos han confirmado lo que aquí dijimos (…) Nosotros tenemos fuentes de inteligencia que nos confirman, de forma clara y contundente, que alias *el Negro Acacio* está muerto.

Y así era. Para las Fuerzas Armadas y el Ministerio, dado el nivel de información e infiltración que se tenía, había certeza sobre la baja de Acacio, pero sabíamos, igualmente, que, mientras no encontráramos prueba física de su fallecimiento, las FARC, como era su costumbre, se negarían a confirmarlo, manteniendo vivo su mito por el tiempo que fuera posible.

Pocos días después, una fuente de nuestra inteligencia nos dio un dato macabro pero útil. Al cadáver del Negro Acacio le habían limpiado las entrañas para evitar su descomposición mientras lo trasladaban, y las habían dejado junto a un árbol cuya ubicación precisa nos fue informada. Personal especializado fue enviado al lugar y, en efecto, encontró restos de vísceras en el lugar indicado, los que se recogieron y fueron sometidos a una prueba de ADN, que se comparó con una muestra tomada de un hermano del terrorista que vivía en el Valle del Cauca. El resultado fue positivo. La certeza sobre la muerte de Acacio era absoluta.

Pocos meses después, en los primeros días de diciembre de 2007, Raúl Reyes, segundo hombre de las FARC y miembro del Secretariado, en una entrevista concedida a la agencia de noticias Anncol, a través de la cual la guerrilla acostumbra difundir sus comunicados, de alguna manera admitió el fallecimiento de su hombre fuerte en el negocio del narcotráfico. Cuando le preguntaron por la suerte del Negro Acacio, Reyes no respondió directamente pero dijo que esas muertes se registran "muchas veces por errores propios y otras veces por la acción enemiga".

Posteriormente, el mismo Manuel Marulanda, jefe máximo de las FARC, reconoció en un mensaje de Navidad, fechado el 24 de diciembre de 2007, las bajas de dos de sus principales lugartenientes, con estas palabras:

"No podemos pasar esta Navidad sin antes recordar todos los camaradas muertos por acción del enemigo, Acacio, Martín Caballero, junto a otros en la lucha contra el sistema opresor de Uribe y al mismo tiempo, mis más sentidos pésames y condolencias a familiares y amigos en homenaje a quienes han ofrendado su vida en honor a la causa revolucionaria del pueblo".

No sabía el legendario Tirofijo, al lamentar el deceso de sus cómplices, que la del 2007 sería su última Navidad y —lo que nadie se hubiera atrevido a predecir— también la de otros dos miembros del Secretariado de las FARC que caerían, al igual que él, como consecuencia directa o indirecta del accionar ofensivo de las Fuerzas Armadas.

CAPÍTULO XIX

Finanzas en declive

Con la muerte del Negro Acacio no terminó el negocio del narcotráfico de las FARC en el suroriente del país, que era el que más rentabilidad le producía a la organización, pero ciertamente el frente 16, que quedó bajo el comando de alias *Guillermo Gochornea*, un narcotraficante vestido de camuflado, comenzó a desmoronarse ante la presión militar y la cultura de la plata fácil. Muchos se volaron del grupo con los recursos que pudieron conseguir, otros fueron abatidos o capturados, y algunos más, ante la imposibilidad de encontrar un futuro viable en la guerrilla, se desmovilizaron ante las autoridades.

Anteriormente, las FARC utilizaban un sistema de bonos, con los cuales les pagaban a los cultivadores de coca y superaban sus problemas de liquidez. Cancelaban los gramos de base de coca con bonos que semanas después cambiaban por efectivo. Hoy en día, debido a la continua presión militar y al cerco en sus corredores de movilidad, los tiempos de pago han tenido que ampliarse. Ya no se toman semanas, sino que pasan meses antes de que paguen en efectivo a quienes les proveen su principal materia prima.

Además, en estas transacciones hay mucha desconfianza y corrupción. Todos los cabecillas estaban acostumbrados a ponerles trampas a estos procesos. Compraban más coca de la que tenían capacidad de pagar o sobre la cual los cabecillas superiores les daban liquidez. Por ejemplo, si un cabecilla recibía la orden de comprar 600 kilos de base de coca, le compraba a la población 800 kilos, a punta de vales, para quedarse con 200 kilos propios. El resultado, al final de la operación, era que las FARC recibían 600 kilos de base de coca y el cabecilla contaba con la ganancia de cristalizar otros 200.

El resultado es que los frentes de las FARC que manejan tratos con cultivadores de coca acumularon deudas de vales y bonos con la población. Tan sólo el frente 16, que dirigía el Negro Acacio, les debía a los campesinos cultivadores, a fines del 2008, unos 18.000 millones de pesos. Esta deuda ha ido aumentando incluso desde antes de la baja de Acacio y a menudo pasan meses sin que su actual cabecilla, Guillermo, les reconozca un peso a los campesinos, varios de los cuales tratan de salir de los vales cambiándolos por bienes a precios muy inferiores. Este escenario se repite en cada una de las regiones donde las FARC buscan aferrarse al control de los cultivos ilícitos.

No son pocos los casos en que campesinos han sido asesinados por reclamar por el no pago de las deudas, o donde han sido engañados con el pago de dólares falsos, o les han cambiado las deudas por insumos y semillas para reiniciar el cultivo. Este ciclo perverso, sin duda, los llevará en el mediano plazo no sólo a la quiebra sino también a perder sus tierras y terminar en la cárcel por seguir en esta actividad ilícita.

Es cruel el contraste de la riqueza de los cabecillas de las FARC y el sometimiento del campesino para obligarlo a seguir en el cultivo, so pena de perder los tres o siete millones que le adeudan, como si la guerrilla viviera en la época del feudalismo. Ante esta pérdida de mando y el canibalismo interno de sus finanzas, las FARC han puesto en práctica varias medidas.

Por ejemplo, el Mono Jojoy, que es el músculo financiero de las FARC, montó unas "comisiones de control interno" en cada uno de los frentes, con tres miembros de su confianza, para que auditen las finanzas, y sólo se efectúan los pagos y compras que apruebe dicha comisión. Estos llamados "auditores" son tal vez los guerrilleros con el peor cargo y mayores riesgos, ya que, además de soportar la permanente presión militar, deben cuidarse la espalda de sus propios compañeros que no desaprovechan oportunidad para asesinarlos y huir con el botín.

La verdad es que las FARC, que fueron por algún tiempo el mayor cartel de cocaína del planeta, tal como lo reconoció el Departamento de Justicia de Estados Unidos en la acusación que se hizo pública en marzo de 2006, han pasado a ser el principal cartel de base de coca, que es una escala inferior a la que habían alcanzado en su carrera criminal. Esto se debe al trabajo de la fuerza pública, que ha hecho que el narcotráfico sea una actividad cada vez más difícil de realizar en nuestro país.

Se trata, como es obvio, de un retroceso para las finanzas de la guerrilla, porque, de todas las etapas del narcotráfico, son las últimas dos —la producción de cocaína y el tráfico— las más rentables.

Desde finales de los años noventa, las FARC habían mantenido un monopolio en este lucrativo delito en sus zonas de influencia, pero hoy han perdido, en la mayoría del territorio nacional, su capacidad de cristalizar y producir clorhidrato de cocaína. La recuperación del control territorial, liderada en el suroriente del país por la Fuerza de Trabajo Conjunto Omega —inicialmente en desarrollo del Plan Patriota y, desde el 2006, del Plan Consolidación— acabó con sus principales centros de producción, aceleró la captura de sus principales socios criminales y los dejó de manos cruzadas.

Las FARC, que antes compraban hoja de coca y les vendían cocaína a narcotraficantes de nueve países diferentes, eran amos y señores de todo el proceso: fijaban precios de arriendo de pistas, salarios a los pilotos, y recibían mínimo 3.000 dólares de ganancia por kilo de cocaína, que algunas veces subía hasta los 7.000 dólares de utilidad por kilo. Hoy, ante la incapacidad de procesar la cocaína, su base de negocios consiste en comprar base de coca a dos millones de pesos y reempacarla en bultos de 40 kilos para vendérsela a narcotraficantes de la zona a tres millones de pesos el kilo. El margen de la operación se ha reducido a 500 dólares por kilo, apenas una sexta parte de lo que antes recibían.

En el 2002, el frente 16, dirigido por el Negro Acacio, controlaba 50 cristalizaderos, en los que se producían más de 30 toneladas mensuales de cocaína. A finales del 2008, su sucesor, alias *Guillermo Gochornea*, tenía apenas dos cristalizaderos: uno en arriendo y otro propio.

La muerte del Negro Acacio y la presión sobre el frente 16, ha significado para las FARC que cerca de 300 millones dólares hayan dejado de ingresar a sus arcas, un monto similar al que desesperadamente trataban de conseguir en el exterior, según se determinaría luego en los computadores de Raúl Reyes.

Un millón de dólares bajo el colchón

Después de la caída de Acacio, como ya quedó dicho, lo reemplazó Gochornea al mando del frente 16. Sin embargo, quien realmente asumió su papel como coordinador del negocio del narcotráfico en el suroriente, particularmente en el Meta y Guaviare, fue el cabecilla del frente 43, alias *John 40*, quien se caracteriza por una forma de vida más cercana a los clichés que se adjudican a los típicos mafiosos o "traquetos" que a la imagen que se tiene de la conducta de un guerrillero.

John 40, que manejaba verdaderas fortunas para las FARC, se rodeaba de mujeres "prepago", lujos y ostentaciones, y daba fiestas donde abundaban los mariachis y la música norteña, y corrían ríos de whisky entre los participantes. Es un hombre obsesionado con su apariencia física, que se ha practicado varias cirugías plásticas —además de las que ha pagado a sus "novias"—.

Desde 2005 se le han incautado todo tipo de propiedades, haciendas, caballos finos y camionetas de lujo, avaluados en más de 20 millones de dólares.

Recuerdo que en mi primera visita como ministro a la Dirección de Policía Judicial (Dijín), que entonces comandaba el general Óscar Naranjo, hoy director general de la Policía Nacional, él me comentó sobre la operación de seguimiento que se venía desarrollando sobre John 40, a quien habían perseguido primero como narcotraficante y luego como eslabón clave en el negocio del narcotráfico de las FARC.

La Policía realizó un importante trabajo de inteligencia sobre él, con la más alta tecnología y fuentes humanas muy cercanas al cabecilla, por un largo tiempo, hasta que logró determinar la ubicación exacta de su campamento.

Sabíamos que John 40 venía presentando serios problemas de salud, y que el Secretariado había determinado su traslado a Venezuela para que se los tratara. Alias *Camilo Tabaco*, quien se reunió con John 40 el 1.º de septiembre de 2008, había consignado en unos documentos que luego se incautaron, con fecha 28 de julio de dicho año, que, para sacar a '40' hacia Venezuela ya habían hecho contacto "con el hombre de la Ch". Según el texto de Tabaco, "el de la 'Ch' se comprometió a sacarlo, hacerle el tratamiento y regresarlo a la zona".

De acuerdo, entonces, con la valiosa información de la Policía, se dispuso una operación conjunta para atacar el campamento de John 40, instalado en inmediaciones del río Guayabero, en la serranía de la Macarena. Los aviones de la Fuerza Aérea bombardearon el 3 de septiembre el lugar con absoluta precisión, tanto que la bomba de mayor poder cayó a sólo ocho metros de la cama donde dormía el cabecilla. Sin embargo, cuando las tropas del Ejército entraron al campamento para hacer su tarea de consolidación se encontraron con una sorpresa que no esperábamos: en el campamento había muerto Camilo Tabaco y no John 40.

Luego supimos la razón. John 40 escapó, por cuestión de horas, de una muerte segura porque precisamente la noche anterior le había entregado el mando del frente 43 a Tabaco, que había sido enviado por el Mono Jojoy para relevarlo, debido a sus problemas de salud y a sus continuos escándalos. Entre las siete y las doce de la noche previa al bombardeo los guerrilleros habían estado emparrandados con ocasión del "empalme". Jhon 40, además, le entregó a Tabaco, antes de irse, un fondo interno de un millón de dólares y alrededor de 35 millones de pesos en efectivo.

El dinero se encontró junto a la cama de Tabaco, y también algo más, que resultó ser de un inmenso valor estratégico: tres computadores portátiles, memorias USB y cámaras digitales con una información que se viene analizando desde entonces, y que contiene datos muy reveladores sobre las finanzas de las FARC y su actividad de narcotráfico.

Hay que anotar que la baja de Camilo Tabaco fue una pérdida considerable para la organización terrorista, pues era un hombre muy cercano al Mono Jojoy, tanto así que lo había enviado para reemplazar a '40' a la cabeza de uno de sus frentes más rentables, si no el que más, y para que arreglara el desorden que éste había dejado.

Hoy John 40 continúa muy mal de salud, ha sido eliminado de la estructura de mando de las FARC, donde perdió toda credibilidad, y sigue en busca de salir del país para tratarse sus múltiples dolencias. Un triste pero explicable final para alguien que, como él, se dedicó a hacer fortuna a costa del dolor de los demás.

Caída de Felipe Rincón

Otro cabecilla importante de las FARC fue dado de baja por tropas de la Fuerza de Tarea Conjunta Omega en la madrugada del 29 de octubre de 2008 en área rural del municipio de La Macarena (Meta), junto con cuatro miembros de su guardia personal. Se trata de alias *Felipe Rincón*, quien era considerado uno de los principales "ideólogos" de la guerrilla.

Rincón, en su larga carrera criminal, había ocupado diversas posiciones, desde organizador de los núcleos de las milicias bolivarianas en Bogotá hasta negociador en el Comité Temático durante los diálogos del Caguán. En dicha calidad, formó parte, junto con Raúl Reyes y otros cinco guerrilleros, de la delegación de las FARC que fue llevada, en el 2000, por el gobierno colombiano a una gira por Europa, dentro del proceso de ambientación del proceso de paz en la comunidad internacional.

Últimamente estaba dedicado a coordinar la red de emisoras clandestinas "Resistencia", desde donde difundía la propaganda y proclamas de su organización. Además, era miembro del estado mayor del Bloque Oriental y suplente del estado mayor central de las FARC. Tal era su nivel de importancia dentro de la organización. Sin duda, su muerte fue un duro golpe de Omega a las continuas campañas de adoctrinamiento y desinformación lideradas por este curtido terrorista.

Las cuevas de Jojoy

En medio de la ofensiva adelantada contra los diversos frentes y cabecillas que conforman el Bloque Oriental, nunca perdimos de vista, como objetivo primario, a su líder y hombre clave del Secretariado, Jorge Briceño Suárez, alias *Mono Jojoy*.

Durante los años de la campaña Omega este experimentado cabecilla, respetado y temido por todos los miembros de las FARC, ha visto disminuir los miembros y la influencia del bloque a su cargo en más de un cincuenta por ciento, y su apariencia física así lo delata. Según fotografías incautadas en diversas operaciones, de aquel robusto y rubicundo guerrillero de las épocas del Caguán, acostumbrado a mandar a sus anchas en la zona de distensión, queda apenas la sombra. Hoy es un hombre enfermo y demacrado, azotado por una diabetes galopante, que huye continuamente del asedio de las Fuerzas Armadas, sin un momento de reposo. Sus planes se desmoronan uno a uno, y sus hombres de confianza como el Negro Acacio, Camilo Tabaco, Gaitán, Chucho y Bertil, entre otros, han caído muertos o capturados por las fuerzas del Estado. Su misma operadora de radio, Andrea, fue suplantada por la inteligencia militar en la Operación Jaque, lo que posibilitó el rescate de Íngrid Betancourt, los tres contratistas norteamericanos y once militares y policías, además de la captura de César y Gafas, cabecillas del frente primero. Sin duda, la Operación Jaque debe ser una estaca clavada en el corazón de este duro guerrillero.

En medio de la ofensiva de la Fudra, contra este cabecilla estratégico de las FARC, y gracias a la información proporcionada por guerrilleros desmovilizados, el último día de febrero de 2009, las tropas del Ejército encontraron un conjunto de once cuevas naturales, perfectamente mimetizadas, en jurisdicción de La Macarena, que habían servido recientemente de escondite a Jojoy y su anillo de seguridad.

Allí estuve con el general Freddy Padilla de León, con el acompañamiento de medios de comunicación, constatando cómo eran las guaridas en que se escondió por un buen tiempo el famoso terrorista. El contraste era inmenso. El hombre que vivía en cómodas fincas en los tiempos de la zona de distensión se refugiaba ahora en cuevas oscuras, húmedas e insalubres, acosado por la presión de la fuerza pública.

En las cuevas abandonadas a toda prisa por los guerrilleros se encontraron documentos, videos, fotos y cuadernos con mensajes, fechas y datos que dan un panorama muy completo sobre la actividad diaria del jefe terrorista y sus constantes movimientos para evadir a las tropas. También dejan constancia de sus dificultades de abastecimiento, pues las mulas con provisiones muchas veces son interceptadas por el Ejército, e incluso se demora la medicina que Jojoy necesita con tanta urgencia.

Así resumí su situación a los periodistas que me acompañaron a conocer las cuevas que le servían de refugio:

—Antes el Mono Jojoy estaba gordo; ahora está flaco y enfermo. Antes vivían como príncipes; ahora viven como ratas.

CAPÍTULO XX

El triunfo de la persistencia

Los resultados obtenidos en el suroriente del país contra frentes que forman parte de los Bloques Oriental y Sur de las FARC, en un área que ha sido tradicionalmente su retaguardia estratégica y su mayor fuente de recursos, han sido devastadores para la organización terrorista, que ha visto menguadas sus finanzas y su capacidad de actuar, y se deben principalmente al adecuado engranaje logrado entre la Fuerza de Tarea Conjunta Omega y la Jefatura de Operaciones Especiales Conjuntas, con su mecanismo de respuesta inmediata para golpear blancos de alto valor como el Negro Acacio y John 40. No es casualidad que el mayor general Alejandro Navas, que había sido comandante de la Fudra, unidad que hoy depende de Omega, hubiera pasado luego a comandar la misma Fuerza de Tarea Conjunta, y luego la JOEC —en reemplazo del general Carlos Arturo Suárez, que pasó a ser inspector general del Ejército— en una muestra de la continuidad que decidimos imprimir a este esfuerzo monumental de las Fuerzas Armadas.

Cuando asumí el Ministerio de Defensa encontré que varios analistas y columnistas de prensa criticaban la campaña Omega, que consideraban que debía replantearse. De acuerdo con ellos, no se justificaba que las Fuerzas Armadas "enterraran" a cerca de 20.000 de sus mejores hombres en las selvas del suroriente, en lugar de contribuir a cubrir otros frentes en el resto del país. No obstante las críticas, consideramos, con el general Freddy Padilla de León, comandante general de las Fuerzas Militares, que era necesario perseverar en el esfuerzo que se había iniciado con el Plan Patriota del primer periodo del gobierno del presidente Uribe. Y creo que el tiempo nos ha dado la razón.

El Mono Jojoy había pronosticado que nuestros soldados no durarían más de seis meses en el área que conforma el teatro de operaciones de Omega, y han pasado más de cinco años sin que se cumpla su profecía. Todo lo contrario: las fuerzas de Omega han causado daños irreversibles al grupo terrorista y han apoyado la consolidación social del territorio, lo que implica la permanencia definitiva de las instituciones del Estado en zonas donde estuvo ausente por mucho tiempo. Esa ha sido la gran diferencia: las Fuerzas Armadas ya no golpean y se retiran, como ocurría antes, sino que se quedan en las zonas recuperadas, garantizando la normalidad.

Incluso la mística y el compromiso de los soldados han jugado a favor de la estrategia. Si bien, por las dificultades del terreno, se pensó en hacer turnos de seis meses para relevar a los que estaban en el frente de combate, hay muchos que piden continuar, estimulados por la trascendencia de la misión y los resultados que se consiguen día a día.

La campaña Omega ha permitido la neutralización del plan estratégico de las FARC y ha integrado el trabajo conjunto de las Fuerzas Militares y la Policía en un esfuerzo continuado, que ha sido la clave del éxito

A finales del 2008 se habían producido 4.100 entregas voluntarias, cerca de 1.200 capturas y de 1.100 bajas de guerrilleros en la región donde opera la Fuerza de Tarea Conjunta Omega, pero el resultado va más allá de los reportes operacionales: se ha ganado gobernabilidad, presencia de las entidades y los servicios estatales, cambio de la economía de la droga por una economía lícita, sentido de pertenencia al país y confianza de la población civil.

De eso se trata la consolidación: no sólo de ganar batallas y neutralizar combatientes y cabecillas, sino, sobre todo, de garantizar a los habitantes de las zonas recuperadas que las Fuerzas Armadas, y los servicios y beneficios del Estado, han llegado para quedarse.

Consolidación Integral de la Macarena

Mencioné al comienzo, cuando me referí a la recuperación de los Montes de María en la región caribe del país, el Centro de Fusión Integral de los Montes de María, donde autoridades civiles, militares y de policía combinan sus esfuerzos para brindar servicios sociales y construir obras básicas de infraestructura en las áreas arrebatadas al influjo de los violentos. Pues bien, el centro piloto de este esfuerzo de consolidación social, el que primero se estableció, donde aprendimos lecciones para aplicar en el resto del territorio nacional, fue el Centro de Fusión Integral de la Macarena a través del cual se viene desarrollando, desde fines del 2007, el Plan para la Consolidación Integral de la Macarena.

Este plan es una estrategia de coordinación de esfuerzos de la fuerza pública, la justicia y las demás instituciones del Estado para establecer condiciones institucionales y de seguridad que hagan posible el desarrollo económico y social de esta región tan afectada por el terrorismo y el narcotráfico, en un área que incluye los municipios de San Juan de Arama, La Macarena, Mesetas, Puerto Rico, Vista Hermosa y Uribe, en el Meta, cuatro de ellos que fueron parte de la zona de distensión establecida durante el proceso de paz que lideró el gobierno de Andrés Pastrana.

En esta tarea las Fuerzas Armadas trabajan en plena coordinación y cooperación con el Centro de Coordinación de Acción Integral de la Presidencia (CCAI), la Alta Consejería Presidencial para la Paz, otras entidades estatales y donantes de la comunidad internacional, interesados en apoyar este trabajo de consolidación social.

Por fortuna, los resultados se han visto, y esta zona, que antes fue santuario inexpugnable de las FARC, casi república independiente, se está incorporando integralmente al país, en todos los aspectos. Antes de dejar el Ministerio tuve la satisfacción de recibir el informe del Sistema Integrado de Monitoreo de Cultivos Ilícitos (Simci) de las Naciones Unidas, que reportó un 18% de reducción de área cultivada con coca en todo el territorio nacional. Lo más llamativo de este informe fue la parte relacionada a la zona de la Macarena, donde se lleva a cabo el plan de consolidación integral: de acuerdo con el Simci, los cultivos ilícitos en el área disminuyeron ¡en un 75%! Ésta es una cifra tremendamente valiosa, más aún si tenemos en cuenta que se refiere a una región del país que las FARC habían convertido en una verdadera despensa del narcotráfico.

Este logro se debe a que se ha generado una disposición de las comunidades para iniciar actividades de erradicación voluntaria de cultivos ilícitos y desarrollar proyectos productivos lícitos, que cuentan con el apoyo del gobierno, de empresarios y de la comunidad internacional.

Los ingenieros militares han realizado diversas obras de beneficio para la comunidad, como parques, puentes y pavimentaciones urbanas, y se aprestan para iniciar la construcción y mejoramiento de la Transversal de la Macarena, en el tramo San Juan de Arama - Uribe - Colombia - Baraya, en una longitud de 122 kilómetros, obra en que se invertirán más de 160.000 millones de pesos.

Yo mismo tuve la ocasión de presidir la activación de subestaciones de Policía en las inspecciones de Piñalito (Vista Hermosa) y la Julia (Uribe), lugares donde hace unos pocos años era impensable la presencia de fuerza pública, por la continua intimidación de la guerrilla.

Son muchos los proyectos de infraestructura social, de educación, salud, servicios públicos, cultural y recreativa que se han adelantado y se tienen programados en la región, y todos ellos apuntan a un solo objetivo: garantizar a la población que la situación de "normalidad" que ahora viven será permanente, y devolverles su capacidad de tener una vida libre y próspera, ajena a las amenazas de la guerrilla y la corrupción del narcotráfico.

En el teatro de operaciones de la campaña Omega, en el corazón histórico de las FARC, donde ellas dominaron por tanto tiempo, el gobierno y las Fuerzas Armadas han demostrado, con persistencia y decisión política, que es posible otra vida más allá de la violencia.

No ha sido fácil. Se han requerido ingentes recursos humanos y técnicos. Más de 200 militares han muerto y más de mil han caído heridos en este esfuerzo monumental, la mayoría por causa de las minas antipersona. Ellos son los héroes, los verdaderos héroes de esta recuperación.

DOS VIEJOS ZORROS

La vida mía…
Todo el tiempo lo perdí durante la lucha guerrillera…
Como dicen vulgarmente, perdí el año.

HELÍ MEJÍA, ALIAS *MARTÍN SOMBRA*

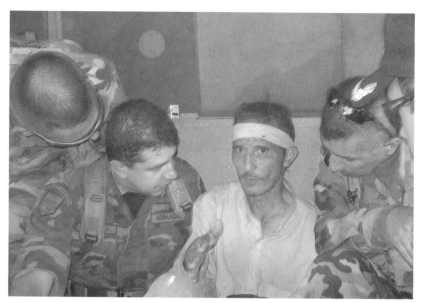

El ex ministro Fernando Araújo habla con un grupo de militares, después de cinco días de fuga y más de seis años de secuestro en manos de las FARC.

Con el general Padilla recibiendo gestos de gratitud de la población de Carmen de Bolívar después de la baja de alias *Martín Caballero*.

El almirante Guillermo Barrera y el general Mario Montoya inspeccionan las bolsas con los cuerpos de los abatidos en la operación contra Martín Caballero.

El presidente Álvaro Uribe desenmascara en Villavicencio las mentiras de las FARC, y lanza la hipótesis de que Emmanuel, el hijo de Clara Rojas, no estaba en poder de la guerrilla.

Marcha contra las FARC del 4 de marzo de 2008.

Lanchas de patrullaje fluvial de la Armada Nacional.

Alias *Don Diego*, principal cabecilla del cartel del Norte del Valle, es conducido por el general Montoya a su arribo a Bogotá, después de su captura.

Con los generales Montoya, Suárez, Ballesteros y Naranjo, entre otros oficiales, inspeccionando los resultados del bombardeo al campamento de alias *John 40* en la serranía de la Macarena

Revisando con los generales una incautación de armamento en la zona de La Macarena.

Con el general Freddy Padilla frente a una de las cuevas en que se escondían alias *el Mono Jojoy* y su anillo de seguridad en La Macarena.

Alias *Manuel Marulanda* o *Tirofijo* en los tiempos de la zona de distensión.

Alias *Martín Sombra*, veterano cabecilla de las FARC capturado por la Policía, hoy acogido al programa de desmovilización del gobierno.

Rueda de prensa en la que se anunció la baja de alias *Raúl Reyes* en la Operación Fénix. Me acompañan el almirante Guillermo Barrera, el general Freddy Padilla y el general Jorge Ballesteros.

Llegada del cadáver de Raúl Reyes al aeropuerto militar de Catam.

Rueda de prensa del secretario general de Interpol, Ronald K. Noble, en la que certificó la no manipulación de los archivos de los computadores hallados en el campamento de Raúl Reyes.

Rueda de prensa en la que se anunció la muerte de alias *Iván Ríos*, miembro del Secretariado de las FARC. Me acompañan María del Pilar Hurtado, directora del DAS; el general Óscar Naranjo; el general Freddy Padilla; el almirante Guillermo Barrera, el general Mario Montoya y el general Jorge Ballesteros.

Alias *Rojas*, guerrillero que asesinó a Iván Ríos y su compañera.

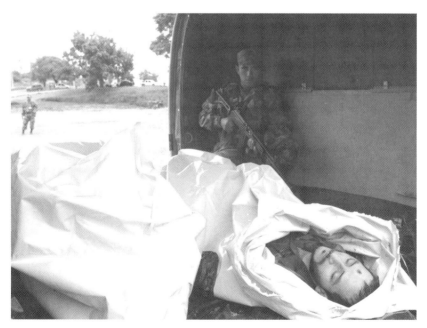

Cadáver de Iván Ríos, segundo miembro del Secretariado de las FARC muerto en la primera semana de marzo de 2008.

Desmovilización de alias *Karina* ante funcionarios del DAS.

Con el general
Freddy Padilla
después de
conocerse el éxito
de la Operación
Jaque.

Rueda de prensa anunciando la liberación de Íngrid Betancourt, tres norteamericanos y once militares y policías en la Operación Jaque.

Íngrid Betancourt se abraza con su madre a su llegada a Bogotá.

Los generales Montoya y Padilla encabezan el regreso de los rescatados en la Operación Jaque.

Acto de acción de gracias de los rescatados en la Operación Jaque, en el aeropuerto militar de Catam.

El presidente Álvaro Uribe se reunió con los rescatados en la Casa de Nariño la misma noche del miércoles 2 de julio de 2008, día del rescate.

Reencuentro de Clara Rojas con su hijo Emmanuel.

Alias *César* y alias *Enrique Gafas,* primer y segundo cabecillas del frente primero de las FARC, responsables de los secuestrados, capturados en la Operación Jaque.

Alias *Isaza*, guerrillero que ayudó a fugarse al ex representante Óscar Tulio Lizcano y se acogió al programa de desmovilización. Hoy vive en París.

El ex representante Óscar Tulio Lizcano da sus primeras declaraciones en Cali, después de varios días de fuga.

Alias *Myriam*, guerrillera que se desmovilizó trayendo consigo a un secuestrado, se reencuentra con su hermano soldado, víctima de una mina antipersona sembrada por la guerrilla.

Alias *David* y alias *Ernesto*, guerrilleros que se desmovilizaron junto a los dos secuestrados que devolvieron a la libertad.

Entrenamiento humanitario de los soldados en una pista de derechos humanos.

CAPÍTULO XXI

"Me dicen Sombra"

En el breve lapso de un mes, entre el 25 de febrero y el 26 de marzo de 2008, salieron de combate dos de los más antiguos e importantes cabecillas de las FARC, dos viejos zorros, que enterraron sus vidas en la lucha guerrillera: alias *Martín Sombra*, que fue capturado por la Policía, y alias *Manuel Marulanda*, fundador y jefe máximo de la organización, quien murió, según la versión inicial del la guerrilla, por un paro cardiaco, en medio de una implacable ofensiva militar. Luego la versión del paro cardiaco fue cambiada por el propio Jojoy, quien atribuyó la muerte a otra enfermedad. La verdad, como suele suceder con las FARC, a lo mejor nunca se sabrá.

Los dos eran muy cercanos y habían compartido toda una vida de lucha en los montes y selvas de Colombia, desde 1966, cuando las FARC se constituyeron oficialmente. Habían pasado 42 años de combate bajo ese lema, más otros tantos años de bandolerismo como campesinos liberales rebeldes, y a ambos los sorprendió el final de su carrera criminal sin haber llegado, ni siquiera haberse aproximado, a su objetivo inicial de obligar al país a adoptar un programa extenso de reforma agraria ni a su meta final, que era ni más ni menos que la toma por las armas del poder del Estado.

El mismo Martín Sombra lo reconoce en una entrevista[6]: "Uno sabe que es imposible para nosotros, las guerrillas, tomarse el poder como está la situación hoy en día".

Sombra y Marulanda eran los guerrilleros más antiguos en actividad de las FARC y, muy probablemente, los más viejos del mundo. Ambos fueron producto de la violencia política, el combate intestino que se dio —sobre todo en los campos y las pequeñas poblaciones— entre liberales y conservadores a partir del magnicidio de Jorge Eliécer Gaitán, el 9 de abril de 1948. Su historia es la historia de un rencor largamente sostenido, de unas reivindicaciones que no encontraron salida, de unas capacidades desperdiciadas, que reflejan los efectos duraderos y perniciosos de esa época nefasta del país que conocemos como la Violencia.

Los dos, campesinos de origen, con la personalidad, la paciencia y la astucia del hombre rural, marcaron el destino de una organización que empezó como una agrupación de autodefensa y se fue convirtiendo, con el paso de los años y la llegada de nuevos integrantes, en una organización narcoterrorista, ensimismada y anacrónica.

El juramento

Cuenta Helí Mejía, alias *Martín Sombra*, originario del municipio del Guamo (Tolima), que un día en que regresaba con su padre de las labores del campo, cuando él tenía unos diez años de edad, encontró una escena dantesca: unos bandoleros

---

6. Entrevista con Marcela Durán del Programa de Atención Humanitaria al Desmovilizado (PAHD), que servirá de base para varias citas textuales que se harán de declaraciones de Martín Sombra. También hay referencias en este capítulo tomadas de la entrevista realizada a Martín Sombra por el periodista Juan Carlos Giraldo para el programa *La Noche* de RCN.

de origen conservador habían saqueado su casa, asesinado a su madre —a la que le habían rajado el vientre y sacado la criatura que llevaba en él—, y castrado y asesinado a sus tíos. Era la barbarie que se vivía en esos tiempos, a comienzos de los cincuenta, en muchos sitios del país, ejecutada por conservadores contra liberales o por liberales contra conservadores, por el sólo hecho de pertenecer a un partido distinto, de llevar un trapo rojo o azul.

Cuenta Sombra que, a lo lejos, alcanzaron a divisar a los asaltantes que huían con el ganado y los caballos que tenían, incluido un caballo campeón de paso y su loro Roberto. Él y su padre se internaron en el monte, se unieron a otros campesinos expulsados de sus tierras, y comenzaron un proceso de lucha armada contra sus antagonistas conservadores. Luego se sentirían traicionados por los líderes liberales de la capital, y enfocarían su deseo de venganza, ya no contra los miembros de un partido político, sino contra las fuerzas y representantes del Estado en general.

Teniendo apenas unos doce años, el joven Helí se trabó en duelo, usando rudimentarias armas de fuego, con un negro mucho mayor que él, al que le reclamaba por su salvaje costumbre de cortar las orejas de sus víctimas, asarlas y comerlas luego, adobadas con sal. El muchacho mató al antropófago y desde entonces, por su habilidad para disparar velozmente, más rápido que una sombra, lo apodaron con ese alias.

Poco después su padre resultó herido de muerte por una bala y, estando moribundo, le pidió que le jurara, ante él y ante Dios, que nunca dejaría de ser guerrillero. De acuerdo con Sombra, que hoy tiene alrededor de 62 años de edad —que parecen muchos más por su precario estado de salud—, ese juramento fue tan importante para él que nunca llegó a plantearse la posibilidad de dejar la guerrilla, aún en las peores circunstancias. "Siempre he sido muy creyente", dice, y ese peculiar sentido religioso, más el amor que tenía por su padre, fueron el combustible que mantuvo viva su vocación guerrillera.

El carcelero

Martín Sombra no estuvo en 1964 con el grupo de Marulanda cuando fue atacado por las Fuerzas Militares, mediante una operación masiva ordenada por el gobierno de Guillermo León Valencia, en Marquetalia (Tolima), momento considerado como el hecho fundacional de las FARC (si bien, como ya se dijo, su constitución oficial no fue sino hasta 1966). Por eso no se considera "marquetaliano", aunque sí se unió a Marulanda y sus hombres desde 1966, y comenzó a escalar posiciones en la organización, siempre cercano al jefe guerrillero. Fue fundador y cabecilla de varios frentes, integrante del estado mayor del Bloque Oriental y, según parece, por algún tiempo, miembro del estado mayor central de la organización. Más que nada se convirtió en un hombre de confianza para Manuel Marulanda, al que éste le encargaba las tareas más delicadas, como el entierro y la guarda del secreto de la ubicación de las caletas con dinero y armas, y la custodia de los secuestrados más significativos.

Martín Sombra, por su antigüedad y reciedumbre, pudo haber aspirado a hacer parte del Secretariado pero siempre prefirió el trabajo de campo y no le gustaba meterse en decisiones políticas. Su vida era la guerrilla, y su guía y mentor era Marulanda, al que le decía don Manuel. Entre 2001 y 2004, éste le asignó uno de los encargos de mayor responsabilidad en la guerrilla, como era la custodia y mantenimiento de los militares, policías, políticos y los tres contratistas estadounidenses secuestrados por las FARC. Los que esta organización denominaba "canjeables".

Mientras existió la zona de distensión en el Caguán, Sombra rigió un verdadero emporio carcelero en medio de la selva del Caquetá, con una logística impresionante para sostener a guardianes y cautivos. Según él, en el campamento —que se llamaba campamento Caribe, por la cantidad de peces caribe que habitaban en el caño aledaño del mismo nombre—, tenía enfermería y dentistería, una panadería que producía unos 3.000 panes semanales, alrededor de 250 gallinas ponedoras y más de 200 marranos silvestres. En dicho lugar, donde tenía provisiones de abastecimiento hasta por dos años, mantenía en dos "jaulas" contiguas, rodeadas por alambres de púas, en inhumanas condiciones de hacinamiento, a los secuestrados a su cargo. Incluso le correspondió ayudar, con enfermeros de la guerrilla, en la salvaje cesárea que le practicaron a la secuestrada Clara Rojas, que había quedado embarazada en cautiverio, cuando nació su hijo Emmanuel. El propio Sombra presume de su calidad de curandero, y dice que aprendió el manejo de las hierbas medicinales de unos indios, en los primeros años de su vida en el monte.

El cuidado de los secuestrados fue su último encargo importante. Cuando la presión militar los obligó a abandonar el campamento dentro de la antigua zona de distensión, Sombra los sacó de la región en largas y difíciles travesías. Según cuenta, a Clara Rojas la llevaron en hamaca y a Íngrid Betancourt, que sufría los estragos de un reciente paludismo, la cargaron sobre la espalda de algún guerrillero, lo que le hizo recordar los desplazamientos forzados de las familias campesinas en los tiempos de la violencia política, que es siempre su referente. Finalmente, entregó su "carga" (como los guerrilleros llaman a los secuestrados) a diversos frentes de la guerrilla que operan en las selvas del Guaviare y Caquetá, y desde entonces no tuvo otra asignación de alta responsabilidad. Sus problemas de salud, sobre todo en una pierna, le impedían moverse con agilidad, y se dedicó a buscar tratamiento en Venezuela, para lo cual Jojoy y Reyes hicieron las gestiones pertinentes.

"Perdí el año"

Nunca entendió Martín Sombra por qué, en lugar de asignarle un guerrillero o un miliciano experimentado para que lo acompañara en su travesía al exterior para su intervención de salud, los mandos de las FARC le dieron a un simple civil como escolta, quien, a la postre, lo dejó abandonado a su suerte.

Viéndose solo, enfermo y sin dinero, el viejo guerrillero decidió buscar refugio donde unos amigos que tenía en cercanías de Chiquinquirá, en la región esmeraldífera del departamento de Boyacá. Lo que no sabía Sombra era que la Dirección de Inteligencia de la Policía Nacional (Dipol) le venía siguiendo los pasos desde hacía ya un tiempo, y que, incluso, habían estado a punto de capturarlo a su paso por Bogotá.

Con la oportuna información de un ciudadano, que ganó una jugosa recompensa, la Policía ubicó a Martín Sombra en una zona rural de Chiquinquirá, y lo capturó sin que presentara mayor resistencia. Tenía en su poder un permiso para circular por el municipio de Machiques, en el estado de Zulia, de Venezuela. El viejo zorro sabía que había llegado su hora de responder ante el Estado por toda una vida combatiéndolo a cuenta de un juramento de infancia.

Sombra se encuentra ahora en la cárcel Modelo de Bogotá y se acogió en el primer semestre de 2009 al programa de desmovilización y a la ley de justicia y paz, que exige su colaboración y la confesión de todos sus crímenes si quiere obtener sus beneficios. Ahora está más gordo que nunca, camina con dificultad ayudado por un bastón y tiene una larga barba gris que le confiere la apariencia de un ermitaño o un sabio de la antigüedad. Su mirada es la mirada de un hombre que ha aceptado su destino y que, aunque no quiere renegar de la organización a la que le entregó su vida, no puede dejar de reclamarle por su abandono.

—Yo estoy abandonado en esta cárcel —ha dicho en sus entrevistas—. Tengo ya año y medio de estar acá, y ninguno ha venido. ¡Me dejaron botado!

Respecto a las FARC, con su tono pausado de campesino resabiado, admite varias circunstancias de su situación actual:

—Las FARC han tenido un retroceso político y militar. No tienen credibilidad ante la opinión pública.

—Que las FARC entraran al negocio del narcotráfico fue un error. Hay mucha corrupción desde que se creció la vaina de finanzas, de dinero…

Si Sombra pudiera darle un mensaje a cualquier joven que continúe en la guerrilla, no haría cosa distinta que narrarle su propia experiencia:

—El testimonio mío es un testimonio muy verraco para los que siguen la lucha revolucionaria.

No deja de estremecer escucharle decir a este hombre, que dedicó 42 años a las FARC, y más de 50 a la lucha armada —como se le oye decir a tantos guerrilleros desmovilizados, sólo que en su caso, por su rango y edad, es todavía más diciente—, las siguientes palabras que sirven de amarga conclusión a su periplo vital:

—La vida mía... Todo el tiempo lo perdí durante la lucha guerrillera... Como dicen vulgarmente, perdí el año.

CAPÍTULO XXII

La muerte de un mito

La historia de Pedro Antonio Marín, conocido por sus alias de *Tirofijo* o *Manuel Marulanda Vélez*, fundador y cabecilla máximo de las FARC hasta el día de su muerte, guarda muchas similitudes con la de Martín Sombra, especialmente porque el origen de su rebeldía y de su decisión de tomar las armas se encuentra también en la violencia partidista que azotó a Colombia desde el 9 de abril de 1948. Marulanda, que venía de una familia campesina de Génova, Quindío, tomó la decisión de armarse y crear una guerrilla liberal para atacar a los conservadores de la región cuando era apenas un adolescente. Y así como Sombra adquirió su apodo por su rapidez para disparar en un duelo a muerte, el joven Marín comenzó a ser conocido como *Tirofijo* cuando uno de sus compañeros alabó su buena puntería, diciéndole que era "un verdadero tiro fijo". Su otro alias, *Manuel Marulanda Vélez,* lo adoptó en homenaje a un sindicalista comunista que había sido asesinado en Bogotá en 1951.

Tirofijo, después de la amnistía a los bandoleros decretada por el gobierno militar de Gustavo Rojas Pinilla, decidió mantenerse en armas para defender sus reivindicaciones agrarias y estableció, con otro grupo de rebeldes, una zona de resistencia campesina en Marquetalia, Tolima, la cual fue atacada con toda la artillería del Ejército en 1964, ofensiva de la que escapó con apenas medio centenar de hombres y que dio un giro fundamental a su vida. Aquí dejó de ser un rebelde para convertirse, por lo menos a sus propios ojos, en un revolucionario.

Luego vendría su vinculación con el Partido Comunista y al ideario marxista, su alianza con Jacobo Arenas, la expansión militar de las FARC a partir de su séptima conferencia en 1982, su involucramiento con el narcotráfico —que, a decir de Martín Sombra, fue un error que corrompió la organización—, su apelación masiva a la cruel actividad del secuestro, y, finalmente, la última degradación, cuando aquel grupo de campesinos con ideales de justicia social, que pedían tierra para trabajar, pasó a convertirse, cuatro décadas después, en una agrupación sin rumbo ideológico, no sólo mafiosa sino terrorista, que no duda en atacar y destruir poblaciones con cilindros-bomba; sembrar el suelo con minas antipersona; reclutar niños; volar oleoductos, puentes y torres de energía; ejecutar sangrientos atentados contra blancos civiles, como fue el caso del club El Nogal en Bogotá, o cometer un verdadero ecocidio al fomentar la destrucción de los bosques tropicales para sembrar coca.

Manuel Marulanda, cuya presencia se hizo habitual ante los medios —y por lo tanto frente a los colombianos— durante el proceso de paz, cuando fue interlocutor directo del presidente Andrés Pastrana —a quien dejó plantado con la silla vacía en la famosa reunión en San Vicente del Caguán—, con su toalla siempre colgada sobre el hombro, su rostro impenetrable y su mirada astuta, fue el líder indiscutible de la guerrilla en todas estas etapas, y llegó a la vejez sin haberse acercado a ninguna de sus metas. Todo lo contrario: desperdició la oportunidad de hacer la paz y convertirse en un protagonista del devenir democrático —como lo son hoy antiguos miembros de guerrillas desmovilizadas como el M-19 y el EPL—, que el Estado le ofreció con generosidad, y condenó a su organización a un destino de violencia y clandestinidad, a depender cada vez más del narcotráfico y a renunciar a cualquier favorabilidad en el alma popular.

Con más de 76 años, y después del paréntesis que representó la zona de distensión, durante la cual llevó una vida apacible y cómoda, rodeado y servido por sus camaradas guerrilleros, vivió sus últimos años refugiado en campamentos en medio de la selva, moviéndose constantemente para escapar del continuo asedio militar.

"El diablo sin cachos y sin cola"

Como principal comandante y referente de las FARC, Marulanda encabezaba, por supuesto, la lista de objetivos de alto valor que habíamos determinado en el seno de la JOEC. A todos les seguían el rastro pero sobre todo a Marulanda, en medio de las dificultades que significaban los numerosos anillos de seguridad que tenía a su alrededor y los milicianos de civil que estaban prestos a avisar a la guerrilla cualquier movimiento o acercamiento de las tropas.

Hacia febrero de 2008, se pudo establecer que él y el Mono Jojoy se movían, con sus esquemas de seguridad, en la zona comprendida entre los ríos Duda y Papaneme, cerca del municipio de Uribe (Meta). Allí tenía Marulanda su área de base, donde le llegaban abastecimientos y confiaba en que su buena suerte, que le había granjeado la fama de indestructible, al haber sobrevivido a 44 años de persecuciones, lo protegería de la acción del Estado. Sin embargo, su corazón, ya viejo, tenía buenas razones para temer: por un lado, la noticia de la muerte de Raúl Reyes e Iván Ríos en los primeros días de marzo, ambos miembros del Secretariado, por acción o presión de las Fuerzas Militares, tuvo que haber sido un dardo mortal para su estado anímico. Por primera vez en la historia de las FARC, las Fuerzas Armadas golpeaban directamente a sus cabecillas nacionales. Además, Reyes era su hombre de confianza para sus contactos internacionales, y la incautación de sus computadores prometía revelar los secretos mejor guardados de una organización acostumbrada a jugar con doble cara: una para el exterior y la otra para los colombianos.

La segunda razón para temer era aún más tangible: durante los meses de febrero y marzo, gracias a la buena información de inteligencia que se tenía sobre su ubicación y la de Jojoy, los aviones de la Fuerza Aérea ejecutaron por lo menos 64 bombardeos sobre el área, con morteros de alta potencia. Sentir la presencia permanente y amenazante de las potentes aeronaves militares y la caída de bombas a su alrededor es la peor pesadilla de cualquier guerrillero, y Marulanda la vivió en sus últimos dos meses a un ritmo que jamás había sufrido. Por esa época, escribió un correo electrónico a Alfonso Cano, en el que le decía que el acoso militar era tal que estaba "viendo al diablo sin cachos y sin cola".

Según informó luego el general Mario Montoya, comandante del Ejército, sobre la zona en que se presumía que se habían reunido Jojoy y Marulanda se dispararon un total de 352 granadas de artillería durante los meses de febrero, marzo y los primeros diez días de abril, y la Fuerza Aérea lanzó un total de 114 bombas desde aviones A-37 y Super Tucano.

Lo cierto es que el 26 de marzo, el viejo cabecilla de las FARC murió. Como se dijo en su momento, si no murió de infarto, se murió del susto. La noticia se transmitió a los miembros sobrevivientes del Secretariado —Marulanda era el tercero de la cúpula terrorista en caer ese mes—, quienes decidieron, como buenos discípulos de la reserva con que los soviéticos manejaban la información sobre la muerte de sus líderes, mantener su deceso en secreto, hasta que las circunstancias los obligaran a confirmarlo. Además, tenían que manejar el tema de la sucesión interna, que se definiría entre el Mono Jojoy, jefe militar de las FARC, de origen rural, y Alfonso Cano, bogotano con formación universitaria, formado en las juventudes comunistas y considerado un ideólogo en su organización.

Una "chiva" inesperada

La inteligencia militar, siempre atenta a cualquier mensaje entre los guerrilleros, conoció a mediados de mayo un correo electrónico en el que dos de ellos discutían sobre quién podría ser un mejor líder: Jojoy o Cano. Por supuesto, eso era un indicio muy claro de que algo ocurría con Marulanda, ya fuera que estuviera enfermo o muerto. Otros correos interceptados después hacían referencia, en clave, a "la noticia" o "la despedida", que parecían confirmar la novedad. Finalmente, en la tarde del viernes 23 de mayo, se logró la prueba mayor: el texto de un comunicado que las FARC estaban listas para lanzar, a través de alias *Timochenko* —un miembro del Secretariado que se mueve en el área fronteriza con Venezuela—, anunciando la muerte de su fundador y la designación, en su reemplazo, de alias *Alfonso Cano*.

El general Freddy Padilla de León, que ya me había comentado sobre los primeros indicios —que yo le pedí confirmar de forma prioritaria—, me llamó desde el Perú esa misma noche para ratificarme lo que ya sospechábamos. Lo mismo hizo el general Mario Montoya. El cruce de información era tan convincente, que decidí que era necesario "chivear" a la guerrilla, impidiendo que el tema lo manejaran a su antojo, lo cual hice en una entrevista que estaba programada con anterioridad con la periodista María Isabel Rueda, para la revista *Semana*.

Ya habíamos realizado la primera mitad de la entrevista el miércoles de esa semana y teníamos pendiente concluirla en la noche de ese viernes. El tema principal era la muerte de Raúl Reyes en territorio ecuatoriano y las revelaciones encontradas en sus computadores, además de la reciente desmovilización de alias Karina. Lo que no se imaginaba María Isabel era que le tenía como sorpresa la primicia de su vida.

Después de inquirir por la suerte del Mono Jojoy, de quien sabíamos que estuvo a punto de ser asesinado por su propia guardia de seguridad, me hizo la siguiente pregunta[7]:

---

7.   Entrevista "Tirofijo está muerto", en *Semana*, 26 de mayo de 2008.

— ¿Y Tirofijo en qué anda?

—Debe estar en el infierno —le respondí.

— ¿En cuál infierno?

—Al que van todos los criminales muertos.

— A donde Tirofijo se va a ir… —continuó María Isabel, tirando de la pita que yo había dejado suelta.

—La información que tenemos es que ya se fue.

La sorpresa no podía ser mayor.

— ¿Cómo así? ¿Tirofijo se murió?

—Es lo que nos dice una fuente que nunca nos ha fallado.

— ¿Tirofijo está muerto? —preguntó María Isabel, para reconfirmar la noticia que tantas veces había rondado las salas de redacción, sin resultar nunca cierta.

—Esa es la última información que tenemos y que estamos corroborando.

— ¿Puedo titular esta entrevista, "Tirofijo está muerto"?

—El riesgo es suyo.

— ¿Y cómo murió?

—No sabemos. En esas fechas hubo tres bombardeos fuertes en donde se pensaba que estaba Tirofijo. La guerrilla dice que de paro cardiaco. No tenemos pruebas ni de lo uno ni de lo otro.

— ¿Y qué información tiene sobre su muerte?

— Hasta ahora —le respondí con toda sinceridad— sólo tengo esos datos.

— ¿Y sabe quién va a reemplazarlo?

—Todo nos indica que Alfonso Cano.

Así María Isabel Rueda, por circunstancias del azar, porque estaba ese día en el lugar y con la persona indicados, acabó obteniendo la "chiva" del año, lo que generó no poco malestar en los otros medios de prensa. Por supuesto, yo mantenía informado sobre los datos que nos iban llegando al presidente Uribe, y el sábado, con la interceptación de una conversación entre alias *Alberto Cancharina*, un cabecilla del Bloque Magdalena Medio de las FARC y otro guerrillero, en la que hablaban abiertamente sobre la muerte de Marulanda y sus circunstancias, pude reconfirmarle aquello de lo que estábamos tan seguros.

Se tejieron muchos cuentos: que el presidente estaba furioso porque no le dejé dar la chiva, que el presidente nunca fue enterado, que todo fue fríamente calculado con mi sobrino Alejandro, director de *Semana*, para negociar una carátula… La verdad es que lo que al presidente no le gustó fue el reclamo del resto de los periodistas, y tenía toda la razón. Yo le había dicho a *Semana* que esa entrevista tendría que guardarse hasta el domingo cuando circulaba la revista (no la podían colgar en internet) porque yo haría una rueda de prensa el día siguiente sábado para que todo el mundo tuviera la noticia. Sin embargo, esa mañana, temprano, *Caracol Radio*, que tiene buenos contactos en *Semana* —y seguramente alguien les filtró la historia—, lanzó la primicia. Ya con semejante bomba periodística circulando en otros medios, me llamó Alejandro Santos y no tuve más remedio que autorizarlo para colgar la noticia en su página web.

El mismo sábado 24 de mayo, el almirante David René Moreno, jefe del Estado Mayor Conjunto de las Fuerzas Militares, por instrucciones mías, leyó un comunicado oficial dando cuenta de que, según fuentes de inteligencia militar, Marulanda había muerto el 26 de marzo a las 6:30 de la tarde. En el comunicado agregó lo siguiente:

"Sabemos que entre las FARC la versión que se maneja es que murió por causas naturales, específicamente por un paro cardiaco, y que designaron como su sucesor a Alfonso Cano. Conocimos, además, que, siguiendo su tradicional política de desinformación, las FARC no han informado de este hecho a todos sus integrantes. Esperamos que, como es costumbre, las FARC no nieguen la verdad, en este caso la muerte de 'Tirofijo'. Si van a decir que la información que tenemos no es cierta, que lo demuestren. Así la muerte de Marulanda haya sido en un bombardeo o por causas naturales, éste sería el más duro golpe que ha sufrido este grupo terrorista, por cuanto 'Tirofijo' era quien mantenía cohesionada esa agrupación delictiva".

Al día siguiente, el domingo 25 de mayo, cuando la revista *Semana*, con la primicia, ya estaba en todos los expendios, concedí una rueda de prensa en la que aclaré más detalles sobre los datos que teníamos, y manifesté que no había tenido nunca la intención de privilegiar un medio o discriminar otro, al dar las declaraciones que sorprendieron a Colombia y al mundo. Traté de explicar lo que sucedió pero no era fácil que los periodistas entendieran razones cuando los había "chiviado" con semejante noticia. La verdad es que pagué un costo alto con mis antiguos colegas.

Ese domingo, las FARC, otra vez frustradas por la inteligencia militar en sus intentos de desinformación —como ya había ocurrido con la interceptación de las pruebas de supervivencia y el caso de Emmanuel— dieron a conocer un video en el que Timochenko, con uniforme nuevo de camuflado venezolano, leía, desde un paraje campestre, localizado 22 kilómetros al interior del vecino país, según pudimos establecer con nuestra inteligencia técnica, un comunicado anunciando, oficialmente, la muerte de su máximo líder y la designación de Cano en su reemplazo:

"Con inmenso pesar informamos que nuestro comandante en jefe, 'Manuel Marulanda Vélez', murió el pasado 26 de marzo como consecuencia de un infarto cardiaco en brazos de su compañera y rodeado de su guardia personal (…), luego de una breve enfermedad".

Un cadáver que cobra vidas

El cuerpo de Manuel Marulanda nunca apareció, pero luego se vino a saber, por declaraciones de desmovilizados y por una investigación periodística liderada por Jineth Bedoya, de *El Tiempo*,[8] que, aún muerto, el viejo guerrillero siguió cobrando vidas para preservar el secreto de su tumba.

---

8.   "Un año después la búsqueda de 'Marulanda' no termina". *El Tiempo*, 22 de marzo de 2009.

Según estas referencias, alias *Sandra*, que fue la compañera fiel de Marulanda durante sus últimos años, ordenó el fusilamiento de los hombres que lo enterraron la mañana del 29 de marzo de 2008, tres días después de su fallecimiento. En total parece que fueron cuatro hombres los ajusticiados, de los más cercanos al extinto cabecilla, únicamente por el pecado de conocer el lugar donde reposan sus restos mortales. Difícil imaginar mayor grado de crueldad y de indiferencia por el valor de la vida humana. Una conducta que demuestra la degradación que han alcanzado los integrantes de las FARC.

LA OPERACIÓN FÉNIX

*No se puede confundir la ofensa a la humanidad,
que es la acción terrorista, con la defensa de la humanidad,
que es la acción contra el terrorismo.*

ÁLVARO URIBE VÉLEZ
Presidente de Colombia

CAPÍTULO XXIII
La guerra se gana en el aire

No cabe duda de que el Plan Colombia representó un giro fundamental y positivo en la lucha contra el narcotráfico y el terrorismo, entre otras razones por el mejoramiento e incremento de la flota aérea de las Fuerzas Militares y la Policía. El poder aéreo de las Fuerzas Armadas se ha convertido en la peor pesadilla de la guerrilla, que ya no puede confiar, como ocurría en los últimos años del siglo XX, en que atacaba una población y las tropas del Ejército se demoraban varias horas, algunas veces días, en llegar, por las dificultades del terreno y las minas antipersona que sembraban. Ahora, con la importante flota de helicópteros y aviones de combate y de transporte, con las más modernas características, el Ejército les llega en cuestión de minutos.

Hemos comprendido que la guerra se gana en el aire, porque el poder aéreo es el más contundente y preciso que se puede utilizar contra los campamentos guerrilleros, basado, por supuesto, en una información completa de inteligencia, que a menudo demora años en recopilarse y confirmarse, y en el soporte de las fuerzas de tierra y de los batallones fluviales.

En el gobierno de Andrés Pastrana, en desarrollo del Plan Colombia, con apoyo de los Estados Unidos, y también con recursos del presupuesto nacional —que conseguimos, siendo yo ministro de Hacienda, con no pocas dificultades por los graves problemas fiscales de ese momento, junto con el entonces ministro de Defensa, Luis Fernando Ramírez, y los generales Tapias y Mora—, se comenzó el proceso de fortalecimiento de las Fuerzas Armadas y, de manera particular, se potenció su capacidad aérea, al pasar de 4 a 16 helicópteros artillados de combate y al incrementar en un centenar el número de helicópteros de transporte. Sin embargo, en un comienzo, las aeronaves que provenían de recursos del Plan Colombia, por restricciones del gobierno estadounidense, no podían ser utilizadas para operaciones antiguerrilla sino únicamente contra el narcotráfico. Se llegaba al absurdo de que la guerrilla se tomaba poblaciones a escasa media hora de vuelo de la base de Larandia, en el Caquetá, donde estaban parqueados los helicópteros destinados a la misión antinarcóticos, y no se podía enviar ayuda en los mismos.

Después de una fuerte tarea de *lobby* del gobierno colombiano ante el Congreso de Estados Unidos, finalmente se logró el llamado "cambio de autorizaciones" para que el equipo militar donado se pudiera utilizar tanto en operaciones contra el narcotráfico como antiterroristas. Esta autorización se hizo efectiva en julio de 2002, un mes antes de la posesión del presidente Uribe.

Así resalta el ex presidente Pastrana este avance en su libro *La palabra bajo fuego*:

"Como lo resumió entonces el general Charles Wilhelm, comandante en jefe del Comando Sur de Estados Unidos, con el logro de haber obtenido esta decisión se multiplicó por diez la capacidad ofensiva del Ejército. Gracias a esto, el presidente Uribe ha sido, hasta la fecha, el único en la historia del país que ha recibido un ejército modernizado y fortalecido, con una real capacidad de movilización y transporte para enfrentar a los violentos".

Ya en el gobierno Uribe, y con esta autorización a nuestro favor, la guerra desde el aire contra las FARC y otras organizaciones armadas ilegales ha marcado una diferencia crucial en los resultados obtenidos. Si repasamos algunas de las operaciones más exitosas de los últimos años contra este grupo —como aquellas en que cayeron el Negro Acacio, Martín Caballero, Raúl Reyes, Dago, Jurga Jurga, Camilo Tabaco, entre muchos otros—, vemos que hay un común denominador: primero la ubicación del blanco por información de inteligencia; segundo, el bombardeo preciso y eficaz por los aviones de la Fuerza Aérea, y tercero, la consolidación del terreno por parte de las tropas de tierra. Con esa sencilla fórmula, se cambió la ecuación de la guerra.

La más grande flota

En los últimos años, el incremento de nuestra capacidad de transporte y ataque aéreo, logrado en buena parte con los recursos extraordinarios que se aprobaron para las Fuerzas Armadas por 8,25 billones de pesos, provenientes del impuesto al patrimonio, ha sido espectacular.

La aviación del Ejército completó 50 helicópteros Black Hawk, 23 MI-17 (como los de la Operación Jaque), 30 Huey II y 11 UH-1N, para un total de 114 helicópteros modernos y bien equipados para soportar la operación de los soldados en el terreno. Si sumamos la flota de Black Hawks del Ejército con los de la Fuerza Aérea —que son artillados para el combate, también conocidos como "Arpías"— y los de la Policía, se llega al gran total de 83 en poder de las Fuerzas Armadas colombianas, lo que hace que Colombia sea —después de Estados Unidos— el país con la mayor flota de Black Hawks del hemisferio, y el tercero o cuarto en el mundo.

En cuanto a la modernización de los equipos de la Fuerza Aérea, en los últimos tres años se adquirieron 25 aviones Super Tucano, 12 helicópteros Huey II de ataque, y 4 aviones Casa C-295 de transporte. Cuando dejé el Ministerio de Defensa, en mayo de 2009, quedaron contratados y pendientes de recibirse cuatro aviones Beechcraft 350 Super King Air, dos para transporte, y dos como plataforma de inteligencia; cinco Cessna 208 Caravan que servirán como plataformas de inteligencia, y 25 aviones de entrenamiento básico. Además, quedaron comprados 13 aviones K-fir de última generación, que ya han comenzado a llegar, y contratada la actualización y extensión de la vida útil de otros 11 que estaban en nuestro poder, para completar una moderna flota de 24 aviones K-fir de combate.

Un aspecto fundamental en todo este proceso de fortalecimiento de nuestras capacidades aéreas ha sido la implementación de la operatividad nocturna, que hoy permite a nuestras aeronaves buscar sus blancos y atacarlos en medio de la noche, con total efectividad. En los años noventa no existía este recurso y era necesario utilizar bengalas, lo que, obviamente, advertía a la guerrilla sobre la posición de nuestras fuerzas. Hoy por hoy, con los visores nocturnos, dejó de ser necesaria la iluminación, y se pueden realizar operaciones sin restricciones las 24 horas del día. Los visores se implementaron en los helicópteros para desembarcos nocturnos y operaciones para evacuar heridos, y también en los aviones de ataque. Incluso, se ha llegado a la posibilidad de hacer reabastecimiento de combustible en vuelo en plena noche. Todos los expertos señalan a la Fuerza Aérea colombiana como la mejor de América Latina, y así lo ha demostrado.

Con todas estas adquisiciones y adelantos, con el inmenso profesionalismo y talento de los pilotos colombianos, con el ingenio de los técnicos nacionales que se las han arreglado para artillar aviones y helicópteros, hemos logrado llevar a cabo operaciones que antes hubieran sido inimaginables. La más sobresaliente de todas, por su precisión y por la importancia estratégica del blanco que se dio de baja, ha sido, sin duda, la Operación Fénix.

CAPÍTULO XXIV

Primera baja del Secretariado

La figura menuda, con barba canosa y gafas, que semejaba más a un oficinista que a un guerrillero, con uniforme camuflado y un fusil al hombro, demasiado grande en comparación con su portador, de Luis Édgar Devia, alias *Raúl Reyes*, se hizo popular durante los tres años del proceso de paz, pues este hombre, perteneciente al Secretariado de las FARC, fue el principal vocero y negociador de la guerrilla durante ese tiempo, encargado de leer la mayor parte de sus comunicados y de dar declaraciones ante los medios de comunicación.

Entonces se hizo patente su importancia dentro de la organización terrorista. Era, a todas luces, una persona muy cercana a Marulanda, con alta incidencias en sus decisiones, que, desde entonces, se perfiló como el segundo hombre de las FARC, después de su fundador, incluso por encima de Jojoy y de Cano.

Reyes, natural de La Plata (Huila), había pertenecido a las juventudes comunistas, fue líder sindicalista en el Caquetá, concejal por el Partido Comunista, y, como militante de dicho partido, pasó algún tiempo en los países de Europa del Este, en tiempos de la "cortina de hierro". Se vinculó a las filas de las FARC desde finales de los setenta; se casó con la hija de Tirofijo, Olga Marín, y pronto se fue granjeando la confianza de sus dirigentes, que lo encargaron de los contactos internacionales, junto con su esposa y Marcos Calarcá. Fue uno de los guerrilleros que, durante el proceso de paz, viajó con la delegación del gobierno a diversos países de Europa, y se convirtió, de hecho, en el principal promotor de la causa de las FARC en el exterior. Siempre pensé que el apelativo de "canciller de las FARC" que se atribuyó a alias *Rodrigo Randa*, le iba mucho mejor a Reyes, que supo llegar con su estilo astuto y su retórica marxista a diversos personajes de la escena internacional.

Yo me entrevisté con él en dos ocasiones. La primera en Costa Rica (también estaba Olga Marín), bajo los auspicios del gobierno tico, buscando que las FARC se acogieran a un plan de paz que habíamos diseñado con un grupo de personalidades, entre las cuales se encontraban el ex presidente del gobierno español Felipe González, el Nobel Gabriel García Márquez, el ex presidente Betancur, el ex presidente López, monseñor Rubiano, el entonces dirigente sindicalista y luego ministro de Trabajo Angelino Garzón, y el empresario Nicanor Restrepo, para sólo mencionar algunos. También me reuní para los mismos efectos con Carlos Castaño, en ese momento jefe indiscutible de los paramilitares. Ese plan de paz fue el que el presidente Samper torpemente denunció como una conspiración para tumbarlo.

La segunda vez fue en una finca en San Vicente del Caguán cuando el presidente Pastrana me pidió que hiciera parte de una pretendida comisión de verificación (Juan Gabriel Uribe, Álvaro Leyva y el senador Gustavo Carvajal, del PRI mexicano, eran los otros miembros) para supervisar las reglas de juego del despeje, comisión que duró muy poco por la desorganización con que se inició el proceso y por los celos de algunos funcionarios.

Sobre Reyes había incontables órdenes de captura por terrorismo, secuestro, rebelión y muchos otros delitos, y estaba solicitado por la justicia de Estados Unidos por cargos de narcotráfico. Ese era el perfil de este hombre de casi sesenta años de edad que, como es natural, encabezaba, junto con Marulanda y Jojoy, los blancos estratégicos de alto valor.

Un objetivo escurridizo

Después de la terminación del proceso de paz, en febrero de 2002, Reyes quedó a cargo de la coordinación de las actividades del Bloque Sur de las FARC, con jurisdicción en Putumayo, Caquetá y Huila, y también de su Comisión Internacional. Las informaciones de inteligencia nos daban continuas noticias de que cruzaba constantemente la frontera con el Ecuador, donde se refugiaba en diversos campamentos que la guerrilla mantenía en dicho país.

En muchas ocasiones, durante los últimos años, el gobierno colombiano hizo saber al gobierno ecuatoriano o a sus autoridades militares o de policía sobre la presencia de campamentos de las FARC en su frontera norte. Infortunadamente, o no los encontraban o, cuando las tropas ecuatorianas llegaban a ellos, ya estaban abandonados.

Según afirma el coronel (r.) Mario Pazmiño, quien fue jefe de inteligencia del Ejército ecuatoriano hasta marzo de 2008, cuando fue destituido por el presidente Correa[9], "tuvimos conocimiento de campamentos desactivados de las FARC y estos fueron reportados. Entre 2000 y 2008 fueron cerca de 130 o 140 campamentos destruidos". Y luego agrega: "Los anillos de seguridad que tienen las FARC en territorio ecuatoriano permiten la detección inmediata de cualquier operación hacia los campamentos. El sonido de una motosierra puede alertar sobre la presencia militar, tendidos de ropa de colores sobre los ríos, determinada música con alto volumen. Cosas así permiten desactivar un campamento inmediatamente". Pazmiño, en su larga experiencia

---

9.   "Al presidente Correa lo siguen engañando". Revista *Semana*, 13 de julio de 2009.

militar, no recuerda que haya habido alguna vez fuego cruzado entre el ejército ecuatoriano y la guerrilla.

Lo cierto es que la efectividad de las tropas ecuatorianas en la persecución de los campamentos de las FARC en su territorio no era buena. Si llegaban a ellos, ya estaban desmantelados. Entre tanto, soldados y policías colombianos, que cumplían actividades contra el narcotráfico, se veían constantemente hostigados por guerrilleros que disparaban desde territorio ecuatoriano, al otro lado del río que sirve de límite natural entre las dos naciones, sintiéndose a salvo al resguardarse en la soberanía del país vecino.

Luego vendríamos a saber, con estupor e indignación, que altos funcionarios del gobierno del presidente Correa, como el entonces ministro coordinador de Seguridad Interna y Externa, Gustavo Larrea; el ex subsecretario del Ministerio de Gobierno, Ignacio Chauvín; el general (r.) René Vargas, actual embajador del Ecuador en Venezuela, y el coronel (r.) Jorge Brito, se reunían en la clandestinidad con Raúl Reyes, en términos cordiales, sin el conocimiento ni mucho menos el consentimiento del gobierno colombiano.

A pesar de la dificultad que suponía que Reyes se escondiera con tanta frecuencia en territorio extranjero, nunca perdimos la esperanza de capturarlo o darlo de baja en cualquier momento en que pasara a suelo colombiano. La Policía era la que tenía el trabajo de inteligencia más adelantado sobre Reyes, así que se determinó que esta institución lideraría su búsqueda hasta el momento en que estuviera completamente ubicado, cuando la operación pasaría a ser responsabilidad de la Jefatura de Operaciones Especiales Conjuntas.

Varios integrantes de la inteligencia policial se infiltraron en poblaciones donde Reyes o su frente, el 48, tenían algún tipo de presencia o contactos de abastecimiento, como Puerto Asís, Teteyé y San Miguel, en el departamento del Putumayo, cerca a la frontera ecuatoriana. Fue un paciente trabajo de meses que los llevó, finalmente —con los datos proporcionados por un informante con acceso privilegiado al campamento, con inteligencia aérea e inteligencia técnica, y con alta tecnología para interceptar comunicaciones y señales electrónicas—, a recaudar información muy precisa sobre los movimientos y ubicación del cabecilla guerrillero.

Reyes no era un blanco fácil. Entre el 2007 y febrero de 2008 se lanzaron por lo menos cuatro operaciones para capturarlo, que se frustraban cuando se internaba en territorio vecino o por otros motivos. Recuerdo una, muy dolorosa, en noviembre de 2007, cuando comandos especiales de la Policía y el Ejército se instalaron en puestos de tiro en los árboles de una zona donde iba a llegar Reyes, con la mala suerte de que una escuadra de guerrilleros se perdió y vino a dar justo debajo de un árbol donde se ocultaba uno de los francotiradores de la Policía. Finalmente hubo enfrentamiento, dos policías resultaron heridos y Reyes, alertado, escapó al cerco que se le había tendido.

Hacia fines de febrero de 2008, la inteligencia de la Policía, que por tanto tiempo había estado detrás del cabecilla, obtuvo una información que resultó determinante: Reyes estaba en su campamento de base en el Ecuador, a 1.800 metros de la frontera con Colombia, pero se esperaba que en la noche del viernes 29 de febrero (ese año era bisiesto), cruzara el río para encontrarse con un contacto suyo del narcotráfico, a unos 300 metros adentro del territorio nacional.

Una vez recibida la información policial, la ejecución de la operación quedó —como ocurre con este tipo de objetivos de alto valor— en manos de la Jefatura de Operaciones Especiales Conjuntas, que dispuso la utilización inmediata de los recursos que se juzgaron necesarios: equipos aéreos de ataque, helicópteros de transporte y fuerzas de tierra, tanto policías jungla, especializados en la lucha antinarcóticos en la selva, como comandos especiales del Ejército. Yo estaba al tanto de la operación desde hacía algunos días, y así mismo lo estaba el presidente Uribe, quien viajaba esa noche a Antioquia.

De casualidad, ese día 29 se había agendado una visita de la Comisión de Ética y Transparencia que acompañó todo el proceso de contratación y adquisición de equipos con los recursos extraordinarios, conformada por empresarios y dirigentes gremiales, a la base de Tres Esquinas, en Caquetá, desde donde saldrían los aviones Super Tucano que ejecutarían el ataque sobre Reyes. Allí les mostramos a los miembros de la comisión (Luis Carlos Sarmiento, José Alejandro Cortés, Gustavo Adolfo Carvajal, Luis Carlos Villegas, Carlos Angulo, Juan Luis Mejía, el procurador Edgardo Maya y el contralor Julio César Turbay) las modernas y potentes aeronaves sin que tuvieran ni idea de que esos mismos aviones iban a ser los que en pocas horas habrían de producir la muerte, por primera vez en la historia de la confrontación con la guerrilla de las FARC, de uno de los siete miembros de su Secretariado.

Aproveché mi estancia en Tres Esquinas para revisar los últimos detalles de la operación planeada, y quedé muy satisfecho con el informe que me rindieron los generales, y al tiempo expectante: todo indicaba que a Raúl Reyes, el hombre que era capaz de defender el secuestro y las minas antipersona con una cínica sonrisa, le había llegado su hora. A Luis Carlos Villegas, presidente de la Asociación Nacional de Industriales, le dije: "Rece bastante que de pronto mañana le damos una gran noticia".

"¡Viva Colombia, viva Colombia!"

Hacia las diez de la noche, cuando los aviones que salían de las bases más lejanas ya venían en camino, en la central de inteligencia de la JOEC se recibió una llamada que cambió todos los planes:

—El hombre no fue, no cruzó la frontera. Pero tenemos absoluta certeza de que está en su campamento.

Se tomó, entonces, una decisión que, más que personal, fue una decisión de Estado. Teníamos, después de muchos años de buscarlo sin fortuna, la ubicación precisa y confirmada de Raúl Reyes, de un cabecilla criminal que había orquestado los peores atentados contra los colombianos y que ahora se dedicaba a crear vínculos internacionales para expandir el terror, y no quedaba otro camino que continuar la operación.

Dada la autorización, los pilotos de las aeronaves sólo tuvieron que hacer un leve movimiento en sus controles para cambiar las coordenadas de su blanco y, a las 12:02 de la madrugada del sábado 1.º de marzo de 2008, dispararon sus bombas de precisión, sin necesidad de cruzar la frontera, desde el espacio aéreo colombiano, sobre el punto exacto donde quedaba no sólo el campamento sino el catre mismo de Raúl Reyes, en un lugar donde sabíamos que no había población civil sino únicamente guerrilleros[10]. Ningún avión de ala fija cruzó o sobrevoló territorio ecuatoriano.

El bombardeo —igual que en los casos del Negro Acacio y de Martín Caballero— fue absolutamente preciso, e impactó el campamento terrorista ubicado en la zona selvática de Angostura, en la provincia ecuatoriana de Sucumbíos, a 1.800 metros de la frontera colombiana. Ahora era necesario enviar las tropas especiales del Ejército para que consolidaran el lugar, pues quedaban varios guerrilleros vivos que seguramente intentarían ocultar el cadáver de Reyes, y enviamos también a hombres de la Policía —los mismos que habían estado listos para ejecutar la operación antinarcóticos— para que cumplieran las funciones de policía judicial y garantizaran la cadena de custodia de cualquier bien incautado, y todos los procedimientos de ley.

El primer helicóptero en llegar fue el de las fuerzas del Ejército, el cual, en medio de la confusión de un terreno selvático desconocido, aterrizó en un claro y dejó a los soldados al mando de un capitán, sin percatarse de que habían quedado a casi un

10.   Al informante que proporcionó la ubicación exacta de Reyes se le dio una recompensa de 5.000 millones de pesos, la máxima establecida por la captura o baja de un miembro del Secretariado de las FARC.

kilómetro del campamento de Reyes[11]. En medio de la densa oscuridad de la noche, a pesar de los visores nocturnos, en ese suelo fangoso y difícil, cruzado por incontables arroyos, y con la certidumbre de que podrían encontrar guerrilleros sobrevivientes en cualquier momento, los militares avanzaron penosamente, tanto que demoraron en llegar al campamento casi cuatro horas. Cuando faltaban sólo 100 metros para llegar, el capitán y su grupo escucharon el grito de un guerrillero:

— ¡Ey, ey!, ¿quiénes son?

Se quedaron quietos, expectantes, y pronto oyeron los gritos de otros guerrilleros que se llamaban unos a otros y se daban instrucciones. El capitán pidió el apoyo de un helicóptero. Entonces los guerrilleros, que estaban en una zona alta, comenzaron a disparar y los soldados respondieron al fuego. El capitán envió a unos soldados como avanzada para que averiguaran qué pasaba. Cuando llegaron al alto, los guerrilleros ya no estaban, pero los soldados hicieron un hallazgo inesperado:

—Capitán, aquí hay dos muertos.

Esos cadáveres eran nada menos que los de Raúl Reyes y su compañera. Los guerrilleros que habían cruzado disparos con ellos los habían arrastrado unos 40 metros y se disponían a esconderlos. Si el capitán y sus hombres hubieran demorado una hora más en su difícil travesía, es posible que los hombres de Reyes hubieran logrado su cometido, y la historia, sin su cadáver, hubiera sido muy distinta.

Para alivio de todos, el capitán, una vez comprobó que Reyes había caído, envió un mensaje por radio a su oficial superior:

— ¡Viva Colombia, viva Colombia!

El santo y seña, que era la señal de éxito de la operación, pronto llegó a los encargados de la operación en la JOEC, al general

---

11.   Esta parte del relato se basa en la historia del capitán que comandó el primer grupo encargado de llegar al campamento, tal como se narra en el artículo "El héroe de la operación contra Raúl Reyes", de la periodista Marisol Gómez Giraldo, publicado en *El Tiempo* el 18 de diciembre de 2008.

Padilla, a mí y al presidente Uribe, a quien llamé a las 3:10 de la mañana para comunicarle la noticia. Era un momento histórico. Se había roto el mito de la invulnerabilidad de los miembros del Secretariado de las FARC. Con nuestra inteligencia, nuestros equipos y nuestras armas, ¡sí podíamos llegarles!

Eso sí, en medio de la excitación que producía esa noticia, el Presidente, como siempre austero en sus reacciones, no perdió de vista que estábamos apenas ante un eslabón de la cadena, y nos fijó de una vez una nueva meta:

— ¿Y el Mono Jojoy? —me preguntó—. ¿Cuándo va a caer?

CAPÍTULO XXV
Después del bombardeo

Cuando los soldados de las fuerzas especiales del Ejército arribaron finalmente al campamento, encontraron unos quince cadáveres más de guerrilleros y tres mujeres heridas a las que se brindó asistencia humanitaria: dos guerrilleras colombianas y una joven mexicana, de nombre Lucía Andrea Morett. Esta simpatizante, cómplice o integrante de las FARC, según se supo después, había viajado al Ecuador al congreso de la Coordinadora Continental Bolivariana (CCB) que tuvo lugar unos días antes en Quito. La llamada "coordinadora" es una organización creada por organizaciones sociales y políticas de América Latina, con ideología de extrema izquierda, que apoya, sin reparos ni ocultamientos, a grupos narcoterroristas como las FARC, bajo el pretexto de que comparten sus ideales revolucionarios. En su presidencia colectiva aparecían, entre otros, Manuel Marulanda y Alfonso Cano; tal es su grado de implicación con la guerrilla colombiana. Las razones por las cuales Lucía Morett se encontraba en el campamento de Reyes no son todavía claras, pero lo cierto es que cada vez se hace

más patente que no era una inocente estudiante haciendo su tarea en un campamento terrorista; todo indica que se trataba de una aliada clave de la guerrilla, que estaba allá para recibir adoctrinamiento y coordinar con Reyes el trabajo de infiltración de las FARC en las universidades mexicanas, con el fin de ganar apoyos e incrementar la guerra política contra el Estado colombiano. Morett, quien luego fue recogida, junto con las dos colombianas, por autoridades ecuatorianas y enviada a Nicaragua, donde el presidente Daniel Ortega la colmó de homenajes y elogios, se lanzó recientemente para el cargo de diputada en su país natal, pero no alcanzó el escaño. Entre tanto, enfrenta un tardío pedido de extradición de las autoridades judiciales ecuatorianas por atentar contra la seguridad interna del Estado.

Una de las dos guerrilleras colombianas encontradas en el campamento salvó su vida porque la habían dejado durante la noche amarrada a un árbol, a cierta distancia del mismo, como castigo por alguna falta disciplinaria, otra muestra del régimen de terror que ejercen las FARC, incluso sobre sus propios integrantes.

Entre los muertos, los soldados reconocieron a un hombre cuyas características físicas —estatura, bigote, facciones y edad— coincidían casi perfectamente con las de alias *Julián Conrado*, un guerrillero muy cercano a Reyes, que había hecho parte del Comité Temático en las audiencias del proceso de paz y que era conocido como "el cantante de las FARC" por sus composiciones revolucionarias que se habían vuelto un símbolo de identidad fariano.

Cuando llegaron los policías jungla en un helicóptero hacia las cinco y treinta de la mañana, con la primera luz del día, para cumplir con sus funciones de policía judicial, se determinó llevar de regreso a Colombia únicamente los cadáveres de Raúl Reyes y del supuesto Julián Conrado, por su importancia estratégica, y dejar los demás en su lugar, junto con las tres mujeres heridas, debidamente atendidas, siguiendo todos los protocolos humanitarios, hasta que hicieran presencia las autoridades ecuatorianas. Un soldado colombiano murió durante la operación, víctima de un árbol que había quedado en mal estado y cayó sobre su cabeza, y se evacuó también, junto a otro par de uniformados heridos. No fue fácil la salida del helicóptero pues se presentaban todavía disparos, e incluso tiros de mortero, de los guerrilleros que estaban alrededor del campamento y no se resignaban a la pérdida del cuerpo de su cabecilla.

Pocos días después comprobamos que el supuesto Conrado no era el "cantante de las FARC" sino un ciudadano ecuatoriano de nombre Franklin Aisalla, que trabajaba en Quito bajo la fachada de ser un cerrajero, pero que servía, en realidad, de hombre de confianza y enlace de la guerrilla para sus actividades en dicho país. Aisalla era novio de Nubia Calderón, alias *Esperanza*, integrante de la comisión internacional de las FARC, y venía siendo seguido desde hacía un buen tiempo por la inteligencia ecuatoriana. De acuerdo con el coronel Mario Pazmiño, ex jefe de la inteligencia del Ejército ecuatoriano, en la entrevista antes citada, "Nubia Calderón era la representante de las FARC en Suramérica y tenía su base de operaciones en Ecuador. Ella era monitoreada por la Policía, lo mismo el señor Aisalla, quien entra en el juego por una relación sentimental con la señora Calderón. Sé que había una operación de la Policía en curso, pero no sé por qué no se produjo la captura". Pero Pazmiño va más allá en sus revelaciones. Según él, "(Nubia Calderón) es la cuarta sobreviviente del ataque colombiano al campamento de las FARC en Angostura. Hay reportes de que esta persona salió herida. Hay rumores de que estuvo en una embajada y que salió protegida por organismos de derechos humanos. La señora aparece ya en Nicaragua".

Dos días en la selva

Ahora quedaba lo más difícil: contarles a las autoridades ecuatorianas sobre el bombardeo que se había realizado en su territorio para neutralizar un campamento terrorista, en desarrollo de una operación que también tenía la característica de ser una operación antinarcóticos. La Policía colombiana se comunicó con su similar ecuatoriana y le dio aviso sobre la operación, explicándole que había muertos y heridos en el campamento y que los policías colombianos se quedarían custodiándolo hasta que llegaran los ecuatorianos. Al mismo tiempo, temprano en la mañana, el presidente Uribe llamó al presidente Correa y le informó sobre la incursión, explicándole que el objetivo estaba previsto inicialmente en territorio colombiano pero que, en el curso de la operación, se había tenido que golpear a los guerrilleros en suelo ecuatoriano, sin ninguna víctima civil de ese país. Correa, en un principio, tomó con calma la información suministrada por el presidente Uribe y pidió verificarla a sus militares y policías. Horas más tarde, después de consultar con el presidente Chávez, se produjo un estallido de cólera e indignación, con consecuencias funestas para nuestras relaciones diplomáticas que aún hoy, cuando escribo este texto, se encuentran interrumpidas.

Correa dice que el presidente Uribe le mintió. Eso no es cierto. El presidente lo informó sobre el ataque con la versión de los hechos tal y como sucedieron. Lo hizo cuando Correa estaba en un programa de radio, y su reacción fue bastante comprensiva y moderada. Así quedó grabada. Al fin y al cabo el ataque había sido a un campamento de terroristas colombianos que estaba violando la soberanía ecuatoriana. El presidente nos ordenó que no anunciáramos nada hasta que él hablara con Correa, como en efecto sucedió. Lo curioso es que la actitud inicial de comprensión del mandatario ecuatoriano se fue transformando a medida que hablaba con Chávez, y por la noche expidió un comunicado con el que nos dejó a todos boquiabiertos por su agresividad, agresividad que ha mantenido todo este tiempo con muy buenos dividendos políticos.

La zona de Angostura donde estaba el campamento de Reyes no es de fácil acceso ni mucho menos. Fue así como las tropas ecuatorianas demoraron mucho en llegar y, hacia las cinco de la tarde del sábado 1.º de marzo estaban todavía a unos 1.700 metros del lugar. Los policías colombianos seguían custodiando el área del ataque. En ese momento se llegó a un acuerdo entre el general Padilla y su homólogo ecuatoriano para que los respectivos contingentes se quedaran en su puesto esa noche, y al día siguiente, en la mañana, se hiciera la entrega oficial del campamento, los muertos y las heridas.

Pero las cosas no eran tan sencillas. Oportuna información de inteligencia nos hizo saber que la orden que tenían los uniformados ecuatorianos no era la de hacer un relevo de los colombianos sino la de capturarlos como a tropas invasoras. Ante este alarmante dato, el general Óscar Naranjo, director de la Policía Nacional, dio instrucciones perentorias a sus hombres para que dejaran el campamento y se desplazaran caminando hasta el río fronterizo, donde unas lanchas los recogerían. Eran tan sólo 1.800 metros pero la dificultad de caminar de noche, lo desconocido y agreste del terreno, el temor de emboscadas de guerrilleros sobrevivientes, hizo que los esforzados policías demoraran toda la noche en recorrer ese trayecto. Llegaron al río, extenuados y heridos por la maleza y los obstáculos del camino, a las seis de la mañana del domingo 2 de marzo, culminando una operación que había iniciado para ellos dos días antes, el 29 de febrero. Como era de temerse, los ecuatorianos tampoco se habían quedado quietos y llegaron antes de lo previsto al campamento; encontraron únicamente sus escombros, los cadáveres de los guerrilleros abatidos —menos el de Reyes y el de Aisalla, que luego se repatrió al Ecuador— y las tres mujeres heridas.

CAPÍTULO XXVI

Los secretos del computador

El campamento donde estaba ubicado Raúl Reyes con su grupo no era un campamento transitorio o de paso, como inicialmente dijeron las autoridades ecuatorianas, comenzando por el presidente Correa, quien afirmó que era "un campamento ambulante, hecho con plásticos, sólo para pasar la noche". Era un campamento madre, de carácter permanente, con construcciones en madera y en cemento, caminos, lugares para reuniones y campos de entrenamiento, desde donde se orquestaban secuestros y atentados contra la población colombiana y se armaban complots internacionales para derrocar nuestro gobierno y nuestro sistema democrático. El mismo secretario de la Organización de Estados Americanos, el chileno José Miguel Insulza, cuando visitó el campamento bombardeado unos días después, en una misión de verificación, declaró que "éste no era un campamento que estuviera instalado recién, probablemente llevaba varios meses".

Pero el lugar ocultaba mucho más que al jefe guerrillero y su cuadrilla. Allí Reyes tenía tres computadores y varias memorias externas, que fueron rescatados y puestos en custodia por los policías, los cuales contenían un verdadero tesoro: nada menos que el registro de todas las actividades del cabecilla en los últimos años, sus comunicaciones con los demás miembros del Secretariado y jefes de frente, con personajes de la política nacional y del exterior, fotografías y videos que involucraban a muchas personas con su actividad criminal.

Ese fue el mayor éxito de la Operación Fénix, incluso por encima del hecho histórico de haber dado de baja, por primera vez, a un miembro del Secretariado. Es un arsenal de información estratégica del que se ha sacado enorme cantidad de datos para combatir a la guerrilla y sus nexos internos e internacionales, y que seguirá produciendo valiosos recursos de inteligencia por los próximos años.

Como dijo el mismo Marulanda en alguno de sus correos, advirtiendo del riesgo de que los aparatos cayeran en manos del Estado: "Si nos cogen los computadores nos conocen hasta los viajes a la luna". Y así ha sido. Casi tanto como los viajes a la luna.

Hay información sobre vínculos o alianzas criminales en por lo menos 17 países, y se ha compartido con cada uno de ellos, con varios resultados concretos. Tal es el caso de Costa Rica, donde se halló una caleta con cerca de medio millón de dólares gracias a datos precisos que había en el computador, o de España, donde la policía de dicho país capturó a Rosario García, alias *Irene*, encargada de recaudar fondos para las FARC en dicho país, también con base en correos del computador de Reyes. Estos documentos se han compartido por vía policial, entre las autoridades policiales de Colombia y el país implicado, o por vía de asistencia judicial, por contacto entre la Fiscalía General de la Nación y los organismos judiciales en la nación correspondiente.

Por supuesto, tan pronto se conocieron los primeros correos sobre la vinculación, realmente alarmante, del gobierno venezolano, ecuatoriano y nicaragüense con las FARC, hallados en el computador de Reyes, sus mandatarios le restaron credibilidad y manifestaron que no creían en su contenido, que debía haber sido manipulado por las fuerzas de seguridad colombianas. ¡Como si fuera posible producir semejante cantidad de archivos y documentos, con tanto detalle, de la noche a la mañana! Por fortuna, gracias a la iniciativa del general Óscar Naranjo, desde el primer momento se siguió la llamada cadena de custodia con los computadores y las memorias, y se invitó a la Interpol, la mayor y más respetada organización de policía internacional, con los más avanzados recursos tecnológicos, a que examinara los computadores y su contenido para que determinara si habían sido manipulados o no.

A los pocos días del bombardeo llegaron tres expertos del organismo internacional, uno australiano, otro español y otro de Singapur, y se llevaron los elementos necesarios para hacer su verificación. Después de más de 5.000 horas de trabajo, en las que intervinieron 64 funcionarios de 15 países distintos, el secretario general de la Interpol, Ronald K. Noble, vino a Bogotá el 15 de mayo a presentar su informe oficial y definitivo. De acuerdo con el mismo:

"Utilizando herramientas forenses sofisticadas los expertos determinaron que las ocho evidencias incautadas contenían más de 600 gigas de datos, 37.872 documentos escritos, 452 hojas de cálculos, 210.888 imágenes, 22.481 páginas web, 7.989 direcciones individuales de correo electrónico, 10.537 archivos de multimedia de sonido y video, 983 archivos encriptados (…) En términos no técnicos este volumen de datos correspondería a 39 millones y medio de páginas en Microsoft Word. Tomaría más de mil años leer todos los datos si una persona leyera 100 páginas por día".

Finalmente, Noble dio el esperado veredicto de la respetada organización internacional:

"El equipo de expertos forenses de Interpol no descubrió evidencia, repito, no descubrieron evidencia de modificación, alteración, adición o borrados de los archivos de usuario en alguno de los tres computadores portátiles, en alguna de las tres unidades de memoria USB y en los dos discos externos incautados durante una operación antinarcóticos, antiterrorista en un campamento de las FARC el 1.° de marzo del 2008".

Y continuó:

"Estamos actualmente completamente seguros de que las evidencias computacionales que encontraron nuestros expertos vinieron de un campamento terrorista de las FARC, así que les pertenecen a miembros de esa organización. El señor Reyes ya está muerto, pero efectivamente eran sus computadores, sus discos, su equipo físico, y él es el representante de las FARC, es responsable de su contenido".

Noble explicó la importancia de la validación de estos archivos como posible prueba en cualquier instancia judicial:

"Para poder probar cualquier cosa (...) hay tres cosas que se deben hacer. Se necesita encontrar evidencia, se necesita una prueba de que no ha sido modificada y se necesita probar que todo lo que está en la evidencia o lo que dice la evidencia es cierto. Las primeras dos partes de esa cadena de tres partes, ya están establecidas claramente, y nadie puede cuestionar nunca si Colombia manipuló esa evidencia".

La información dio tranquilidad a las autoridades y al pueblo colombiano, que veíamos en esos computadores una importante oportunidad para golpear no sólo estratégica, sino judicialmente, a la organización terrorista, pero causó alarma en los mandatarios extranjeros involucrados en los correos electrónicos hasta entonces revelados, que se apresuraron en desconocer el concepto de la reputada institución policial.

El presidente Hugo Chávez, en su habitual estilo, criticó el informe y lo trató de "circo" y "payasada". Incluso atacó al secretario general de la Interpol, calificándolo como un "policía gringo, agresivo y vagabundo".

— ¡Qué imparcial el señor 'innoble'! Comienza diciendo que las FARC son terroristas, dice que han asesinado, y felicita al DAS y a la policía de Colombia por lo que hicieron —agregó el mandatario venezolano, como si le pareciera escandaloso, no la conducta diaria y reiterada de las FARC contra el pueblo colombiano, sino que alguien las llamara terroristas y dijera que han asesinado.

Rafael Correa, en el Ecuador, se hizo eco de su aliado y descalificó el reporte de Interpol, restándole toda credibilidad jurídica.

No obstante, la comunidad internacional sabe bien de la seriedad de esta entidad, y la información de los computadores de Reyes tiene todavía mucha tela para cortar.

"Con Chávez hubo gran empatía"

¿Por qué Chávez y Correa estaban tan enojados con la Interpol? Porque los primeros correos que se fueron conociendo de los computadores del número dos de las FARC los comprometían o comprometían a sus gobiernos con este grupo más allá de cualquier intervención razonable, y no sólo a ellos, sino también a políticos colombianos, como la senadora Piedad Córdoba, cuya química con la guerrilla —por llamarlo de la manera más suave— quedó también en evidencia con los hallazgos informáticos. El tiempo pasa y la memoria flaquea. Por eso es bueno recordar por lo menos apartes de algunos de estos correos, sin que sea necesario hacer ningún comentario adicional. Las palabras hablan por sí solas, y los lectores juzgarán por sí mismos.

La revista *Semana* reveló, en su edición del 19 de mayo de 2008, un memorando firmado por Iván Márquez, del Secretariado de las FARC y cabecilla del Bloque Caribe —de quien se sabe que muchas veces se refugia en Venezuela— y Rodrigo Granda, el guerrillero encargado de asuntos internacionales por las FARC —que el presidente Uribe había liberado a petición del mandatario francés Nicolás Sarkozy—, con destino a Manuel Marulanda y los demás miembros del Secretariado, dando cuenta de una conversación sostenida con el presidente Hugo Chávez en el Palacio de Miraflores, cuando éste estaba facultado por el presidente Uribe para mediar en la liberación de los llamados secuestrados canjeables. El correo tiene fecha 12 de noviembre de 2007, e incluye las siguientes asombrosas revelaciones:

Camarada Manuel, camaradas Secretariado. Cordial saludo.

Resumo los resultados de las dos reuniones con el Presidente Chávez en Miraflores:

1- Aprobó totalmente y sin pestañear la solicitud (300)[12]. Designó a Rodríguez Chacín para lo pertinente el cual ya hizo unas propuestas interesantes. Este tema lo desarrollaré posteriormente.

2- (…) Necesita tener en manos las pruebas de supervivencia ya ordenadas por el camarada Manuel. Con ellas aspira abordar a Sarkozy. Está seguro que logrará que éste incida sobre Bush para que dé la orden a Uribe de permitir la reunión. (…) Chávez esta súper motivado. Dice que quiere la foto con Marulanda. Ya la tiene con Vo Guyen Giap, y a Fidel le va a proponer que vista de nuevo el uniforme para tomarla. Chávez y Piedad le dan a las pruebas de supervivencia una connotación casi estratégica: en primer lugar impactarán positivamente en el crucial referendo previsto para el 2 de diciembre en Venezuela. Nos necesitamos mutuamente. El encuentro en el Yarí les dará a Chávez y a las FARC una proyección continental y mundial. Y sobre todo a Chávez una proyección de líder continental.

(…) Piedad está que no cabe en sí. Está totalmente de acuerdo con la plataforma Bolivariana por la Nueva Colombia y con el Manifiesto. Mejor dicho, es la candidata de Chávez, y podría serlo de nosotros, si así lo decidimos.

3- De no lograrse la entrevista con el camarada Manuel, Chávez propone lo siguiente: a) Que hagamos una liberación unilateral, por ejemplo, de las mujeres (sin Íngrid) que creo son dos, la del Huila y Clara con su hijo. (…) Chávez dice que está dispuesto a recibir a todos los guerrilleros liberados, darles trabajo, tierra, estudio, salud, y que si se quieren volar, que se vuelen.

4- Chávez recibió positivamente nuestra petición de reconocimiento y hará *lobby* para que Ecuador, Bolivia, Nicaragua, Argentina lo hagan también, países que de hecho nos reconocen como actores políticos. Lo planteará igualmente a Sarkozy y a España, países que nos tienen en la lista de terroristas. Con Suiza no hay problema. Buscará que los No alineados se pronuncien en el mismo sentido. Logrado esto se abrirán puertas para la representación de FARC en todos estos países.

---

12.   Se entiende por la terminología usual de la guerrilla, y por otros correos relacionados, que se refieren a 300 millones de dólares.

5- (…) En la segunda reunión, a instancias de Chávez, en momentos diferentes nos reunimos en un almuerzo con Gabino y Antonio[13]; luego en el despacho del Presidente nos reunimos Chávez-Piedad-Iván. Como dije, ella está en los cálculos electorales para el 2010.

6- Luego de nuestra presentación a la prensa en las escalinatas del Palacio de Miraflores, hecho calificado de inusual gesto hacia un movimiento insurgente, nos reunimos al día siguiente con Piedad. Por las FARC estuvimos Ricardo, Santrich e Iván, y por ratos Lucía. En resumen Piedad está por lo que le digamos. Le manda un saludo muy especial al camarada Manuel, a Jorge y al resto del Secretariado. No quiere quedar por fuera de la cumbre del Yarí. (…)

7- A instancia de Chávez nos reunimos el sábado en nuestro búnker del Fuerte Tiuna con Gabino y Antonio en un ambiente distensionado y muy fraternal.

8- Ya de salida hacia acá hablamos un poco con el general Rangel Silva, jefe de la "Disip", gran amigo de Timo[14] a quien quiere visitar después del 2 de diciembre. Él participó en el almuerzo donde nos reunimos Chávez, elenos y FARC. Está encargado de la seguridad de los elenos.

9- Rodríguez Chacín es un duro de Chávez. Prácticamente maneja o coordina la seguridad del Estado. Para los efectos del primer punto Chávez lo designó a él. Ya sugirió un mecanismo para recibirles a los australianos en el Orinoco. Poco a poco hemos venido acercándolo a nuestra posición.

10- Las relaciones con el ejército están muy próximas a lo que plantea el Plan Estratégico. Tenemos amistad y buena empatía por lo menos con cinco generales. Es más, Chávez impartió delante de mí la instrucción de crear en la frontera sitios de descanso y atención de enfermos y designó una especie de Estado Mayor para estas relaciones. Ya nos están preguntando dónde sugerimos hacerlos. Chávez dio a entender que ayudarían sin importar que se diera una situación de confrontación. Dijo que si Uribe toca un delegado de FARC se ganará un enemigo de por vida.

---

13.   Principales jefes de la guerrilla del ELN, también con frecuencia ubicados en Venezuela.

14.   Alias *Timochenko*, miembro del Secretariado de las FARC que se oculta en Venezuela.

11- Piedad dice que Chávez tiene loco a Uribe. Éste no sabe qué hacer. (…)

12- Quedamos a la espera de las pruebas de supervivencia. Es urgente. Tengo a Ricardo "QAP" para que una vez las recibamos vaya a llevarlas personalmente a Caracas. Podemos recoger en Bogotá. La muchacha está lista. Con Chávez hubo gran empatía. Creo que logramos una mejor valoración de FARC. El es muy amigo de Fidel, pero tiene sus reservas frente a otros dirigentes. Le dije que apreciábamos mucho a Cuba, que era un gran ejemplo, que nuestra solidaridad era incondicional, pero que nuestro norte en este momento es Caracas. Imagínense. Quedó muy interesado en la Coordinadora. Preguntó quiénes estaban al frente. Entre los mencionados estaba el nombre de Manuel Marulanda. Chávez siente cerca el resurgimiento de la Gran Colombia.

Es todo por ahora, Atte., Iván (Márquez) y Ricardo (Rodrigo Granda).

El "emisario" del presidente Correa

Sobre el gobierno ecuatoriano —cuyo ministro de Seguridad, Gustavo Larrea, después reconoció haberse reunido clandestinamente con Raúl Reyes— y su actitud benévola frente a las FARC, las revelaciones no son menores.

En un correo electrónico fechado en enero de 2008, Raúl Reyes hace el siguiente recuento a sus colegas del Secretariado sobre una reunión con el citado ministro Larrea:

Camaradas del Secretariado. Fraterno saludo.

(…)

2-Atendimos visita del Ministro de Seguridad de Ecuador, Gustavo Larrea, en adelante Juan, quien a nombre del presidente Correa trajo saludos para el Camarada Manuel y el Secretariado. Expuso lo siguiente:

1. Interés del presidente de oficializar las relaciones con la dirección de las FARC por conducto de Juan.

2. Disposición de coordinar actividades sociales de ayuda a los pobladores de la línea fronteriza. Intercambio de información y control de la delincuencia paramilitar en su territorio.

3. Están dispuestos a cambiar mandos de la fuerza pública de comportamiento hostil con las comunidades y civiles de la zona para lo cual solicitan nuestro aporte con información.

4. Ratifican su decisión política de negarse a participar del conflicto interno de Colombia con apoyos al gobierno de Uribe. Para ellos las FARC son organización insurgente del pueblo con propuestas sociales y políticas que entienden.

5. Preguntan si políticamente nos interesa el reconocimiento de beligerancia. Comparten los planteamientos de Chávez en este tema.

6. Demandarán al Estado y Gobierno de Colombia ante la Corte Internacional por los dañinos efectos de las fumigaciones del Plan Colombia.

7. El próximo año cancelan la licencia gringa sobre la base Manta.

8. Se proponen incrementar sus relaciones comerciales y políticas con el Asia: China, Vietnam y Corea del Norte principalmente.

9. Su programa de gobierno se orienta a la creación de las bases socialistas, para lo cual dan especial importancia a la Asamblea Nacional Constituyente.

10. Ofrecen su ayuda en la lucha de las FARC por el intercambio humanitario y las salidas políticas. Tienen claro que Uribe representa los intereses de la Casa Blanca, las multinacionales y las oligarquías, lo consideran peligroso en la región.

11. Solicitan de nuestro jefe y del Secretariado un aporte que impulse su gestión a favor del canje, que puede ser entregarle al presidente Correa el hijo del profesor Moncayo o algo que permita dinamizar su labor política.

12. Darían documentación y protección a uno nuestro, para que adelante en su país trabajo de relaciones, que en su criterio debe ser discreta por riesgos de una captura o asesinato por parte de agentes de Uribe.

13. Dejamos establecidas formas de comunicación y la posibilidad de volvernos a ver en uno o dos meses para darle seguimiento a los temas y profundizar más sobre ellos. Hasta aquí la conversación con Juan.

Explicamos nuestra política de fronteras, el interés en las relaciones políticas con su gobierno, la importancia del reconocimiento de beligerancia, nuestro compromiso con el canje y las salidas políticas a la crisis colombiana.

Agradecimos sus ofertas y apoyo en la misión organizada por Chávez. Sobre su pedido se le dijo que corresponde al Secretariado responder posteriormente.

Abrazos, Raúl.

Un mes después, en febrero de 2008, el mismo Reyes vuelve a resumirles a sus colegas una conversación con el ministro Larrea:

> Camaradas del Secretariado. Cordial saludo.
>
> (…)
>
> 2- Resumo reciente conversación con emisario del presidente Correa:
>
> a) Solicita conversar personalmente con el Secretariado en Quito. Ofrece garantías y transporte desde la frontera hasta el lugar de encuentro.
>
> b) Espera nuestra respuesta en el menor tiempo posible, indicando fecha.
>
> c) Nos pregunta si queremos hacerlo apoyados en los militares o en su ministro de Seguridad Estatal.
>
> d) Desea hablar con las Farc del acuerdo humanitario, la política de fronteras, la solución política, Íngrid y el papel de Chávez. Desea establecer coordinaciones con nosotros sobre la frontera binacional.
>
> e) Quiere explicar los propósitos del Plan Ecuador, con el que pretende contrarrestar los dañinos efectos del Plan Colombia, que aplicará en la línea fronteriza.
>
> f) Para el Plan Ecuador nos piden cursos de organización de masas para nativos de la frontera. Los que luego serán encargados por el gobierno de coordinar con las farc el trabajo fronterizo. Con la ventaja de que una gente de esta es parte del Partido Clandestino o participan del Comité Binacional orientado por el Frente 48.
>
> g) Insiste en su interés de contribuir con el intercambio de prisioneros, para lo cual pide la liberación del hijo de Moncayo u otro prisionero.

3- En la parte de la invitación, la agradecimos y explicamos que decisiones de estas corresponden al Secretariado y se requiere cierto tiempo para su definición. Dejamos claro nuestro interés en contribuir en la labor de hermanarnos más en la frontera en coherencia con nuestra política explicada en la plataforma bolivariana, el manifiesto y demás documentos del Secretariado.

(…)

Es todo. Abrazos, Raúl.

Últimas revelaciones

A fines de febrero y comienzos de marzo de 2009, las Fuerzas Armadas dieron un golpe estratégico a las FARC, al neutralizar la estructura de mando de su Red Urbana Antonio Nariño (RUAN), que pretendía ejecutar una serie de atentados en la capital de la República. Entonces se dio de baja a alias *Gaitán* y a alias *Mariana Páez*, y se capturó a alias *Negro Antonio*, en una operación a la que me referiré luego con más detalle, por su singular trascendencia.

Faltando pocos días para terminar mi tiempo como ministro de Defensa, a mediados de mayo de dicho año, el general Óscar Naranjo, director general de la Policía, me informó que estaban muy adelantadas las labores de inteligencia para dar con el paradero de la mujer que, en Bogotá, había quedado a cargo de reorganizar los reductos de dicha red, y de preparar atentados que golpearan la moral de los bogotanos. En efecto, el 30 de mayo de 2009, una semana después de mi retiro, la Policía Nacional dio al país el parte positivo de que habían capturado en la localidad de Suba, en Bogotá, a alias *Camila* o *Patricia*, quien resultó de una importancia mayor a la que se pensaba, como se vendría a saber después, cuando se comenzaron a conocer los archivos que guardaba en tres computadores y varias memorias portátiles que se incautaron en la vivienda donde se ocultaba.

Camila no era una miliciana más dentro de las FARC, sino un enlace de confianza del Mono Jojoy con las células terroristas de su organización en Bogotá, que habría estado detrás de atentados frustrados al presidente Uribe, cuando era candidato a la presidencia; del asesinato del comandante de la cuarta división del Ejército, general Carlos Julio Gil Colorado; de atentados contra el entonces senador Germán Vargas Lleras y el entonces presidente de la Federación Nacional de Ganaderos, Jorge Visbal Martelo, y de la maleta-bomba que explotó en las Residencias Tequendama, en el centro internacional de la ciudad, entre muchas otras acciones terroristas. Cuando la apresaron estaba dedicada a hacer inteligencia sobre objetivos en la capital, como sedes de ministerios y otras entidades públicas. Sus computadores contenían casi la misma cantidad de información que los de Raúl Reyes, y los investigadores de la Policía y la Fiscalía hasta ahora están comenzando a descifrar su contenido.

Nadie imaginaba que la captura de esta mujer fuera a traer nuevas revelaciones sobre el espinoso tema de las relaciones entre las FARC y el gobierno de Rafael Correa, pero la información aparece muchas veces donde menos se cree. Un video encontrado en el computador de Camila, y revelado al mundo por la agencia de noticias AP el 17 de julio de 2009, resultó ser un nuevo motivo de escándalo. Después de la comprometedora información encontrada en los correos electrónicos de Raúl Reyes, ahora aparecía dentro de sus archivos un elemento más, que parecía confirmarla: nada menos que una grabación en video del Mono Jojoy, hablando a un centenar de sus hombres en la selva, en la que el jefe terrorista lee una carta de Manuel Marulanda, al tiempo que informa a los abatidos guerrilleros sobre la muerte de su máximo líder.

En la carta, escrita en marzo de 2008, en fecha posterior a la Operación Fénix, Marulanda se lamenta de que, con la confiscación de los computadores de Raúl Reyes, "los secretos de las FARC se han perdido totalmente", y hace una lista pormenorizada —que Jojoy lee a sus hombres en el video— de varios de esos secretos, citando, entre ellos, la "ayuda en dólares a la campaña de Correa y posteriores conversaciones con sus emisarios, incluidos algunos acuerdos, según documentos en poder de todos nosotros, los cuales resultan muy comprometedores en nuestros nexos con los amigos".

Esta revelación, en la voz del mismo Jojoy, vino a sumarse a unos correos que ya habían sido conocidos meses atrás, encontrados en el computador de Reyes, en los que se mencionaba una colecta realizada entre los diferentes bloques de las FARC para "la ayuda a los amigos del Ecuador", los cuales bien pueden resumirse en este mensaje enviado por Reyes a los miembros del Secretariado el 14 de octubre de 2006:

"El 13 de los corrientes me entrevisté nuevamente con el coronel Brito y el médico Ayala[15]. Les transmití el saludo del jefe y del Secretariado deseándoles éxitos en el día de las elecciones y la decisión de aportarles 100 mil dólares, más la disposición de contribuirles con el llamado a la gente de la frontera a votar por ellos. De una vez le hice entrega de dicha cantidad al Coronel, quien emotivamente agradeció a nombre del candidato Rafael Correa y me pidió mandarle sus saludos al Camarada y al Secretariado. Édgar me hizo el préstamo[16]. Amigos del frente 48 hicieron una recolecta de otros 300.000 dólares para la misma campaña".

De acuerdo con información publicada por el diario *El País*, de España, "a lo largo de los días siguientes, la cuenta única abierta por Alianza País en el Banco de Machala registró depósitos en efectivo por un total de 487.848 dólares, según un informe de las autoridades electorales. Además, la auditoría realizada a los gastos de campaña, publicada por el diario *El Comercio*, no pudo establecer la procedencia de 412.000 dólares gastados por Alianza País en la segunda vuelta electoral, celebrada el 26 de noviembre y que llevó a Correa a la presidencia".[17]

Dos semanas después de la difusión pública del video de Jojoy, que el gobierno colombiano entregó para su estudio a la Interpol y a la Organización de Estados Americanos, el 29 de julio de

---

15. Se refiere al coronel (r.) ecuatoriano Jorge Brito y, según parece, al odontólogo Luis Eduardo Ayala, asesinado en abril de 2008.

16. Se refiere a Édgar Tovar, cabecilla del frente 48, que maneja el negocio del narcotráfico en la zona fronteriza entre Colombia y Ecuador.

17. Maité Rico. "El dinero perdido de las FARC". *El País*, 1.º de agosto de 2009.

2009, el canciller del Ecuador, Fander Falconí, y el ministro del Interior de dicho país, Gustavo Jalkh, anunciaron en rueda de prensa que había llegado "a manos del gobierno (ecuatoriano)" un documento manuscrito de 20 páginas, que parecía ser un diario del cabecilla de las FARC Raúl Reyes, que registra sus actividades y reflexiones entre el 9 de septiembre y el 2 de diciembre de 2007, al cual no le atribuían "ni veracidad ni falsedad", y el que enviaron también a la OEA.

En el presunto diario de Reyes, éste hace mención a reuniones y contactos con el entonces ministro de Seguridad del Ecuador, Gustavo Larrea; con el ex subsecretario de Gobierno Ignacio Chauvín, con el coronel Brito y el doctor Ayala, entre otros emisarios con los que tenía interlocución. Incluso llega a decir: "Confiar en Correa fue un suicidio. Todos los aportes en dinero para la campaña de Correa no sirvieron ni para un carajo", lo cual confirmaría el envío de recursos por las FARC a la campaña del actual presidente ecuatoriano.[18]

Rafael Correa, por su parte, mostró su indignación pública por la revelación del video, ha jurado que no conoce ni ha tenido nunca contacto con un integrante de las FARC y ha dicho que, si este grupo entregó dinero a sus supuestos emisarios, éste jamás llegó a su campaña y que pudo haberse tratado más bien de una estafa a la guerrilla.

Después de conocerse los correos del computador de Reyes y el video del computador de Camila, así como el texto del posible diario de Reyes, que fueron difundidos por los principales medios nacionales e internacionales, ¿habrá quien se pregunte todavía por qué, en medio de una operación policial y militar ya desplegada, se autorizó un ataque directo contra el campamento de Reyes en

---

18.   En octubre de 2009, las autoridades ecuatorianas capturaron a un ciudadano de dicho país, sociólogo de 65 años, Julio César Vizuete Larrea, quien confesó ser el autor de los supuestos diarios de Reyes. Según él, correspondían a anotaciones fidedignas sobre palabras expresadas por Reyes en su campamento, en entrevistas realizadas para escribir una biografía del guerrillero.

Angostura? Mucho me temo que, si no hubiéramos obrado como lo hicimos, aún hoy estaríamos sufriendo las infamias, agresiones y atentados ordenados por este cabecilla, que estaría rozagante, muy visitado y gozando de excelente salud.

CAPÍTULO XXVII
La legítima defensa

El 2 de marzo de 2008, al día siguiente de la operación que dio de baja a Raúl Reyes y en la que se incautaron los famosos computadores que revelaron la estrategia internacional de las Farc, la Cancillería colombiana expidió un breve comunicado mientras preparaba una respuesta definitiva a los reclamos del Ecuador. Según el Ministerio de Relaciones Exteriores, "anticipamos que Colombia no violó soberanía sino que actuó de acuerdo con el principio de legítima defensa. Los terroristas, entre ellos Raúl Reyes, han tenido la costumbre de asesinar en Colombia e invadir el territorio de los países vecinos para refugiarse. Muchas veces Colombia ha padecido estas situaciones que estamos obligados a evitar en defensa de nuestros ciudadanos".

Posteriormente, en la recordada cumbre de jefes de Estado del Grupo de Río, en Santo Domingo, que se convocó para tratar la compleja situación existente entre Colombia y Venezuela, Ecuador y Nicaragua, a raíz del bombardeo de Angostura, el mismo presidente Uribe declaró en su intervención que muchos colombianos seguimos con emoción y orgullo:

"A mí me sorprende que se ha hablado en estos días de la incursión colombiana en territorio de Ecuador pero no se habla de los permanentes ataques de las Farc desde el territorio de Ecuador al pueblo colombiano.

"Me sorprende que se habla de la violación de la soberanía al territorio del Ecuador pero no de la violación de soberanía al pueblo de Colombia, que es titular del derecho de cualquier pueblo del mundo, que es el derecho a su seguridad. (…)

"¿Cómo les parece? Yo no puedo aceptar eso, que el legítimo derecho del Estado colombiano de combatir a un terrorista de esta magnitud se presente como una masacre contra unos arcángeles que estaban dormidos y en pijama".

Como ministro de Defensa no me inventé la tesis de la legítima defensa ni fui el primero en aducirla frente al caso del bombardeo al campamento de Reyes, pero sí estoy convencido de que tiene perfecta aplicación en este caso. Y hay que aclarar —porque a menudo pretenden equipararlas— que no es la misma tesis de la guerra preventiva de Bush. No se trata de una acción militar anticipatoria en ausencia de una agresión actual, basada en meras sospechas. Es algo muy diferente: es la autodefensa de un Estado de Derecho contra los ataques permanentes de un organismo terrorista que asalta de manera incesante a su población civil, que sin discriminación alguna viola la vida, la dignidad humana y la libertad de hombres, mujeres y niños. Negarle ese derecho elemental al Estado colombiano significaría entregar los ciudadanos de Colombia a los ataques inhumanos de sus agresores, y dar libre juego a posibles complicidades allende las fronteras

Por eso, cuando un año después me hicieron una pregunta en una entrevista, con ocasión del primer aniversario de la Operación Fénix, dije lo siguiente:

"Golpear a terroristas que sistemáticamente están atentado contra la población de un país, así éstos no se encuentren dentro de su territorio, es un acto de legítima defensa y una doctrina cada vez más aceptada por la comunidad y el derecho internacional".

Ésta no era una declaración de guerra ni una amenaza, como quisieron hacer ver los dos mandatarios vecinos ya referidos, que salieron airados a rechazar mis palabras. Se trataba de la simple constatación de una doctrina jurídica internacional que tiene mucho que ver con la actuación de Colombia y su fuerza pública el 1.° de marzo de 2008.

La actual doctrina internacional

Los analistas del tema en el campo del derecho internacional están comenzando a discutir sobre la posibilidad de un Estado de obrar en legítima defensa, aun si ello contradice el principio de territorialidad, cuando otro Estado tolera la presencia de fuerzas terroristas en su suelo, que atacan al primero.

El internacionalista Matthias Herdegen, doctor en Derecho de la Universidad de Heidelberg, y director del Instituto de Derecho Internacional y del Instituto de Derecho Público de la Universidad de Bonn, autoridad reconocida tanto en Europa como en las Américas, trata la materia en su prestigioso libro —traducido al español en el año 2005— *Derecho Internacional Público*:[19]

"La carta de la ONU", dice el profesor Herdegen, "vincula el derecho a la autodefensa a la existencia de un ataque armado.[20]

(…)

"Un 'ataque armado' puede partir también de una organización terrorista no estatal, aun cuando un Estado, con su simple tolerancia, le garantice en su territorio un campo de operación. Entonces, no se trata necesariamente de un 'ataque armado' del

---

19.   Herdegen, Matthias. *Derecho Internacional Público*. Universidad Nacional Autónoma de México. México, 2005. Págs. 255 y 258.

20.   Artículo 51 de la Carta de la ONU: "Ninguna disposición de esta Carta menoscabará el derecho inmanente de legítima defensa, individual o colectiva, en caso de ataque armado contra un miembro de las Naciones Unidas (…)".

Estado que tolera la estancia. Sin embargo, ese Estado debe aceptar en su territorio las medidas asociadas al ejercicio del derecho de autodefensa, de conformidad con el artículo 51 de la Carta de la ONU. Esto se aplica también cuando el Estado desaprueba la presencia de una organización terrorista en su territorio, pero no la combate efectivamente. En estos casos, los Estados que han sido objeto de los ataques terroristas masivos pueden obtener una justificación mediante la apelación al estado de emergencia (…)".

El profesor Herdegen también hace énfasis en la calificación de los actos terroristas del 11 de septiembre de 2001 como "ataque armado", justificando la autodefensa, por parte del Consejo de Seguridad de la ONU e igualmente por parte de la OTAN. Se trata, entonces, de un concepto reconocido en la comunidad internacional de hoy en día.

Otro estudioso de la materia, Frank M. Walsh, doctor en Derecho del Centro de Leyes de la Universidad de Georgetown, publicó recientemente un enjundioso estudio dedicado al caso del ataque colombiano al campamento de Reyes en Ecuador.[21] Después de analizar diversas razones y de proponer un nuevo paradigma para el ejercicio del derecho de autodefensa de las naciones, Walsh concluye lo siguiente (la traducción es mía):

"Una de las más grandes falacias en el pensamiento de las relaciones internacionales es la idea de que, si un Estado no hace nada, entonces nada malo podrá pasarle. La historia ha demostrado que la realidad es todo lo contrario. Si Colombia hubiera escogido no lanzar la Operación Fénix, entonces Raúl Reyes estaría aún coordinando las operaciones terroristas de las FARC y los funcionarios ecuatorianos estarían aún colaborando con las FARC. Colombia, Ecuador y la entera región andina serían menos seguros.

---

21. Walsh, Frank M., *Rethinking the legality of Colombia's Attack on the* FARC *in Ecuador: a new paradigm in balancing territorial integrity, self-defense and the duties of sovereignty. Pace International Law Review.* Vol. 21:137, 2009. Págs. 137-161.

"Desde una perspectiva netamente legal, la Operación Fénix ofrece a los juristas internacionales una oportunidad para armonizar varios principios internacionales que con frecuencia están en tensión. Las ideas de integridad territorial, autodefensa y las responsabilidades de la soberanía han operado de forma aislada por demasiado tiempo. (...) Las fronteras importan, pero también importa eliminar la amenaza del terrorismo. Con suerte, la historia dejará registrado que las críticas iniciales contra la Operación Fénix resultaron ser un juicio imperfecto que se basó en hechos incompletos. De esta manera, un ataque aéreo en lo profundo de la Amazonia podría llegar a ser el catalizador para que se reconozca un derecho de autodefensa más matizado que equipe a las naciones del mundo con las herramientas legales necesarias para luchar contra el terrorismo dondequiera se esconda".

"Colombia hizo una defensa de la humanidad"

A raíz de una orden de captura expedida en mi contra por un juez ecuatoriano de la provincia de Sucumbíos, por mi responsabilidad en la decisión de atacar el campamento de Raúl Reyes en Angostura, el presidente Álvaro Uribe me expresó su apoyo gallardo e incondicional, y pronunció una frase, el 30 de junio de 2009, que resume muy bien el concepto que implicó la Operación Fénix:

"No se puede confundir la ofensa a la humanidad, que es la acción terrorista, con la defensa de la humanidad, que es la acción contra el terrorismo. Colombia hizo una defensa de la humanidad, que es una acción contra el terrorismo".

Al día siguiente, el 1.º de julio, el gobierno nacional expidió un comunicado que terminó de aclarar la posición de nuestro país al respecto, en uno de cuyos apartes se recalcó lo siguiente:

"La Operación Fénix se fundamentó en una decisión política adoptada por el gobierno colombiano, en el marco de la lucha mundial contra el terrorismo. En desarrollo de ella, se ejecutó una operación militar contra un objetivo legítimo, con estricta observancia del derecho internacional humanitario".

La Historia dictará su veredicto. Entre tanto, podemos afirmar que la baja de Raúl Reyes, segundo hombre en la estructura de mando de las FARC después de Marulanda —que moriría 25 días después—, y la captura de sus computadores, ha sido el golpe más duro que jamás se haya dado a la cabeza de esta organización y a su red de alianzas internacionales.

TRAICIONES Y DESERCIONES

.

Hubo una Antioquia de mineros fuertes,
de arrieros invencibles.
De músculos que alzaban el futuro
como vara de mimbre.
Una raza enfrentada a la montaña
con tesón de arrecife.

JORGE ROBLEDO ORTIZ
De su poema "Siquiera se murieron los abuelos".

CAPÍTULO XXVIII

Terror en las tierras de la colonización

A mediados del siglo XIX, por las escarpadas cumbres de la cordillera central de Colombia, se vivió un proceso épico que cambió la faz del país. Familias enteras, buscando mejores horizontes y nuevas tierras, comenzaron a desplazarse desde el territorio de Antioquia hacia el sur, en largas caravanas de mulas, cargadas de baúles, y se fueron instalando en poblaciones ubicadas en sitios imposibles, en medio de majestuosos paisajes, donde se establecieron y comenzaron a sembrar cultivos apropiados para la zona montañosa, como el café. Es la historia de la colonización antioqueña que llevó progreso y pujanza a los departamentos que alguna vez conformaron el viejo Caldas y que hoy forman parte de ese eje cafetero que es símbolo y orgullo de Colombia.

Los colonizadores vivieron jornadas de coraje que se han traducido en pueblos de arrieros y cafeteros que no se amilanan ante las dificultades y que han hecho de su región una de las más prósperas del país. En dicho proceso, una población del sur de Antioquia, Sonsón, tomó particular importancia y llegó a ser el segundo municipio del departamento, después de Medellín, por convertirse en el centro difusor y proveedor de todo el proceso de colonización. Sonsón jugó un papel económico trascendental en el siglo antepasado y aún conserva el encanto de la arquitectura colonial paisa, que se irrigó por toda la zona cafetera.

Junto a Sonsón, otros municipios del suroriente de Antioquia y del nororiente de Caldas, forman un tejido común de costumbres y de laboriosidad, herederos de la épica colonizadora. Poblaciones como Nariño y Argelia, en Antioquia, y Aguadas, Pácora, Salamina, Marulanda, Manzanares, Pensilvania, Marquetalia, Samaná, Victoria y Norcasia, en Caldas, incrustadas entre verdes cerros, separadas por desfiladeros y abismos que alguna vez cruzaron valientes ancestros, deberían ser tesoros históricos y turísticos, donde los colombianos recreáramos una de las páginas más hermosas de nuestro desarrollo como nación.

Infortunadamente, las FARC no conocen de historia ni respetan tradiciones, y convirtieron a esta región, desde comienzos de la década del noventa hasta tiempos muy recientes, en un polvorín sembrado de minas antipersona, con pueblos destruidos por cilindros-bomba, y una población marcada por el miedo, parte de la cual acabó desplazándose hacia centros urbanos principales como Medellín o Manizales para huir de la violencia terrorista.

El frente 47, que por varios años estuvo bajo el mando de una sanguinaria cabecilla conocida como alias *Karina*, perteneciente al Bloque Noroccidental de las FARC, que lideró el miembro del Secretariado Iván Ríos, fue el principal causante de esta pesadilla para estos sectores de Antioquia y Caldas, de la cual hasta ahora comienzan a despertar.

Con el objetivo de crear y mantener un corredor de movilidad para la droga entre la región central del país y el océano Pacífico, este frente arrasó poblaciones de la zona con una saña increíble. A pesar del tiempo, siguen vivas en la memoria colectiva la toma de Pueblo Nuevo, corregimiento de Pensilvania, en 1995; de Florencia y de Nariño, en 1996; de Argelia, dos veces, en 1997, primero por el ELN y luego por las FARC; de Florencia y Nariño, otra vez, en 1999, y la práctica destrucción total del corregimiento de Arboleda, municipio de Pensilvania, en el año 2000. En agosto de ese año, la misma Karina lanzó en plena plaza de la cabecera municipal de Nariño el Movimiento Bolivariano, partido político clandestino de las FARC, izando la bandera de su organización a ritmo de vallenato. En diciembre de 2002, se presentó una última toma violenta al corregimiento de San Diego, en el municipio de Samaná.

Con actos terroristas como estos, y aprovechando la difícil e intrincada geografía de la región, la guerrilla, a través de su frente 47, se fue posicionando como dominadora de la zona, y las cuadrillas que allí operaban, con milicianos camuflados entre la población civil, se habían vuelto casi inexpugnables. Sobre Karina, acusada de dirigir o participar en varias de las mencionadas tomas, además de otros actos criminales, como homicidios, extorsiones y secuestros, en otros sectores de Antioquia y el Chocó, se comenzó a tejer una leyenda, pues se trataba, sin duda, de la mujer con mayor poderío militar dentro de la guerrilla. Se narraban terribles actos de crueldad y ajusticiamientos, que la cabecilla ejecutaba con sangre fría, y esto aumentaba su halo mítico dentro de su organización.

Desde muy temprano en su gobierno, en septiembre de 2002, el presidente Uribe, que conocía muy bien el perfil criminal de Karina desde cuando fue gobernador de Antioquia, fijó como prioridad su captura: "Necesitamos la cooperación ciudadana para liberar a los secuestrados y capturar a una señora Karina que dirige a las FARC y organiza secuestros. Ésta se la vamos a ganar".

El jefe del Bloque José María Córdova, del que hacía parte el frente 47, era alias *Iván Ríos*, un guerrillero con formación universitaria, protegido y pupilo de Alfonso Cano, que había sido parte de las juventudes comunistas, y había llegado a ser miembro principal del Secretariado en el 2003, después de haber sido parte del comité temático y del equipo negociador durante el proceso de paz del Caguán. Se trataba del integrante más joven del liderazgo colegiado de las FARC, y era su representante en dicho bloque que opera en Antioquia, Chocó, Córdoba y parte del eje cafetero.

Ríos era considerado por las autoridades norteamericanos uno de los principales responsables de la actividad narcotraficante de las FARC, y se ofrecía por su captura una recompensa de hasta cinco millones de dólares. Controlaba varios frentes en su zona de actividades, pero el que le servía a él como anillo de seguridad era el mismo frente 47 que había estado liderado por Karina durante años.

Ríos y Karina se convirtieron, cada uno por sus características especiales y su importancia estratégica dentro de su organización, en una prioridad en la ofensiva del gobierno y las Fuerzas Armadas contra las FARC. Así lo dejó claro el presidente Uribe, el 30 de noviembre de 2006, al clausurar en el Club Militar el Curso de Altos Estudios Militares:

"Hay preocupación por Iván Ríos, jefe de las FARC, bandido que, al parecer, está en el oriente de Caldas en compañía de la bandolera a quien se conoce con el nombre de Karina".

CAPÍTULO XXIX

Un batallón en el filo de la cordillera

A mediados del 2006 la labor de la fuerza pública contra las FARC en el suroriente de Antioquia y el nororiente de Caldas avanzaba en medio de dificultades, sin que se presentaran mayores resultados por la dispersión del esfuerzo militar y la capacidad de la guerrilla para mimetizarse en la tupida vegetación de la cordillera o entre la población civil.

Fue entonces cuando el Comando del Ejército determinó crear el Comando Operativo N.º 3, bajo el mando del coronel Emiro José Barrios, con cinco batallones de contraguerrillas, la Fuerza de Tarea "Dragón" organizada con tropas del Batallón Ayacucho, San Mateo y Cisneros, y el apoyo de inteligencia, fuego de artillería y aviación del Ejército, un comando que llegó a contar con unos 1.200 hombres.

El frente 47, entonces, contaba con ocho comisiones establecidas y organizadas con milicias clandestinas y una economía alimentada por los recursos del narcotráfico.

La misión principal del nuevo comando operativo era la de neutralizar la actividad del frente que por casi dos décadas había asolado las tierras pioneras de la colonización antioqueña, y, por supuesto, neutralizar a sus dos más reconocidos cabecillas: Iván Ríos, miembro del Secretariado, y Karina, que para entonces ya no estaba a la cabeza del frente 47, pues el mando la había degradado por problemas de indisciplina y por la carga que suponía la continua persecución militar que había contra ella, pero que seguía siendo un símbolo y un mito dentro del grupo terrorista.

La primera actividad del comando operativo fue la instalación de una base en la cima de una montaña estratégica para las operaciones de las FARC, en la Cuchilla de La Osa, a 3.200 metros de altura, prácticamente en medio de la nada, pero desde donde se tenía acceso a varios municipios de la zona. Allí se llevaron decenas de soldados en helicópteros que a duras penas podían transportarlos a esas alturas, bajo el mando inicial del teniente coronel Wilson Díaz, quienes construyeron la base y, con paciencia, comenzaron a vigilar y controlar esa área que había sido por años la zona de retaguardia estratégica del frente 47.

En ese lugar inhóspito, en continuo enfrentamiento con las FARC, que apostaban a que los militares no resistirían tanto tiempo, comenzó la presencia militar en terrenos que por años había controlado la guerrilla. En la base de la cuchilla estaba la quebrada La Osa, en la que, por mucho tiempo, Karina y sus hombres se bañaron y descansaron, en medio de un paisaje idílico, sin temer nunca que alguna vez llegaría el Ejército hasta ellos.

La base en lo alto de la montaña se mantuvo por un año y generó un cambio de situación en el área. Pero no fue fácil. Las provisiones para los soldados se subían cada mes y debían alcanzarles por todo ese periodo. Los militares soportaban bajas temperaturas y difíciles condiciones meteorológicas, en sus sencillas construcciones, además de la continua zozobra de saber cerca a la guerrilla; incluso una vez se cayó un helicóptero de abastecimiento. Las víctimas por minas antipersona eran frecuentes. No obstante, este tiempo fue fundamental para marcar el comienzo del fin del frente 47.

"Aquí, en un lugar silencioso y frío…"

El 3 de agosto de 2006, al mismo tiempo que se creó oficialmente el comando operativo N.º 3, se inició la primera de cuatro operaciones que se realizaron contra Iván Ríos, que se lanzó desde el área de Pensilvania, Caldas. Se llamó "Abanico" e involucró a tres batallones contraguerrillas, incluido el apostado en la cumbre de la Cuchilla de La Osa. Los resultados comenzaron a verse. Por primera vez llegaron a campamentos donde había estado Ríos, en los que éste, hasta entonces, había vivido en condiciones cómodas, con buenas provisiones de comida, planta eléctrica, cocinas de gas y televisión satelital. Comenzaron a producirse bajas de guerrilleros y a recibirse desmovilizaciones, y se incautaron grandes cantidades de explosivos.

La segunda operación, en octubre del mismo año, fue la Octubre Rojo. Se supo, por información de inteligencia, que Ríos se había movido hacia el área de Salamina, así que se movilizaron las tropas a través de Manizales y se atacó a la guerrilla en este nuevo punto. Guerrilleros con cierto mando, como alias *Brian* y alias *Garraseca*, se desmovilizaron, y su información fue vital para seguir la persecución contra el cabecilla.

El compromiso de los militares que día a día, sin que se percate el resto de sus compatriotas, ejecutan arriesgadas operaciones como éstas es incalculable. ¡Cuántos pierden sus piernas, cuántos mueren o sufren algún otro daño en su salud, sin que la mayoría de nosotros nos enteremos!

Tuve oportunidad de conocer, gracias a un subalterno suyo con quien lo compartió, un texto escrito en medio de estas duras operaciones por el entonces teniente coronel Emiro José Barrios, comandante del Comando Operativo N.º 3, que transcribo a continuación, porque es un buen ejemplo del pensamiento, del valor y del compromiso de tantos miles de uniformados que, como él, han luchado en los lugares más inhóspitos por la seguridad de los colombianos:

"Aquí, en un lugar silencioso y frío, deseo escribir estas letras que es lo que bien podría ser un juramento, es un compromiso, que hago ante el altar de Dios y de mi patria. Aquí, realmente muy lejos, en una Colombia que muy pocos conocen, deseo aceptar el reto de entregar todo mi capital humano al servicio de las comunidades campesinas, de los pueblos, de la sociedad y especialmente de los menos favorecidos. Asumo la responsabilidad de seguir luchando sin descanso, asumir riesgos y tomar sanas decisiones. Pido a Dios nuestro Señor, al Espíritu Santo, me den la sabiduría necesaria para que mis análisis, apreciaciones y decisiones estén dirigidos al bien supremo de conseguir la Paz para mi pueblo colombiano. Deseo, sin arrogancia, alcanzar puestos de honor dentro de la carrera militar, que me permitan, algún día, cambiar por completo y para bien de los colombianos la dinámica de un conflicto que ha sido el más profundo mal que han tenido que enfrentar los colombianos en los últimos tiempos. La nueva visión del problema será orientada a parar por completo este desangre absurdo, irracional, desmedido, propiciado por quienes, parece, se hubieran olvidado que lo más importante es facilitar y recuperar a toda costa, la tranquilidad de los colombianos.

"Escrito un 17 de septiembre de 2006, en la cuchilla Miraflores, montañas área rural del municipio de Aguadas, departamento de Caldas".

Se cierra el cerco

A pesar de los esfuerzos, nuevamente se perdió el rastro de Ríos, por prácticamente un año. Hacia septiembre de 2007 se tuvo información de que estaba moviéndose por territorios de los municipios de Aguadas y Salamina, y se lanzó una tercera operación, llamada Sonata de Tambor, que nuevamente se aproximó a él, obtuvo importantes desmovilizaciones, capturas y bajas, pero de la que escapó otra vez.

Para entonces, los coroneles Barrios y Díaz, primer y segundo comandante del Comando Operativo N.º 3, habían comenzado una estrategia efectiva de acercamiento a la población de la zona, que cada vez daba mayores resultados. Se creó una emisora con sede en Pensilvania, Caldas, desde la cual hablaban todos los días, dando moral a las tropas, interactuando y dedicando canciones a la población civil, e invitando a los guerrilleros a desmovilizarse, con mensajes cálidos en los que se les mostraba que había otro camino para ellos y se les daba certeza de que el Ejército respetaría sus vidas.

Tenían dos programas principales, uno llamado *Amanecer Caldense*, que transmitía de cinco a seis de la mañana, y otro llamado *Amigo Guerrillero* en el que promovían el mensaje de la desmovilización. Con esta campaña de comunicaciones, que llegaba a todos los pueblos de la región y se escuchaba en los mismos campamentos guerrilleros, se fueron ganando el corazón y la credibilidad de sus oyentes. Cada vez que había desmovilizaciones —las cuales crecían a ritmo exponencial—, llevaban a los guerrilleros a los micrófonos, quienes daban fe del buen trato que habían recibido e invitaban a sus colegas a seguir su ejemplo.

Con todas estas campañas militares y de acercamiento a la población, para comienzos del año 2008 la situación del frente 47 y de Iván Ríos era muy distinta a la que tenían en el 2006. De cerca de 300 hombres que llegaron a tener en armas, apenas quedaban alrededor de 50, y Ríos y Karina, cada cual con su grupo, huían de la tropa en un estado de continua paranoia, alertados por las desmovilizaciones y sin confiar en sus propios guardianes, pues temían que el mensaje del gobierno que invitaba a los guerrilleros a desmovilizarse y a entregar a sus jefes a cambio de cuantiosas recompensas calara en alguno de sus allegados. Ríos y Karina, en su ya larga carrera criminal, no habían dudado en ordenar la ejecución de personas cercanas a ellos por temor a infiltraciones, y ahora no confiaban ni en su sombra.

En noviembre de 2007, en un bombardeo de la Fuerza Aérea sobre un campamento guerrillero en el área rural de Sonsón, había sido abatido alias *Limón*, el jefe de seguridad y hombre de confianza de Karina, lo que hizo que ésta comenzara a ocultarse, apenas rodeada por un puñado de hombres. Ella, que llegó a comandar operaciones terroristas con cientos de combatientes, ahora estaba reducida a su más mínima capacidad de acción, sin ningún contacto con otros líderes del Secretariado distintos a Ríos.

Por su parte, Iván Ríos, también acosado por la tropa y teme-roso aun de su círculo más cercano, pidió a Karina que le enviara a un hombre de confianza para que liderara su guardia personal, y ella le envió a fines del 2007 a alias *Rojas*, un guerrillero al que no le temblaba la mano para matar, quien desde entonces se convirtió en la sombra del cabecilla del Bloque Noroccidental.

No sabía Ríos que había enviado por su propio verdugo.

CAPÍTULO XXX
"¡Aquí está Iván Ríos!"

En febrero de 2008 se lanzó una cuarta operación militar contra Iván Ríos, a la que se llamó Fortín, en el área general del río Arma, en los límites entre Antioquia y Caldas. Había buenos datos de inteligencia y creíamos con justas expectativas que esta vez sí alcanzaríamos al más joven miembro del Secretariado. Hubo al menos siete combates contra el frente 47, que cada vez estaba más diezmado.

La situación de Ríos y sus hombres se hacía insostenible; estaban cortos de provisiones, y sentían al Ejército cada vez más cerca. Rojas, por su parte, que ya había venido maquinando una salida para él y su compañera sentimental, Ángela, se fue llenando de razones para ultimar a su jefe y entregarse a las autoridades. La primera era la zozobra. Rojas sabía que más pronto que tarde iban a terminar copados por las Fuerzas Militares, a riesgo de morir o terminar en la cárcel. La segunda tenía que ver con Ángela: ella había tenido algunos problemas de salud, y Rojas le pidió a Ríos que le permitiera ausentarse por un tiempo para buscar atención médica, petición que Ríos le negó sin más explicaciones, lo que lo llenó de rabia. Y la tercera ocurrió poco antes de tomar la decisión: en una fría noche, estaban repartiendo tinto entre los hombres de Ríos y cuando le tocó su turno al cabecilla, la bebida se había acabado. Entonces Ríos llamó a Rojas y le espetó con tono amenazante: "Que esto no vaya a pasar en el desayuno". Rojas entendió que su vida corría peligro, no sólo por el Ejército, sino por su propio jefe, que ya antes había dado muestras de no tener ningún reparo en ajusticiar a sus subalternos. Por eso decidió actuar.

El 3 de marzo de 2008 —apenas tres días después de la muerte de Raúl Reyes en la Operación Fénix—, en lo profundo de la noche, mientras Iván Ríos y su compañera, alias *Andrea*, dormían, Rojas entró a su cambuche y les disparó a los dos. Ya lo había hablado con Ángela y otro guerrillero amigo, que lo acompañaron en el plan. Ejecutado el asesinato, armaron un escándalo en el campamento dando a entender que había llegado el Ejército, y Rojas gritó a los pocos que quedaban en el grupo: "¡Corran, corran, no se dejen coger!", y todos se dispersaron, como perseguidos por el diablo. Él, por su parte, para garantizar que le creyeran cuando se entregara a las autoridades, cercenó, con precisión de carnicero, la mano derecha de Ríos, que yacía junto con su mujer, la envolvió en una pañoleta y la guardó en su morral. Los tres cómplices echaron a correr.

Ángela tenía un hermano en la Policía, que estaba destacado en el municipio de Pácora, pero Rojas no quería entregarse a la Policía sino al mismo hombre que había escuchado tantas veces en la emisora del Ejército invitándolos a desmovilizarse: el coronel Barrios. Así que llamaron al hermano de Ángela con un mensaje concreto: Rojas y dos guerrilleros más querían entregarse personalmente al comandante que había perseguido a Ríos los últimos dos años, y tenían algo en su poder que le interesaba. Enterado Barrios, que estaba en Salamina, de la situación, envió un helicóptero a una vereda en Pácora a recogerlos. Hasta allá llegaron, después de tres días de camino, los tres guerrilleros desertores y fueron recogidos por militares que los llevaron al puesto de mando, donde el coronel los esperaba.

Cuando Barrios tuvo a Ríos frente a sí, le preguntó:

— ¿Dónde está Iván Ríos?

Rojas sacó la pañoleta de su morral, la abrió y la mano del cabecilla salió a volar:

— ¡Aquí está Iván Ríos! —le respondió.

Con este macabro gesto, se recibió la noticia, que yo mismo confirmé al país el 7 de marzo, de que había muerto, en menos de una semana, por efectos de la presión militar y las campañas de desmovilización, un segundo miembro del Secretariado. Como lo dije entonces, se trataba de "una demostración más de que las FARC se están resquebrajando".

"¡Segundo miembro del Secretariado que cae, ministro!"

Aquel día, yo me encontraba en mi oficina con Roberto Pombo, director de *El Tiempo*, y Alejandro Santos, director de *Semana*, quienes por primera vez me visitaban en mi despacho para que les contara pormenores de la operación que una semana antes había concluido con la baja de Raúl Reyes. También estaba el general Mario Montoya, a quien le había pedido que me acompañara. Entonces recibí una llamada en la que me informaron que había un rumor sobre la muerte de Iván Ríos. Le pregunté al general Montoya y me dijo que no sabía nada pero que se ponía de inmediato a investigar. Hizo dos llamadas y después de la segunda me abrazó:

— ¡Segundo miembro del Secretariado que cae, ministro! —me dijo, con verdadera emoción.

Alejandro y Roberto no salían de su estupor.

Pero Rojas no sólo trajo la mano de su ex jefe; también su cédula de ciudadanía, su pasaporte y su computador portátil, con archivos de su contabilidad y listas de personas secuestradas o extorsionadas por el Bloque José María Córdova. Por los archivos encontrados en el computador se hacía evidente que Ríos estaba cada vez más incomunicado del resto del Secretariado y que sólo tenía alguna clase de correspondencia con su mentor Alfonso Cano.

Por supuesto, se hicieron las comprobaciones técnicas de las huellas dactilares, que dieron certeza sobre la identidad de Ríos, y posteriormente las tropas llegaron hasta el campamento del cabecilla, donde encontraron a los dos cuerpos en la misma posición en que los había dejado Rojas.[22]

Con la muerte de Iván Ríos los demás líderes de la guerrilla recibieron un claro e inquietante mensaje: el enemigo en adelante no estaría sólo en las Fuerzas Armadas colombianas; también podría estar adentro, en sus propias filas, dentro de sus propios guardianes, en sus mismos centinelas, al lado de su cama.

---

22.   Alias *Rojas* ganó una cuantiosa recompensa (2.500 millones de pesos), que se les pagó a las personas que él señaló, no por el asesinato de Ríos, pero sí por la importante información suministrada y la entrega de su computador. Actualmente está preso, respondiendo por otros delitos de asesinato y secuestro que no son indultables ni excarcelables.

CAPÍTULO XXXI
"La guerra cansa… y uno se cansa"

La muerte de Ríos a manos de su lugarteniente Rojas, y la entrega de éste al Ejército, más la noticia de la baja de Raúl Reyes en la Operación Fénix, causaron inmensa desazón en el frente 47. La presión militar continuaba y las desmovilizaciones se incrementaron.

Karina había quedado en una situación muy complicada, y tenía muchas razones para temer: por un lado, sentía que las Fuerzas Militares se acercaban cada vez más; por otro, temía retaliaciones de la misma guerrilla, pues al fin y al cabo su frente había sido el encargado de la seguridad de Ríos y ella misma le había enviado a Rojas para cuidarlo; además, se sentía aislada del resto del frente y no había tenido comunicación con los mandos de las FARC por más de dos años. Una recompensa pendía sobre su cabeza, y no quería exponerse a correr la misma suerte de su jefe.

Pero también influyeron el amor a su familia y el cansancio. Karina había tenido una hija hacía 17 años, que había dejado al cuidado de su familia en Medellín y a quien no veía desde hacía mucho tiempo. Después de 24 años en la lucha guerrillera, sin vislumbrar un final cercano, y viendo alejarse cada vez más la utopía de la toma del poder por las armas, de la que le habían hablado cuando la reclutaron, sentía el peso de una vida de violencia sin sentido, sin su hija.

Además, con más de 40 años de edad, Karina había consolidado una relación sentimental con un joven guerrillero, de apenas algo más de 20 años, alias *Michín*, quien la impulsó a considerar la posibilidad de abandonar las FARC y de reencontrarse con su hija. Michín había llamado a la emisora del Ejército que mantenía el Comando Operativo N.° 3 y había averiguado por las garantías para una eventual desmovilización.

Karina estaba reacia, sin embargo, y dudaba mucho de entregarse a las autoridades que la habían perseguido durante tanto tiempo. En un momento dado, a fines de abril de 2008, agentes de inteligencia del DAS lograron contactarla telefónicamente y la misma directora nacional de la agencia de inteligencia, María del Pilar Hurtado, habló con ella por unos minutos y la instó a que se desmovilizara, a que pusiera fin a su carrera terrorista, y a que pensara en su familia y en su hija que sólo soñaban con recuperarla.

Enterado de la situación, el mismo presidente Uribe, que tantas veces había insistido ante los militares de la zona en la necesidad de su captura, en un acto en Manizales le envió un mensaje directo a Karina: "Si se desmoviliza, bienvenida. Se le darán todas las garantías".

Así las cosas, en la noche del sábado 17 de mayo, Karina y Michín sostuvieron una última discusión, en la que éste, ya decidido a irse, le dio un ultimátum que ella no esperaba:

— O viene conmigo, o me mata.

Karina, finalmente, decidió desertar junto con su compañero y otro guerrillero que los acompañaba, y, en la madrugada del domingo 18 de mayo, llamaron al contacto que tenían en el DAS para anunciarle su decisión. El DAS informó de la decisión al general Juan Pablo Rodríguez, comandante de la cuarta brigada con sede en Medellín, que llevaba dos meses y medio detrás de Karina, en desarrollo de la Operación Fugaz, y se dispuso lo necesario para recoger a los tres guerrilleros ese mismo domingo en una vereda del municipio de Argelia, Antioquia, donde ellos encenderían una señal de humo.

Tropas del Ejército y detectives del DAS abordaron dos helicópteros de la Fuerza Aérea Colombiana, y recogieron en el lugar indicado a Karina, que vestía una sudadera y botas pantaneras, a Michín y a otro guerrillero. Según Karina había acordado con el DAS, después de recogerla, los helicópteros enfilaron hacia un lugar a 20 kilómetros del municipio de Sonsón, donde la esperaba su hija, a quien pudo abrazar, en medio del llanto, después de tantos años de separación.

Karina, que había sido verdugo de tantos militares y policías, recibió un trato digno y pudo comprobar en carne propia que lo que el Ejército ofrecía a los desmovilizados sí se cumplía, incluso en su caso.

Cuando la directora del DAS y el general Mario Montoya, comandante del Ejército, la presentaron ante los medios, desde las instalaciones de la cuarta brigada, los colombianos no daban crédito a sus ojos. La más aguerrida y temida de las guerrilleras había abandonado las armas y se convertía, a partir de entonces, en símbolo de la desmovilización. Otro golpe contundente a la moral de las FARC.

Las palabras de Karina

Karina decidió acogerse a la Ley de Justicia y Paz, en virtud de la cual los miembros de grupos armados ilegales que renuncien a la violencia y confiesen la totalidad de los crímenes en que han participado tienen la posibilidad de una pena reducida. Desde entonces viene rindiendo exhaustivas declaraciones ante un fiscal de justicia y paz, al que le ha confesado por lo menos un centenar de hechos delictivos en los que intervinieron ella o los hombres a su cargo.

Sin dejar de responder a la justicia, y bajo la continua protección del DAS, la entidad frente a la que se desmovilizó, Karina fue designada por el gobierno, en marzo de 2009, como "gestora de paz", para que ayude a promover la desmovilización entre sus ex compañeros en armas, y hoy recorre el país, propagando este mensaje.

Por primera vez en su vida pudo acompañar a su hija y abrazarla en un cumpleaños, cuando cumplió 18, y está asumiendo, poco a poco, la posibilidad de integrarse a una sociedad contra la que luchó desde cuando era una adolescente y se unió al grupo guerrillero.

Las siguientes frases, extractadas de una entrevista concedida a Marcela Durán, del Programa de Atención Humanitaria al Desmovilizado, dejan ver el absurdo de la guerra en la que aún persisten los miembros de las FARC y la situación actual de la guerrilla.

Esto dice Karina:

— En la sigla FARC aparece 'Ejército del Pueblo', que es la defensa del Ejército del Pueblo, pero uno ve cada día que están atentando contra el mismo pueblo.

— Las armas no son la salida al conflicto. Es la reconciliación, el arrepentimiento, las oportunidades... Para uno terminar esta guerra tiene que dejar las armas y tiene que perdonar.

— El gobierno está cumpliendo con la desmovilización.

— Si la guerrilla no tiene el apoyo de la población civil, nunca, nunca se va a poder tomar el poder.

— La decisión de tomar las armas, de buscar la guerrilla, es una de las peores decisiones que podemos hacer las personas, y en especial los jóvenes.

— De esos 24 años que tuve de ser guerrillera, lo único bueno es mi hija. Del resto no tengo nada.

— Uno ve a las FARC acabadas.

— Me arrepiento de haber ingresado a las FARC. De eso me arrepiento.

— La guerra cansa... y uno se cansa.

Un ejemplo entre muchos

A lo largo de este libro he narrado la forma en que varios frentes de las FARC han sido golpeados o prácticamente han desaparecido. Los frentes 35 y 37 que dirigía Martín Caballero en los Montes de María están reducidos a su mínima expresión. El frente 16 que comandaba el Negro Acacio está completamente debilitado.

En estos últimos capítulos he dado cuenta de cómo se liberó al suroriente de Antioquia y el nororiente de Caldas de la terrible férula del frente 47, gracias a la actividad del Comando Operativo N.º 3, que reunió los esfuerzos de las unidades del Ejército y la Fuerza Aérea en el área, con constante apoyo de la Policía Nacional, el DAS y la Fiscalía.

Después de la muerte de Ríos y la entrega de Karina, el teniente coronel Wilson Díaz, el mismo oficial que inició la instalación, a mediados del 2006, de aquella primera base en lo alto de la Cuchilla de La Osa, y que mantuvo vivo el contacto con la población a través de la emisora, dirigió la Operación Sonar —llamada así como un acrónimo por Sonsón, Nariño y Argelia, los tres municipios antioqueños en que se realizó—, con tres batallones contraguerrilla a su cargo, para acabar con los últimos reductos del frente 47. Doce fueron dados de baja, 18 se desmovilizaron, y los pocos que quedaron, que se cuentan con los dedos de una mano, huyeron a refugiarse en otros frentes. Así terminó esa plaga que por dos décadas aterrorizó y asoló las escarpadas tierras que fueron testigos de la epopeya de la colonización antioqueña.

Pero éste es sólo un caso entre muchos. El desmantelamiento del frente 47 —como la práctica extinción de los frentes 35 y 37— es un ejemplo clásico de cómo las Fuerzas Armadas en los últimos años han logrado disminuir, y muchas veces erradicar, la presencia e influencia de la guerrilla en varias zonas del país. Lo que se cuenta en esta sección sobre Antioquia y Caldas se ha vivido también en otras regiones, donde el imperio del Estado y de la ley, de la mano con la acción social, ha vuelto a sentirse.

Otros frentes de las FARC como el 2 y el 64, en Nariño; el 3 y el 14, en Caquetá; el 11, en Boyacá; el 12 y el 46, en Santander, y el 61, en el Huila, desaparecieron. Otros, como el 4, en el Magdalena medio; el 13, en el Huila; el 19, en Magdalena; el 20, en Santander; el 38, en Boyacá; el 56, en Casanare, y el Tulio Barón, en el Tolima, se mantienen debilitados. El frente 9, considerado el más importante del Bloque Noroccidental, que delinquía en el nororiente antioqueño y ejecutaba continuamente secuestros en la vía Bogotá-Medellín, está también profundamente disminuido, con la mitad de su dirección desmovilizada.

No es una tarea fácil. El territorio es inmenso y la geografía, muy accidentada. Pero no cabe duda de que, con el esfuerzo sostenido de las Fuerzas Armadas, el valor heroico de sus integrantes y la determinación política del gobierno, los colombianos cada día más nos hacemos dueños y señores de nuestro suelo y de nuestro futuro.

LA OPERACIÓN PERFECTA

Frente a los verdugos, la fuerza escogió la astucia.
Los militares privilegiaron la información
y organizaron una operación asombrosa,
más fuerte que todas las de James Bond juntas,
que inspirará, seguramente, a los guionistas del mañana.
La liberación de Íngrid Betancourt
no deja el sabor amargo,
ni de éxitos que se pagan demasiado caros,
ni de negociaciones que fortalecen a los secuestradores.

JEAN D'ORMESSON
Le Figaro, Francia, 9 de julio de 2008,
de su artículo "La fuerza ha sido justa,
que la justicia sea fuerte".

CAPÍTULO XXXII
El día más feliz

A menudo me preguntan cuáles fueron los momentos más tristes y más felices que viví durante los cerca de tres años en que estuve al frente del Ministerio de Defensa. No tengo que pensarlo demasiado. Los más tristes fueron aquellos en que llegaban noticias sobre la muerte o la mutilación de soldados o policías en algún lugar de Colombia. Fueron muchos los sepelios a los que asistí para acompañar a las familias y rendir homenaje a la memoria de esos aguerridos muchachos que caían en emboscadas o pisaban las minas antipersona sembradas por la guerrilla. No hay palabras de consuelo para una madre que ha perdido a su hijo en la flor de la vida por causa de una guerra sin sentido. Recuerdo —y todavía se me eriza la piel— las palabras de una de esas valientes mujeres, que se acercó a mí, con lágrimas en los ojos, y me dijo:

—Gracias, ministro, por haberle dado a mi hijo la oportunidad de sacrificarse por la patria.

Ese mismo coraje lo encontré muchas veces en los soldados que visité en el pabellón de sanidad militar, que habían perdido sus extremidades, o sufrido otras lesiones irrecuperables en el cuerpo, y que, a pesar de todo, sonreían y me decían que estaban orgullosos de pertenecer a las Fuerzas Armadas y que, si pudieran, volverían al campo de batalla para continuar luchando por la paz de Colombia.

En cuanto al momento más feliz de mi tiempo en el Ministerio, la respuesta pasa por el encuentro con esos audaces secuestrados que fueron capaces de romper las cadenas del secuestro y de llegar a la libertad, como el ex ministro Fernando Araújo, el subintendente de Policía John Frank Pinchao y el ex representante Óscar Tulio Lizcano. Siempre la noticia de la libertad es la mejor noticia.

Pero hay un día en especial —de los más de mil en que lideré la cartera de Defensa— que jamás se borrará de mi memoria, por lo que significó para quince seres humanos y para todo el país: el 2 de julio de 2008, cuando se ejecutó, con éxito rotundo, la Operación Jaque.

Ese miércoles inolvidable, no sólo para mí sino para todos los colombianos, marcó un hito en la historia de las Fuerzas Armadas y de Colombia, cuando un comando élite, conformado por oficiales y suboficiales de la inteligencia militar, agentes civiles de inteligencia, pilotos y técnicos aéreos del Ejército, e incluso un desmovilizado de la guerrilla, llegó en helicóptero a un paraje perdido en las selvas del Guaviare, junto al río Inírida, y, pretendiendo ser una misión humanitaria internacional, sacó de manos de las FARC, sin disparar un solo tiro, a quince secuestrados, incluida la ex candidata presidencial Íngrid Betancourt, tres contratistas norteamericanos y once militares y policías que llevaban años muriendo en vida en la selva.

Fue un golpe maestro, una operación perfecta —como la denominó la misma Íngrid Betancourt cuando dio sus primeras declaraciones en la pista de aterrizaje del aeropuerto militar de Catam en Bogotá— y significó un inmenso soplo, más bien un huracán, de esperanza y de alegría para todos los colombianos, que habíamos estado por años atentos a la suerte de estos y otros secuestrados.

Leí un artículo, a propósito del cuadragésimo aniversario del primer viaje del hombre a la luna, que se cumplió el 20 de julio de 2009, en el que un analista decía que esta hazaña había generado un cambio en la mentalidad, en la actitud, de los estadounidenses, que hasta ese momento sentían que los soviéticos les iban ganando la carrera espacial y, además, vivían tiempos difíciles, después de magnicidios como los de Robert Kennedy y Martin Luther King, y en medio de una guerra como la de Vietnam. De alguna manera, esa figura del astronauta Neil Armstrong dando los primeros pasos sobre la superficie lunar, a cientos de miles de kilómetros de distancia, hizo que toda una nación recobrara su orgullo, su confianza en sí misma y su visión de futuro.

Algo similar ocurrió en Colombia con la Operación Jaque. Después de haber pasado por episodios tan dolorosos como la masacre de los once diputados del Valle del Cauca en junio de 2007, después de manifestarnos masivamente contra el secuestro el 4 de febrero de 2008 sin recibir un solo gesto de buena voluntad de parte de la guerrilla, la noticia de que el Ejército había logrado el rescate incruento de tantos rehenes, capturando además a los dos jefes del frente que los custodiaba, alias *César* y alias *Gafas*, devolvió la esperanza a un pueblo agobiado por el terrorismo y el secuestro.

Hipótesis que se desvanecen

Mucho se ha escrito, dicho y visto sobre la Operación Jaque, que ha sido objeto de varios documentales nacionales e internacionales, y cuyos detalles se narran, con realismo y buen formato literario, en un libro que dejó testimonio para la historia de esta proeza de libertad.[23] Ello me excusa de hacer un recuento exhaustivo de los diversos hechos que configuraron esta operación, considerada modelo por las agencias de inteligencia militar del

---

23. *Operación Jaque, la verdadera historia*, de Juan Carlos Torres. Editorial Planeta, 2008.

mundo entero. Pero sí quisiera hacer unas breves reflexiones sobre algunos aspectos que me parece deben resaltarse o aclararse:

Tan pronto se conoció la operación se aventuraron hipótesis de que ésta había sido liderada y ejecutada por fuerzas de inteligencia extranjeras, pues algunos no consideraban posible que se hubiera llegado a semejante resultado con recursos humanos y técnicos nacionales.

Sobre este tema debe hacerse una distinción. A nivel general, es cierto —y así lo reconocemos con gratitud— que la inteligencia militar colombiana debe mucho, en capacitación y aportes técnicos, al apoyo y la asesoría prestados por países amigos, como Israel, el Reino Unido y, en particular, Estados Unidos. Gracias a ellos, hemos alcanzado niveles de precisión y sofisticación en el área de la inteligencia que hubieran sido impensables unos años atrás. No sería exagerado decir que, sin esos años de entrenamiento y cooperación, hubiera sido imposible ejecutar una operación como la que se llevó cabo.

En el caso concreto de la Operación Jaque, su diseño y gestación, la ejecución del engaño electrónico que permitió infiltrar y suplantar las comunicaciones de las FARC, y la preparación y realización del rescate en el terreno, corrieron por cuenta exclusiva de personal colombiano.

En un momento dado, faltando un par de semanas para el día señalado, el presidente Uribe decidió que debíamos hablarle sobre la operación al embajador de Estados Unidos, William Brownfield, porque se había comprometido con el presidente George W. Bush a tenerlo al tanto sobre cualquier intento de rescate que involucrara a los tres estadounidenses, y así lo hice, en una reunión en mi apartamento, a la que también asistió el general Freddy Padilla, y dos funcionarios de la embajada: el encargado de la CIA y un oficial experto en operaciones.

La primera reacción del embajador fue de incredulidad y escepticismo. Sin embargo, dijo que haría las consultas del caso y que en 24 horas nos tendría una respuesta. En cambio, la reacción del agente de la CIA fue de gran optimismo.

—Si lo que acaban de describir es cierto, me le quito el sombrero a la inteligencia colombiana… ¡Wow, increíble!".

El embajador Brownfield, después de realizar sus consultas directamente con la Casa Blanca, ofreció la ayuda que considaráramos necesaria, la cual finalmente se plasmó en dos aportes concretos: la instalación de sofisticados elementos que permitían una comunicación entre los pilotos del helicóptero y los hombres que bajarían al terreno haciéndose pasar por cooperantes internacionales, y un avión plataforma de inteligencia que, fuera de la vista de los guerrilleros, monitoreó las comunicaciones y sirvió de puente entre el helicóptero y los centros de comando.

Otra hipótesis, que también parte de la incredulidad en la capacidad del Ejército colombiano para ejecutar un rescate tan perfecto, pretende que la Operación Jaque no fue más que una fachada pero que, en realidad, los cabecillas guerrilleros César y Gafas habían sido contactados con anterioridad —supuestamente a través de alias *Doris Adriana*, compañera sentimental de César, capturada en febrero de 2008— y que se había llegado a un acuerdo con ellos a cambio de una cuantiosa recompensa y de asegurarles su pronta libertad.

La fragilidad de esta teoría se cae de su peso. En primer lugar, si esto fuese cierto, ni el gobierno ni el Ejército tendrían por qué negarlo. Se han ofrecido públicamente recompensas a los guerrilleros que, teniendo bajo su custodia a secuestrados, los entreguen a las autoridades, por lo que no hubiera habido ningún inconveniente en reconocer esta situación y pagar la recompensa a la luz del día. Es más, esto no habría quitado mérito a la operación militar, pues infiltrar y convencer a un cabecilla terrorista de dejar a su organización y entregar a unos rehenes sería tanto o más valioso, y tanto o más duro para la moral de la guerrilla, que el mismo engaño.

La realidad se ha encargado de contradecir este rumor. César, quien se resistió como una fiera y luchó contra los militares que iban en el helicóptero a tal punto que tuvo que ser golpeado y dormido con una inyección, no actuó propiamente como un colaborador. Después de unos meses en una cárcel de alta seguridad en Colombia, ha sido extraditado a Estados Unidos, donde será juzgado por narcotráfico —pues el frente primero, que dirigía, estaba a cargo también de esta actividad en el área del Guaviare—, y pasará, seguramente, muchos años en prisión. Su subalterno, Gafas, está en una cárcel del país y responderá ante la justicia colombiana por sus delitos, comenzando por el secuestro, que es castigado con las más duras penas en la legislación penal nacional.

El Plan B

La Operación Jaque, en la que confluyeron la creatividad, el talento y el coraje de oficiales, suboficiales y agentes de la inteligencia del Ejército con el liderazgo de sus máximos comandantes, más la decisión política del presidente Álvaro Uribe —dentro de un conjunto de factores, que incluyeron coincidencias afortunadas y un momento propicio de fragilidad y dificultades de comunicación de la guerrilla—, es una operación orgullosamente colombiana que no tiene nada que envidiar a las más sofisticadas o audaces operaciones de rescate de rehenes en el ámbito internacional. Por el contrario, tiene un componente que casi ninguna puede acreditar: que no hubo ninguna víctima y se ejecutó sin armas, es decir, fue una genuina operación de inteligencia.

No se trató tampoco de una operación aislada, sino del lógico desarrollo de un trabajo continuo de muchos años de seguimiento y escucha a las comunicaciones de las FARC, y de varios avances operacionales que comenzaron con la fuga del subintendente Pinchao, en abril de 2007, que proporcionó información fundamental para localizar a las cuadrillas guerrilleras y a los secuestrados en su poder. Antes de la Operación Jaque se ejecutaron otras operaciones que fueron sus antecedentes, y sin las cuales aquella no habría podido realizarse. Una de ellas fue la Operación Elipse, lanzada en enero de 2008 —esa sí con la plena participación y cooperación de los norteamericanos—, durante la cual un comando especial del Ejército divisó y vigiló durante casi cinco días a un contingente de guerrilleros y a un grupo de secuestrados, a las orillas del río Apaporis. La misma Operación Fénix, que dio de baja a Raúl Reyes, incrementó la situación de incomunicación entre los frentes de las FARC, que dejaron de usar teléfonos satelitales para evitar ser detectados y correr la suerte del extinto miembro del Secretariado, lo que posibilitó el engaño de la inteligencia militar a través de sus comunicaciones radiales.

No hay que perder de vista tampoco que, si bien ésta fue una operación ejecutada íntegramente por el Ejército y su componente de inteligencia, involucró a todas las demás fuerzas, que estuvieron preparadas, en un impresionante despliegue, para poner en práctica el llamado Plan B, en caso de que algo fallara en el engaño original.

Para la eventual realización de dicho plan, se dispuso de 30 helicópteros, un avión, tres batallones de soldados y fuerzas especiales de infantería de marina, que estuvieron listos —con los motores prendidos y las aeronaves en el aire— para una reacción inmediata en caso de alguna contingencia. A través de este segundo curso de acción, se pretendía soltar miles de volantes sobre el lugar de reunión, informando a los guerrilleros que estaban cercados y ofreciéndoles el respeto de su vida si se entregaban con sus rehenes. Adicionalmente, se dejaría caer un teléfono satelital para establecer comunicación directa con César y poder negociar con él. Se trataba de poner en marcha el concepto de un cerco humanitario, es decir, rodear a los secuestrados con la idea de negociar con sus captores su liberación.

No fue necesario, por fortuna, ejecutar el Plan B, pero es importante destacar que éste contemplaba más una acción de presión y negociación que un ataque militar. Es más: una vez los secuestrados fueron sacados del lugar en helicóptero, hubiera sido muy fácil para las Fuerzas Militares haber bombardeado el área y acabar prácticamente con la totalidad de los integrantes del frente primero. No lo hicieron por dos razones: porque siempre se tuvo claro que se trataba de una operación de rescate y no de una acción ofensiva, y porque se quería dejar a las FARC, en cuyas manos quedaban otros secuestrados, el mensaje claro de que se había respetado la vida de sus hombres y que así mismo se esperaba que no hubiera retaliaciones contra los rehenes que seguían en cautiverio. La idea de no atacar a los guerrilleros que quedaran fue de los propios militares. ¡Cuánta razón tuvieron!

CAPÍTULO XXXIII
"¡Éxito total!"

He contado muchas veces cómo viví ese día excepcional del miércoles 2 de julio de 2008. Desde muy temprano, en mi casa, recibí el reporte del general Montoya, quien me informó, hacia las seis de la mañana, que todo estaba bajo control y que él se iba a San José del Guaviare a estar al tanto de la operación. Le pedí que me mantuviera informado de cualquier cosa, y así lo hizo durante toda la mañana. El general Padilla supervisó la operación, y también la disposición del Plan B, desde el centro de comando y control de las Fuerzas Militares, en tanto yo permanecí en mi despacho en el Ministerio, suspendí todas las citas, y me concentré en recibir los reportes, minuto a minuto, de la situación.

En la madrugada había hablado con mi esposa, María Clemencia, quien se encontraba en París con nuestra hija María Antonia. Desde hacía algunos días le había pedido que rezara por el éxito de algo grande en lo que estábamos trabajando, sin darle ninguna información concreta. Esa mañana —ya había pasado el mediodía en Francia— le insistí en que fuera a la iglesia de la Milagrosa en la Rue du Bac, de quien mi señora es muy devota, y que pidiera por que las cosas salieran bien ese día.

En mi despacho, me reuní con el jefe de estado mayor conjunto de las Fuerzas Militares, el almirante David René Moreno, y el director general de la Policía, el general Óscar Naranjo, a quienes les conté esa misma mañana sobre la operación que sería desplegada, pues el nivel de compartimentación de la información había sido tan estricto que ni aún ellos habían sido puestos en antecedentes.

El general Padilla, desde el centro de comando y control, me llamaba periódicamente y, utilizando frases en clave, me iba informando sobre los avances. Pedimos unos sándwiches para almorzar en el despacho y, cuando Padilla me informó que el helicóptero ya había despegado desde el sitio donde se encontraba en una zona rural de Puerto Rico (Meta) rumbo al lugar de encuentro en el Guaviare, llamé a mi jefe de prensa, Adriana Vivas, y le pedí que fuera convocando una rueda de prensa. Tenía muy claro que, si nos iba bien o si fracasábamos, fuera cual fuera el resultado, tendría que salir a dar la cara al país. Los periodistas, entre ellos, comenzaron a especular: ¿Será que cogieron a Cano? ¿A Jojoy? Ninguno sospechaba que estábamos a punto de celebrar el más insólito rescate de nuestra historia. El secreto se guardó hasta el último momento.

Desde el instante en que me informaron que el helicóptero había aterrizado en el sitio acordado con los guerrilleros, el tiempo se me hizo eterno. Cada minuto era como un siglo. Pasaron cinco, diez minutos, y eso todavía era normal de acuerdo con los estándares de las dos entregas unilaterales de rehenes que se habían producido a comienzos del año. Pero después del minuto 15, lo peor cruzó por mi mente. ¿Los habían descubierto? ¿Algo habría fallado? Comencé a caminar nerviosamente alrededor de mi escritorio, acompañado por el tenso silencio de Moreno y Naranjo. Después de 23 minutos, la angustia era casi insoportable. Fue entonces cuando el general Padilla me llamó y me dijo una única palabra, que alivió mi espíritu:

— ¡Despegó!

Sabíamos que el helicóptero con los secuestrados y los dos guerrilleros armados estaba en el aire, pero todavía no podíamos cantar victoria, pues algo podía ocurrir dentro de la aeronave, si fallaba la neutralización de los secuestradores. Apenas unos tres o cuatro minutos después de la última llamada, Padilla volvió a llamarme, emocionado, y me dijo:

— ¡Neutralizados!

Ese ha sido mi momento más feliz en el Ministerio, y sin duda uno de los más felices de mi vida. Compartimos la alegría con Moreno y Naranjo, con algunos asesores de mi oficina, y de inmediato pedí que me comunicaran al presidente Uribe. Yo había hablado con él hacia las siete de la mañana, le había dicho que todo iba marchando bien, y quedé en informarle tan pronto tuviera una noticia. El presidente viajaba esa mañana a visitar un área de inundaciones en Santander; cuando me lo pasaron él estaba en un helicóptero, y pude decirle, sin contener la alegría:

—Presidente, ¡éxito total! Íngrid, los tres americanos y once militares y policías están sanos y salvos.

—Hombre, ministro —me respondió—. ¡Bendito sea mi Dios! ¡Qué maravilla! Lo felicito… —y entonces se cayó la comunicación, pero quedé con la tranquilidad de haber dado ese parte positivo al gobernante que había tenido la confianza y el coraje para autorizar semejante operación desde la más alta instancia.

Yo le había prometido la noche anterior, en Cartagena, a doña Lina de Uribe, la esposa del presidente, que le contaría el resultado tan pronto supiera. Así que la segunda llamada que hice fue a ella, quien me respondió muy emocionada, al borde de las lágrimas por la alegría.

Luego envié un mensaje de texto al celular de María Clemencia, que había hecho la tarea y había ido a orar a la iglesia de la Milagrosa, con dos frases que la sorprendieron por completo: "Éxito total. Secuestrados rescatados". Cuando ella lo recibió, en París, entendió cuál era el motivo por el cual le había pedido que rezara tanto.

Finalmente, llamé a Yolanda Pulecio, la madre de Íngrid, que esa misma tarde tenía previsto viajar a Francia. Hacía unas pocas horas le había enviado una razón, a través de mi secretaria, de que estuviera pendiente de mi llamada, recomendándole que cancelara su viaje, lo que, por supuesto, la había dejado en ascuas.

—Yolanda —le dije—, ¿se acuerda que yo le prometí que no iba a abandonar a su hija? Pues llamo para decirle que Íngrid está libre, que ella está bien, y que estoy viajando ahora mismo a Tolemaida para traerla a ella y a otros secuestrados que acabamos de rescatar.

El asombro y la alegría de la señora Pulecio fueron inmensos. Casi no podía creerlo.

—¿Cómo? ¿Es cierto? ¿Es cierto?

Yolanda me insistió en que quería ir a Tolemaida, pero le expliqué que no se podía y que yo le traería su hija a Bogotá; además, le aseguré que me encargaría de que la llevaran al aeropuerto militar donde llegaría el avión con los rescatados. Mientras hablaba con ella, mi secretario privado, Juan Carlos Mira, me pasó al celular a Astrid Betancourt, la hermana de Íngrid, que estaba en París, y durante un rato, tuve a mamá e hija, una en cada oído, enterándose de la mejor noticia de sus vidas.

La rueda de prensa

Le pedí al general Padilla que viniera de inmediato al Ministerio para que nos acompañara en la rueda de prensa. Cuando llegó, nos dimos un fuerte abrazo, y nos dirigimos, junto con el almirante Moreno, el general Naranjo, el general Jorge Ballesteros, comandante de la Fuerza Aérea, y el almirante Guillermo Barrera, comandante de la Armada, a comunicar la novedad al país. Faltaba el general Mario Montoya, protagonista indiscutible de la operación, quien viajaba en ese momento desde San José del Guaviare hacia la base de Tolemaida, con los rescatados.

Así anuncié a los colombianos la noticia que habían estado esperando por tantos años:

"Me complace comunicarle a la opinión pública nacional e internacional lo siguiente:

"En una operación especial de inteligencia, planeada y ejecutada por nuestra inteligencia militar, fueron rescatados sanos y salvos quince de los secuestrados que se encontraban en manos de las FARC.

"Entre los secuestrados recatados se encuentran Íngrid Betancourt, los tres ciudadanos norteamericanos, y once miembros de nuestra Fuerza Pública".

En un gesto inusual, que nunca antes había visto en una conferencia de prensa, los periodistas aplaudieron cuando mencioné a quiénes se había rescatado, y noté incluso lágrimas en algunas comunicadoras.

Continué:

"Fueron rescatados en una operación en donde se logró infiltrar la primera cuadrilla de las FARC, comandada por alias *César*, la misma cuadrilla que ha mantenido durante los últimos años a un grupo numeroso de secuestrados en su poder.

"A través de diferentes procedimientos se logró también infiltrar al Secretariado. Como los secuestrados estaban divididos en tres grupos, se logró que se reunieran en un solo sitio y luego se facilitara su traslado al sur del país para que supuestamente pasaran directamente a órdenes de Alfonso Cano.

"Se coordinó para que los secuestrados fueran recogidos en un sitio predeterminado por un helicóptero de una organización ficticia. Se coordinó también que el propio alias *César* y otro miembro de su estado mayor viajaran personalmente con los secuestrados para entregárselos a Alfonso Cano.

"El helicóptero, que en realidad era del Ejército Nacional y tripulado por personal altamente calificado de nuestra inteligencia, recogió a los secuestrados en inmediaciones del departamento del Guaviare hace unos minutos y están volando libres, sanos y salvos a San José del Guaviare. Allá abordarán un avión que los llevará a Tolemaida.

"Alias *César* y el otro miembro de su cuadrilla fueron neutralizados en el helicóptero y serán entregados a las autoridades judiciales para que sean procesados por todos sus delitos.

"A los miembros de la cuadrilla que acompañaron a César en la operación de entrega (…), como al resto que se encontraban a unos kilómetros, decidimos no atacarlos y les respetamos la vida en espera de que las FARC, en reciprocidad, suelten al resto de los secuestrados.

"Esta operación, que se denominó 'Jaque', es una operación sin precedentes que pasará a la historia por su audacia y efectividad, y que deja muy en alto la calidad y el profesionalismo de las Fuerzas Armadas colombianas.

"Quince secuestrados rescatados sin disparar un solo tiro.

"Mis felicitaciones muy sinceras a nuestros hombres de la inteligencia del Ejército, al general Mario Montoya, su comandante, y al general Freddy Padilla, quien estuvo al frente de la operación de principio a fin.

"El país, el mundo y los seres queridos de los secuestrados no tendrán cómo agradecerles a estos generales y a sus hombres semejante operación de rescate.

"Seguiremos trabajando día y noche para lograr la liberación del resto de los secuestrados.

"Una vez más hacemos un llamado a los nuevos cabecillas de las FARC para que depongan las armas, para que no se hagan matar ni sacrifiquen a sus hombres, para que se desmovilicen. (…)"

Encuentro en Tolemaida

Terminada la rueda de prensa, que estuvo cargada de emotividad, salimos con los comandantes hacia el aeropuerto de Catam para tomar el avión hacia Tolemaida.

Una vez allá, encontramos el avión Fokker parqueado en la pista de la base, con los rescatados en ella. Subí las escalerillas y a la primera persona que vi fue a Íngrid, conmocionada y feliz por su recién alcanzada libertad. Ella era mi amiga, había trabajado como mi asesora a comienzos de los noventa cuando yo era ministro de Comercio Exterior, y sentí una enorme felicidad al verla de nuevo, después de tantos años de dolor e incertidumbre. Nos fundimos en un abrazo estrecho, inolvidable, en medio de palabras entrecortadas, en las que Íngrid no cesaba de agradecer. Conmigo habían subido los comandantes y el embajador William Brownfield, de Estados Unidos, y la escena se convirtió en una sucesión de rápidos abrazos, exclamaciones de alegría y manifestaciones de bienvenida a quienes regresaban del terrible calvario de años de cautiverio y privaciones.

Tomé a Íngrid de la mano, y así bajamos las escalerillas del avión. Abajo, en una formación espontánea, estaban militares que aplaudían y tomaban fotos con sus teléfonos celulares. Apenas dimos unos pasos, entró una llamada al celular de mi edecán. Era mi secretaria Yolima Jiménez, quien, desde Bogotá, tenía junto a ella a Yolanda Pulecio. De inmediato le pasé el teléfono a Íngrid y fue entonces cuando ella, con la voz entrecortada, le dijo a su madre, después de tantos años de sufrimiento y separación, estas palabras que se volvieron históricas:

—¡Mamá, estoy viva, estoy libre! ¡Mamá, el Ejército me rescató! Tenemos todos que confiar en el Ejército. Lo que hicieron, mamá, es lo más extraordinario. Es una página de historia, de grandeza, de heroísmo. ¡Yo me siento tan orgullosa de mi Ejército, de ser colombiana!

Después de que colgó, con la emoción aún viva en los ojos, lo primero que me pidió Íngrid fue un cigarrillo, que le conseguí inmediatamente. Le pregunté si quería algo más, y me dijo que un yogur. Entonces nos fuimos caminando los dos y nos alejamos hacia un extremo de la pista, donde había unas sillas, y allí nos sentamos y hablamos cerca de diez minutos, mientras ella fumaba y disfrutaba su yogur, como si fuera la bebida más preciada del planeta. Íngrid no cesaba de alabar y de maravillarse por la genial operación de rescate y por el coraje de sus salvadores, y me decía que tenía muchas cosas para contarme. Comenzó a hablarme sobre sus compañeros, y sobre el valor de todos ellos, salvo uno, de quien me habló muy mal, cuyo nombre prefiero mantener en reserva. Me dijo que el cabo William Pérez, enfermero del Ejército, le había salvado la vida cuando estuvo muy enferma. Estaba conmovida con el mundo que redescubría, y con el horizonte que de nuevo se abría ante ella en toda su extensión.

La interrumpí, muy a mi pesar, y le dije que debíamos tomar el avión hacia Bogotá, donde nos estaban esperando, así que volví a tomarla de la mano y nos dirigimos hacia la aeronave, alrededor de la cual estaban los demás rescatados hablando con sus comandantes y contando apartes de su odisea.

El presidente Uribe me había enviado una razón, a través de su jefe de seguridad, para que me encargara de llamar al presidente de Francia, Nicolás Sarkozy, para contarle de la buena nueva, así que solicité que me lo comunicaran a través del conmutador de la presidencia, y nos subimos todos al avión que nos llevaría a la capital. Le pedí al piloto que no despegara hasta tanto yo no hablara con el mandatario francés, pero, después de casi diez minutos de infructuosa espera, decidí que partiéramos e intentar luego la llamada. El corto vuelo estuvo otra vez salpicado de anécdotas y de gestos y palabras de agradecimiento por parte de los rescatados. Los tres norteamericanos y el embajador Brownfield habían abordado un avión de Estados Unidos también hacia Bogotá, desde donde los contratistas, acompañados por el diplomático, salieron de vuelta a su país, después de casi cinco años de secuestro.

Una vez aterrizamos en el aeropuerto militar de Catam, la emoción, los aplausos y los abrazos se multiplicaron. Íngrid se fundió en un abrazo con su mamá, en tanto el embajador francés, Jean-Michel Marlaud, se acercó y me dijo que tenía a Sarkozy en la línea, y me pasó su teléfono. Yo lo saludé, le expliqué que lo había llamado pero que no había podido esperar más tiempo a que me lo comunicaran, y le ratifiqué la asombrosa noticia. Sarkozy, que apenas se había enterado de la liberación unos minutos antes, estaba exultante y me expresó su gratitud con el gobierno colombiano y su alegría por el éxito del rescate. Entonces, aprovechando que Íngrid estaba cerca de mí, se la pasé para que pudiera hablar con ella.

Luego de la larga rueda de prensa en la que intervinieron los rescatados, los comandantes de las Fuerzas Militares y del Ejército, y yo mismo, en la pista del aeropuerto de Catam, salí hacia el Ministerio, donde Yolima me esperaba con una llamada urgente para que participara en vivo en el programa de entrevistas de Larry King en la cadena CNN de Estados Unidos. Ya estaba King al aire, comunicado con el avión en el que el embajador Brownfield y los tres estadounidenses liberados se dirigían hacia San Antonio, Texas, y apenas si alcancé a llegar a mi despacho para participar en su programa.

Fue una amable conversación en la que el famoso entrevistador nos preguntó al embajador y a mí sobre los detalles de la operación, cuyo éxito ya empezaba a dar la vuelta al mundo. Me preguntó si yo consideraba esta operación a la altura del famoso rescate en Entebbe, Uganda, en 1976, a lo cual le respondí que la nuestra había sido mucho mejor porque no se derramó ni una sola gota de sangre. Titubeó unos segundos y dijo: "Tiene toda la razón". Al finalizar su programa, King concluyó: "Es un gran día para los estadounidenses". Y así era. Pero no sólo para ellos. Era un día de gloria para los colombianos y para todos los defensores de la libertad en el mundo.

CAPÍTULO XXXIV
Se cae el tinglado

La Operación Jaque representó un golpe moral para las FARC tanto o más grande que la muerte de Raúl Reyes, Iván Ríos y Manuel Marulanda —todas en marzo del mismo año 2008— o la desmovilización de Karina en mayo. Por una parte —y a pesar de que la guerrilla ha intentado vender a sus militantes la versión de que no se trató de un engaño por parte del Ejército sino de una traición de César—, las FARC se dieron cuenta de que sus sistemas de comunicación, sus claves y frecuencias, que venían desarrollando durante años, eran vulnerables y estaban siendo monitoreados por los cuerpos de inteligencia. Si después del bombardeo al campamento de Reyes habían dejado de utilizar teléfonos satelitales para comunicarse entre sí, ahora tampoco pueden confiar en sus propias comunicaciones radiales, lo que los ha hecho retroceder a antiguos sistemas de correos humanos, que muchas veces no llegan o llegan demasiado tarde. Esta situación se traduce en la profundización de un problema que ya venían sufriendo desde antes: pérdida de comando y control sobre sus propios hombres.

En medio de la dispersa geografía colombiana, cada vez más alejados entre sí, las órdenes ya no llegan con la facilidad y rapidez de antes desde los comandantes de bloques hasta los diferentes frentes, y el mismo Secretariado tiene dificultades para comunicarse entre sí. Se corre cada vez más el riesgo de que las cuadrillas obren por su cuenta, perdiendo la unidad de acción y de propósito que debe tener cualquier organización. Además, las diversas estructuras se sienten aisladas, sin control ni dirección, y la paranoia, sin duda justificada, las hace dudar sobre la procedencia y realidad de cualquier orden o información que reciben.

En el campo del chantaje político que pretendían ejecutar a través de los denominados secuestrados "canjeables", la pérdida fue inmensurable para las FARC. De los cerca de sesenta rehenes que llegaron a tener dicha denominación, ya habían perdido a once, porque ellas mismas los asesinaron (los diputados del Valle del Cauca) y habían entregado a otros unilateralmente para fortalecer el papel del presidente Chávez y la senadora Piedad Córdoba como interlocutores. Con la Operación Jaque perdieron a quince que incluían, ni más ni menos, que a los cuatro que la guerrilla consideraba más valiosos por su importancia internacional: la ciudadana colombo-francesa Íngrid Betancourt —sin duda, la joya de la corona para la guerrilla— y los tres norteamericanos. En el momento de escribir estas líneas les quedan 24 militares y policías, y un concejal de Garzón (Huila) que secuestraron el 29 de mayo de 2009, por cuya libertad el país sigue clamando.

El golpe fue mortal para las FARC. Ellas que se ufanaban de tener contactos o algún grado de interlocución con jefes de Estado y gobiernos como los de Francia, Venezuela y Ecuador, por cuenta de las labores desplegadas por éstos para mediar en la eventual liberación de los secuestrados, y que creían que con ello alcanzarían su anhelado estatus de beligerancia, se estrellaron con la realidad de que ese protagonismo internacional de que gozaban —protagonismo negativo, por supuesto— se esfumó con el rescate del 2 de julio de 2008.

Francia ya tenía a su ciudadana en libertad, Estados Unidos tenía libres a los suyos, y Venezuela y Ecuador —después de conocidos los correos del computador de Raúl Reyes, cuya autenticidad fue avalada por la Interpol— comenzaron a marcar distancia frente a la guerrilla colombiana —al menos de dientes para afuera, porque después se supo que en el caso de Venezuela la colaboración se mantuvo intacta—. Con la Operación Jaque se cayó el tinglado del chantaje de las FARC, y tuvieron que cambiar sus exigencias y expectativas.

El objetivo de la beligerancia —que en la práctica es inviable, pues ni tienen control de un territorio ni acatan las normas del Derecho Internacional Humanitario, requisitos indispensables para obtener este estatus— quedó archivado en el último lugar de la gaveta de sus sueños, y la pretensión absurda de exigir la desmilitarización de Pradera y Florida, dos municipios en las inmediaciones de Cali, con una extensión cercana a los 800 kilómetros cuadrados, para negociar un supuesto acuerdo humanitario, también pasó al olvido.

Un personaje siniestro como Raúl Reyes podía posar de "diplomático" y de negociador de temas "humanitarios" porque estaba a cargo de contactos con gobiernos u organizaciones que buscaban, con más voluntad que realismo, contribuir a la libertad de los secuestrados. Lo que no tenían en cuenta quienes así lo consideraban es que un secuestrador que discute los términos para una eventual liberación de sus rehenes no se convierte, por ello, en un interlocutor "humanitario": es simplemente un secuestrador que negocia el pago de un rescate.

Con la Operación Jaque quedó probado —frente a las objeciones de algunos familiares, e incluso de gobiernos y organizaciones— que sí es posible rescatar sanos y salvos a los secuestrados, en acciones militares o policiales ejecutadas con el máximo profesionalismo y cuidado, que pueden o no apelar al uso de la fuerza.

Así lo prueban las 437 personas que fueron rescatadas por los organismos de seguridad del Estado entre el año 2006 y el 2008, y que hoy están libres de las cadenas del secuestro.

Así lo demuestran los quince seres humanos que abordaron, un día que jamás olvidaremos, el helicóptero de la libertad.

GOLPES A LAS CÉLULAS TERRORISTAS

Las FARC son los mayores extorsionadores y secuestradores
del mundo, y sus operaciones militares han sido tan indiscriminadas
que han destruido pueblos y masacrado a sus habitantes (…)
El calificativo de terroristas no es un invento americano,
es algo que las guerrillas colombianas se han ganado
por matar a miles de civiles inocentes.

JOAQUÍN VILLALOBOS
Ex comandante guerrillero salvadoreño
y analista internacional,
de su columna "De Robin Hood a Pablo Escobar".

CAPÍTULO XXXV

Los sicarios de las FARC

Las FARC, como es bien sabido, son una organización ilegal considerada terrorista no sólo por el gobierno de Colombia, sino por los países que conforman la Unión Europea, Estados Unidos, Canadá y Perú. Inexplicablemente, varios gobiernos de América Latina se resisten a darles tal denominación, a pesar de que han sido testigos cercanos de las atrocidades que la guerrilla comete y ha cometido, durante más de cuatro décadas, contra el pueblo de Colombia. Secuestros de civiles; narcotráfico; ecocidio; reclutamiento forzado de menores; siembra de minas antipersona; ataque a poblaciones con cilindros-bomba; atentados contra vías, torres de energía, oleoductos, acueductos y otras obras de infraestructura; bombas en lugares públicos, asesinatos selectivos y masacres son parte del prontuario que hace de las FARC no sólo un grupo terrorista, sino uno de los peores y más dañinos en el mundo. Lo mismo, en su momento, se predicó de los grupos ilegales de autodefensa que se agrupaban en las AUC, que fueron también incluidos por la Unión Europea y Estados Unidos en sus listados de organizaciones terroristas.

Se trata, además, de un terrorismo con nexos internacionales, que se alimenta de los mercados ilegales de armas y narcóticos, y que mantiene relaciones, que han sido probadas y documentadas, con otras conocidas bandas terroristas como el IRA de Irlanda del Norte y ETA del País Vasco, en España.

No cabe duda de que todos los frentes de las FARC, a lo largo y ancho del territorio nacional, realizan actividades terroristas en mayor o menor medida. Pero hay dos estructuras en particular que tienen como objetivo principal la realización de actos de terrorismo, extorsión y secuestro para intimidar a la población. Son los cuerpos élite del terrorismo de las FARC: la columna móvil Teófilo Forero y la Red Urbana Antonio Nariño (RUAN).

También estos sufrieron duros golpes desde el año 2007, dentro del continuo periodo de descalabros de su organización.

Un historial de dolor

Aunque, por razones obvias, no gozan de la misma publicidad, los atentados que se evitan son tan importantes como las acciones ofensivas exitosas en la lucha contra el terrorismo. Nos impactan, dolorosamente, las escenas dantescas de escombros, llamas y cuerpos destrozados, pero son más los hechos como estos que se frustran día a día por la acción oportuna de la fuerza pública.

La columna Teófilo Forero, comandada, hasta hace poco, por alias *el Paisa* y alias *James Patamala*, que opera principalmente en el Huila y Caquetá, ha sido responsable de atentados y secuestros que forman parte de la más triste memoria del país. En julio de 2001 realizaron un secuestro masivo en el edificio Miraflores de Neiva, y se llevaron a quince personas, entre ellas Gloria Polanco de Lozada, que sólo vino a ser liberada a comienzos del 2008; el 20 de febrero de 2002 secuestraron en el aire a un avión comercial para llevarse al congresista Jorge Eduardo Géchem —quien alcanzó la libertad al mismo tiempo que la señora Polanco—, acto que precipitó la terminación del proceso de paz del Caguán; en febrero de 2003, explotaron un carro-bomba en el club El Nogal de Bogotá que causó 36 muertos, y una casa-bomba en un barrio de Neiva, con 18 víctimas fatales; en mayo de 2005, asesinaron a cuatro concejales y al secretario del Concejo de Puerto Rico (Caquetá), y en febrero de 2006 repitieron la masacre contra nueve concejales de Rivera (Huila), para citar sólo algunos entre los numerosos actos de crueldad de esta macabra unidad de las FARC, con capacidad de desplazarse y actuar en diversas regiones del país, incluida Bogotá.

Desde 2007 hasta la fecha sus fechorías han declinado, no porque no intenten ejecutarlas, sino porque la continua presión de las Fuerzas Militares y la Policía, el trabajo de inteligencia conjunta y los datos proporcionados por desmovilizados e informantes han permitido evitar una gran parte de los atentados que planean.

Caída de Hernán y Javier Calderón

Uno de los golpes más contundentes asestados a la columna Teófilo Forero fue la captura de alias *Hernán*, en el municipio cundinamarqués de El Rosal, el 5 de julio de 2007, por parte de la Policía Nacional.

Hernán lideraba un comando especial de dicha columna, y era sindicado de ser el responsable directo de varias acciones terroristas en el Huila, como el asesinato de un concejal y dos agentes de Policía en El Hobo, el asesinato del ex senador y ex gobernador del Huila Jaime Lozada Perdomo —cuya esposa, Gloria, estaba secuestrada por las FARC—, la masacre de los concejales de Rivera, la muerte por un artefacto explosivo de cuatro policías, y varios atentados dirigidos contra la entonces alcaldesa de Neiva, Cielo González.

Tres meses antes, el 29 de marzo, el Ejército había dado de baja en Algeciras (Huila) a alias *Chucho Maniobras*, quien había acompañado a Hernán en varios de estos atentados.

A Hernán la Policía le venía haciendo un seguimiento desde el Huila hasta que lo ubicaron en El Rosal, un tranquilo y pequeño municipio a pocos kilómetros de Bogotá, donde estaba coordinando futuros actos terroristas en la capital, y haciendo inteligencia sobre posibles blancos secuestrables.

La captura de este hombre clave en la columna Teófilo Forero llevó a otras más en Cundinamarca y Huila, y a la detección y desmantelamiento de diversos planes que estaban listos para ejecutar.

En el primer semestre del 2008 la Policía se anotó un gran éxito antiterrorista, anticipándose a potenciales atentados, y desactivó siete carros-bomba, algunos de los cuales iban a ser instalados en San Vicente del Caguán (Caquetá), antiguo epicentro de la zona de distensión, durante las fiestas del pueblo, en tanto otros iban a ser activados en Neiva durante las festividades del San Pedro, en el mes de junio. Tres vehículos iban a ser detonados en Bogotá, con blancos que incluían al canal de televisión RCN y al ex ministro del Interior Fernando Londoño. También se descubrió un plan para secuestrar a Guillermo Santos, primo mío y directivo de *El Tiempo*.

La constante actividad de inteligencia de la Policía permitió evitar estos planes y capturar a varios de los explosivistas, que estaban ubicados en Soacha (Cundinamarca) y Bogotá, donde habían alquilado diferentes inmuebles en los que almacenaban y fabricaban los explosivos, con miras a lanzar una oleada terrorista el 20 de julio o el 7 de agosto, coincidiendo con las fiestas patrias nacionales.

Felizmente, nada de esto fue posible, y el 6 de agosto se capturó al principal articulador de este plan, que era alias *Javier Calderón*, un verdadero peso pesado dentro de las FARC, que no sólo había sido designado para coordinar estas acciones, sino que hacía parte, desde hacía varios años, de su comisión internacional, y había adelantado por mucho tiempo actividades clandestinas y de representación en Ecuador, Bolivia, Paraguay, Chile y Argentina. Con él cayeron alias *Alberto*, alias *José*, alias *Refrío* y alias *Nelly*, quedando así desvertebrada una temible ofensiva terrorista en la capital del país.

Los falsos policías de Anapoima

En mi condición de ministro de Defensa, siempre fui consciente de que estaba en la mira de las FARC, y de que ellas querían, a toda costa, atentar contra mi vida o contra mi familia. Ése es, sin duda, uno de los riesgos más onerosos del servicio público, y lo peor es que no sólo le afecta a uno sino también a sus seres queridos.

En varias ocasiones —once para ser exactos— el Ejército o la Policía descubrieron a tiempo planes concretos para asesinarme. Gracias a documentos o computadores encontrados en campamentos guerrilleros, o a información de fuentes infiltradas, lograron desmantelarlos. Detrás de la mayoría de ellos se encontraba la mano oscura de la columna Teófilo Forero, la principal célula sicarial de las FARC.

A fines de marzo de 2009, pocos días antes de la Semana Santa, época en que mi familia acostumbra a ir a una finca de descanso en la población de Anapoima (Cundinamarca), la Policía desarticuló un plan bastante elaborado y muy avanzado para atentar contra mí, contra mi hermano Enrique, ex director de *El Tiempo*, o contra otros miembros de nuestra familia.

Gracias a datos recogidos por la inteligencia policial —obtenidos, entre otras fuentes, de documentos incautados al jefe de seguridad de alias *James Patamala*, capturado en San Vicente del Caguán en diciembre de 2008, además de la colaboración de algunos informantes—, se capturó a diez guerrilleros de la Teófilo Forero que estaban involucrados en el plan homicida: ocho en Anapoima, uno en Girardot y otro más en Pitalito (Huila).

El grupo que estaba en Anapoima había comprado, con dineros proporcionados por Patamala, una pequeña finca cercana a la de mi familia, y allí tenían armamento, dos uniformes y cascos policiales, y una motocicleta pintada con los emblemas y colores de la Policía. Todo indicaba que los sicarios, camuflados como agentes del orden, tenían planeado aproximarse en algún momento a donde nos encontráramos mi hermano, yo, o alguno de nuestros familiares, para ejecutar el atentado.[24] Informaciones posteriores indicaron que los hombres de la Teófilo planeaban también realizar una serie de secuestros, incluyendo el de un norteamericano, y ocultar a sus rehenes en la finca que habían comprado.

Otra vez más, la acción oportuna y eficaz de la Policía frustró los planes terroristas de las FARC y de su más tenebrosa estructura sicarial.

Más recientemente, el 25 de octubre de 2009, James Patamala, el segundo cabecilla de esta columna fue dado de baja en combate por la Policía en una vereda del municipio de Puerto Rico (Caquetá). El terrorista, que tenía en su prontuario crímenes como la planeación de la bomba en el club El Nogal, la masacre de la familia Turbay Cote, y el secuestro y asesinato de Liliana Gaviria, hermana del ex presidente César Gaviria, entre otras atrocidades, fue ubicado gracias a datos proporcionados por informantes, que recibirán una recompensa de 1.900 millones de pesos. Las autoridades van ahora tras el Paisa, quien cada vez queda más solo, sin duda uno de los criminales más buscados en el país.

La columna Teófilo Forero, aunque diezmada, continúa siendo una letal amenaza, más en estos momentos en que las FARC, ante la disminución de su capacidad militar, buscan hacer presencia y dar pruebas de su supuesto poder a través de actos terroristas. La amenaza sigue viva, y los organismos de seguridad del Estado siguen esforzándose por contrarrestarla.

¡De cuántas bombas, de cuántos secuestros, de cuántas muertes se ha salvado el país por el esfuerzo de inteligencia y las operaciones preventivas de nuestra fuerza pública!

---

24. En agosto de 2009, cuatro de los diez guerrilleros capturados, que se declararon culpables y llegaron a un acuerdo con la Fiscalía, fueron condenados a ocho años de prisión.

CAPÍTULO XXXVI
La defensa de Cundinamarca

Un empeño recurrente en las FARC, dentro de su "plan estratégico", ha sido buscar el control de la cordillera oriental, como corredor de despliegue entre su "retaguardia estratégica", que se encuentra en los departamentos del Meta, Guaviare, Caquetá y Putumayo —donde son combatidas por la Fuerza de Tarea Conjunta Omega—, y su más preciado objetivo, que es Bogotá, la capital del país.

Dentro de ese plan —que cada vez se aleja más de sus posibilidades—, la guerrilla ha concentrado gran parte de sus hombres y frentes en dicho corredor de despliegue, que atraviesa los departamentos del Huila, Tolima, Meta, el sur de Cundinamarca y parte de Santander.

Esos son los sueños de dominio militar de las FARC, pero la realidad cada vez más les ha demostrado su imposibilidad de alcanzarlos.

Durante varios años la guerrilla logró posiciones privilegiadas en municipios cercanos a Bogotá e incluso dentro del mismo perímetro del distrito capital, en el área rural del Sumapaz, desde donde avanzaba en su propósito de sitiar a la ciudad más grande de Colombia, donde vive la sexta parte de los habitantes del país. Los bogotanos se abstenían de visitar pueblos a tan sólo media hora de recorrido, como La Calera o Choachí, por miedo a ser víctimas de un secuestro, y se sentían presos en su propia metrópoli. Romerías de familias viajaban a Usme, en el extremo sur de la ciudad, y desde allí al páramo de Sumapaz, para negociar y pagar secuestros de sus seres queridos a desalmados traficantes de libertad, entre los cuales se destacaba alias *Romaña*, que se hizo tristemente célebre como encargado de los secuestros en el área de Bogotá y Cundinamarca.

Las cosas comenzaron a cambiar a finales del gobierno de Andrés Pastrana, cuando se crearon los batallones de alta montaña, el primero de los cuales fue el batallón en el Páramo de Sumapaz, ubicado a 3.800 metros sobre el nivel del mar, que el mismo mandatario inauguró el 8 de enero de 2002. Allí, en un antiguo santuario de la guerrilla, se instaló un destacamento del Ejército que comenzó a ejercer soberanía donde alguna vez tuvieron sus fincas Manuel Marulanda y Jacobo Arenas, líderes históricos de las FARC. La instalación de este batallón era el fruto de dos años de campaña militar en dicha zona, en desarrollo de la Operación Aniquilador, que comenzó a desplazar a la guerrilla de un lugar estratégico que les permitía la comunicación entre los frentes del centro del país y los del oriente. De hecho, el área donde se instaló el batallón de alta montaña —a tan sólo doce kilómetros del municipio de Uribe (Meta), que formaba parte de la zona de distensión— no sólo era fuente de abastecimiento de los frentes ubicados en el Meta, Huila y Tolima, sino que, por su proximidad con la capital, era la punta de lanza de la ofensiva que las FARC planeaban contra Bogotá.

Cuando inició el gobierno del presidente Uribe, en agosto de 2002, y comenzó la aplicación de la Política de Seguridad Democrática, las Fuerzas Militares asumieron como prioridad la expulsión definitiva de la guerrilla y su negocio de atentados, secuestros y extorsiones de las cercanías de Bogotá y todo Cundinamarca. Y lo lograron. En un esfuerzo continuo de dos años, en los que se ejecutó la Operación Libertad I, las FARC fueron erradicadas del departamento que consideraban su principal objetivo estratégico.

Desde entonces, en todo plan de acción que se proponen, siempre está incluido el regreso a Cundinamarca, tarea que está a la cabeza del Mono Jojoy y su Bloque Oriental, y en la que, por fortuna, han fallado una y otra vez, cada vez más estrepitosamente.

El computador enterrado

La punta de lanza de las FARC en la capital y sus alrededores ha sido en los últimos años la llamada Red Urbana Antonio Nariño (RUAN), en la que se conjuga el trabajo de ejecutar atentados terroristas en la ciudad con la infiltración de universidades y organizaciones comunitarias para afiliar incautos a sus milicias bolivarianas y al Partido Comunista Clandestino Colombiano (PC3).

El comandante original de la RUAN era Carlos Antonio Lozada, quien tuvo que salir huyendo de Cundinamarca en virtud de la Operación Libertad I. Desde entonces, su principal propósito era el de volver a organizar las fuerzas de la guerrilla para regresar a Bogotá y rearmar su red terrorista. En esas estaba cuando, en julio de 2007, su campamento fue localizado y atacado por hombres de la Fuerza de Tarea Conjunta Omega. Lozada quedó herido pero alcanzó a huir. Sin embargo, en su escape dejó su computador, que se convirtió en una pieza fundamental de información sobre los planes y estrategias de las FARC, y sobre sus intenciones de retomar posiciones en Cundinamarca.

Como sanción por haber abandonado su computador, Lozada fue relevado del mando de las milicias bolivarianas en Bogotá, y fue reemplazado por un hombre de la mayor confianza del Mono Jojoy, que había estado preso en la cárcel Picota hasta julio de 2001, cuando salió por vencimiento de términos, y que había ejecutado toda clase de acciones terroristas en la capital, planeadas desde el Sumapaz. Se trataba de Jesús Marbel Zamora, alias *Chucho* o el *Profe*.

Chucho asumió la tarea de recomponer las fuerzas de las FARC en Cundinamarca y servía también de enlace entre su jefe, el Mono Jojoy, y el nuevo comandante de las FARC, Alfonso Cano. Precisamente, el 29 de octubre de 2008, cuando avanzaba, con su compañera y un pequeño grupo de milicianos, por un paraje entre los municipios de Purificación y Coyaima, en el Tolima, fue interceptado por tropas del Ejército que venían haciéndole seguimiento desde hacía casi un mes. Antes de su captura, que ocurrió cuando intentaba cruzar el río Magdalena, Chucho enterró el computador portátil que llevaba, armamento y documentos, con la esperanza de que no se repitiera la historia del computador de Lozada. Sin embargo, el aparato fue encontrado por los soldados, y la información que contenía resultó, como era de esperarse, particularmente valiosa.

Gracias a ella, se comenzó a develar el plan que la columna Teófilo Forero estaba orquestando en Anapoima en contra mía y de mi familia. También se encontraron datos sobre otros proyectos terroristas y sobre distintos miembros de la RUAN, que luego fueron cayendo, en operaciones militares y de policía, durante el 2009.

El álter ego de Jojoy

Otro cabecilla guerrillero, de igual o similar importancia que Chucho, conocido como alias *Bertil*, jefe del frente 25 y —al igual que Chucho— enlace entre el Bloque Oriental y Alfonso Cano, fue abatido por tropas del Ejército en la Navidad del 2008, también en el Tolima, con lo que el Mono Jojoy perdió en menos de dos meses a dos de sus hombres de confianza. Dicho frente 25, que había llegado a tener más de un centenar de integrantes, y que operaba en el oriente del Tolima, quedó prácticamente extinto. Más de 50 se desmovilizaron, 25 fueron capturados, y 15 —incluido Bertil— fueron dados de baja.

En medio de estas circunstancias, con Lozada en malas condiciones de salud, Chucho capturado y Bertil muerto, al Mono Jojoy, en su empeño por regresar a Cundinamarca y reactivar la

RUAN, no le quedó más remedio que desprenderse del hombre más cercano a él, conocido como alias *Gaitán*, un combatiente de casi 60 años de edad, con larga experiencia en la guerrilla, que era prácticamente su álter ego. Entre su prontuario se contaban acciones que cobraron la vida y la libertad de muchos miembros de las Fuerzas Armadas, como fueron las tomas de Miraflores, Mitú y Teteyé.

Gaitán quedó a cargo de la Red Urbana Antonio Nariño y penetró a Cundinamarca, con un grupo de guerrilleros con experiencia en la región, de los que habían sido desalojados por la Operación Libertad I, entre los que se incluían alias *Negro Antonio*, que era reconocido como un duro y despiadado secuestrador, que acostumbraba operar en la zona de Viotá (Cundinamarca), y alias *Mariana Páez*, la única mujer que formaba parte del estado mayor central de las FARC.

Dentro de los propósitos de Gaitán y sus lugartenientes se encontraba la ejecución de dos planes, diseñados y promulgados por el mismo Alfonso Cano: el plan 2010, con el que se pretendía volver a consolidar la presencia de la guerrilla en Cundinamarca y las goteras de Bogotá para dicho año, y el plan Marzo Negro, con el que se buscaba "conmemorar", a través de atentados terroristas que amedrentaran a la población, el aniversario de la muerte de Raúl Reyes, Iván Ríos y Manuel Marulanda, ocurridas todas en marzo de 2008.

Gaitán y los suyos sólo alcanzaron a ejecutar un atentado, que fue el estallido de una bomba al frente de una tienda de alquiler de videos Blockbuster, en la zona rosa de Bogotá, que causó la muerte de un vigilante y de una ejecutiva, madre de familia, que se dirigía a su casa, el 27 de enero de 2009. Yo mismo estuve, junto con las autoridades militares y de policía y el alcalde de la ciudad, supervisando los efectos de la bomba, a pocos minutos de que estallara, y constaté el tremendo poder destructor de los explosivos que rompieron paredes y vidrios a varias cuadras a la redonda. Si bien, por la hora tardía en que explotó, el número de víctimas mortales no fue muy alto, esta bomba generó explicable zozobra en los capitalinos y en todo el país, pues hacía varios meses que no se presentaba un acto terrorista de esta clase en la ciudad.

La Operación Fuerte

Los tiempos habían cambiado y ya no eran propicios a las intenciones de los terroristas. La tarea de desplazarse por Cundinamarca, que en otras épocas era cosa de todos los días para los guerrilleros, resulta casi imposible en las condiciones actuales, cuando hay presencia masiva y permanente de las Fuerzas Armadas en todo el territorio y una completa red de informantes que colabora con las autoridades.

En sus sueños, Jojoy y los demás líderes de las FARC imaginaban que, bajo la coordinación de un hombre curtido militarmente como Gaitán, y con el apoyo de lugartenientes experimentados como el Negro Antonio y Mariana Páez, sería posible recoger y recomponer los reductos de los distintos frentes que alguna vez operaron en Cundinamarca y que ahora estaban dispersos en los departamentos vecinos, y —como siempre desde el Sumapaz— lanzar una serie de atentados terroristas y de operaciones de infiltración que desembocaran, en el 2010, en la anhelada toma de Bogotá.

Ese proyecto no podía tener más fin que el fracaso, y lo cierto es que Jojoy había enviado a sus mejores cuadros a un destino fatal, que cualquiera hubiera podido prever.

Las tropas de la Quinta División del Ejército, con sede en Bogotá y bajo la dirección del general Jairo Antonio Herazo, incluida la Decimotercera Brigada, comandada por el general Luis Pérez, con jurisdicción en Cundinamarca, desarrollaron la Operación Fuerte, a través de la cual ubicaron y atacaron a dos grupos de guerrilleros que avanzaban en cercanías de Bogotá, uno en el páramo de Sumapaz, en el área del municipio de Nazareth, y otro en una vereda del municipio de Gutiérrez, ambos en Cundinamarca.

El primer encuentro tuvo lugar en la madrugada del viernes 27 de febrero de 2009, en el cerro Las Ánimas, a más de 3.800

metros sobre el nivel del mar. Cuando el helicóptero que llevaba las tropas descendió sobre el cerro, fue recibido por disparos de mortero, que por suerte no dieron en el blanco. En el combate murieron varios guerrilleros y una decena fueron capturados, dentro de los que se encontraba ni más ni menos que el Negro Antonio, cuyo nombre, como ya se dijo, está relacionado con más de un centenar de secuestros, incluido el del industrial japonés Chikao Muramatsu, al que asesinaron después de tres años de cautiverio.

Dentro de las bajas había una mujer, que posteriormente fue identificada como alias *Mariana Páez*, quien había sido la jefe de comunicaciones de las FARC en la zona de distensión del Caguán, y luego había dirigido sus emisoras y su revista *Resistencia*. Su misión era la de reclutar estudiantes universitarios para la causa de la guerrilla, y era la única mujer, dentro de la estructura machista de la guerrilla, que había llegado a formar parte del estado mayor de las FARC.

Como dato curioso, dentro de los capturados aquel día se identificó un líder sindicalista que había salido corriendo con los guerrilleros, huyendo de la acción militar, y que finalmente se entregó aduciendo que se encontraba allá en calidad de secuestrado y que lo habían plagiado hacía unos pocos días. Lo raro del caso es que su familia no había presentado ningún denuncio por su desaparición y que el sindicalista llevaba consigo un teléfono celular. Cuando el general Herazo lo tuvo al frente, le dijo con natural desconfianza:

—Déjeme decirle que usted es el primer secuestrado que me encuentro con celular propio.

Gaitán, por su parte, presionado por las tropas, intentó replegarse con sus hombres hacia el Meta, pero el 1.º de marzo fueron interceptados y el curtido guerrillero resultó muerto.

En sólo tres días, las Fuerzas Armadas lograron neutralizar a los tres cabecillas que estaban a cargo de la reactivación de la RUAN, y esta estructura terrorista quedó prácticamente desvertebrada. El computador que se le encontró al Negro Antonio, así como ya había ocurrido con el de Chucho, ayudó a completar el rompecabezas para seguir desarticulándola.

Esa misma semana se capturó a alias *Negro Juancho*, el segundo cabecilla del Frente Urbano Manuel Cepeda Vargas en Buenaventura, y se descubrieron las cavernas que usaban el Mono Jojoy y su anillo de seguridad como refugio en La Macarena (Meta).

El "marzo negro", por fortuna, no fue para Colombia sino para las FARC.

Últimos golpes a la RUAN

A fines de mayo de 2009, la Policía logró la captura, en una localidad de Bogotá, de alias *Camila* o *Patricia*, que había quedado a cargo de la debilitada Red Urbana Antonio Nariño. Fue en sus computadores donde se encontró el video en el que aparece el Mono Jojoy hablando con un grupo de guerrilleros y leyéndoles una carta de Tirofijo, en la que éste hace mención a la "ayuda en dólares a la campaña de Correa y posteriores conversaciones con sus emisarios". La información contenida en tres computadores y varias memorias incautados a Camila es tan extensa como la que tenía en los suyos Raúl Reyes, por lo que aún queda mucho por conocer de su contenido.

También en mayo, un grupo especializado de la Dijín de la Policía llegó al campamento de otro cabecilla de las FARC, que había logrado escapar del cerco de la Operación Fuerte: alias *Yerminson*, el jefe del frente 51, encargado por Jojoy para seguir ejecutando secuestros, extorsiones y atentados en Bogotá. Gracias a la oportuna acción policial, realizada en una zona agreste del Tolima, se encontró evidencia de planes para atentar contra el sistema público de transporte masivo de Transmilenio y contra entidades bancarias, así como de secuestrar a más de una veintena de comerciantes. Esta información permitió frustrar las intenciones terroristas de la guerrilla.

Yerminson es hoy el hombre encargado de recoger los despojos del Plan 2010, pero su situación es cada vez más precaria. La Quinta División y fuerzas especiales del Ejército, la Policía y

la Fuerza Aérea lo persiguen, y su frente ha perdido más del 60%
de su poder de combate.

Más recientemente, el 27 de agosto de 2009, la Policía capturó
en Bogotá a otro importante integrante de lo que queda de la
RUAN: alias *David*, y a su madre. David está sindicado de coordinar
por lo menos 30 atentados en la capital y estaba planeando varios
más en contra de diversas personalidades, al tiempo que su madre
se dedicaba a reclutar jóvenes para las FARC a través del PC3.

El mismo día, el Cuerpo Técnico de la Fiscalía capturó, igualmente en la capital, a alias *Francisco*, un profesor de la Facultad
de Agronomía de la Universidad Nacional, quien preparaba un
atentado contra el presidente Álvaro Uribe, para lo cual estaba
estudiando sus desplazamientos hacia el aeropuerto militar de
Catam y la forma de aproximarse a la aeronave presidencial,
para lanzar contra ella un cohete hechizo, algo a lo que había
denominado Plan Final. También se encontró evidencia de que
organizaba atentados contra el ministro del Interior y Justicia
Fabio Valencia y el ex ministro de Agricultura Andrés Felipe
Arias. Su captura se logró gracias a información obtenida en el
computador del Negro Antonio.

Ni la RUAN ni los planes de las FARC para regresar a Cundinamarca están totalmente extinguidos, pero lo cierto es que cada
día se alejan más de la posibilidad de convertirlos en realidad. Los
golpes asestados han sido muy fuertes, y sus estructuras son cada
día más débiles. Entre tanto, con cada atentado que no ocurre, con
cada secuestro que se evita, con cada tentativa de acercamiento
que se frustra, se salva la vida de muchos colombianos y se afecta
a la guerrilla en el único recurso que, tristemente, le queda para
hacerse sentir: el terrorismo.

LA MEJOR DECISIÓN

El mensaje que yo les daría a mis compañeros es que tomen la decisión de desmovilizarse, que se acojan al plan de reinserción y a los beneficios que ofrece el gobierno, que se reintegren a la vida civil, que es el mejor camino, y que hay un país que los está esperando para apoyarlos (...)
La salida es la desmovilización. No hay mejor salida.
El seguir en la guerrilla es esperar la muerte.
Entonces, el mejor consejo, que yo les doy de todo corazón, es: Tomen la decisión lo más pronto posible y vénganse, que todos los estamos esperando.

Alias Isaza
Jefe de escuadra del frente
Aurelio Rodríguez de las FARC.
Desmovilizado en octubre de 2008.

CAPÍTULO XXXVII
Secuestrados con fusil

La voz de Shakira, en el concierto del Día de la Independencia, el 20 de julio de 2008, en Leticia (Amazonas), que coincidió con las marchas contra el secuestro en todas las ciudades del país, resonó en las selvas de Colombia con la misma potencia con que nos tiene acostumbrados en sus canciones: "Queremos pedirles a aquellos que se alzan en armas que se liberen ellos mismos de su propio secuestro, porque ellos también están secuestrados en las tinieblas de la selva".

Esa es una triste realidad. En nuestro país, además de los secuestrados por los que se pide un rescate o de los más de veinte militares y policías que las FARC denomina canjeables, hay también miles de jóvenes, campesinos en su mayoría, que, aunque visten el uniforme de la guerrilla, están de alguna manera secuestrados por su propia organización, a la que entraron obligados o engañados, y de la que no saben cómo salirse.

La gran mayoría de ellos fueron reclutados entre los 12 y los 16 años de edad, prometiéndoles ingresos estables y la posibilidad de participar en una revolución social que los llevaría a la toma del poder. A las pocas semanas de "encuadrillarse", la inmensa mayoría de ellos quedan desencantados y descubren que esas promesas no eran más que mentiras, y que su destino, en adelante, no será más que un largo trasegar por la selva, sin sentido, viviendo en condiciones difíciles y a menudo paupérrimas, arriesgando la vida y causando dolor a sus compatriotas, sin un norte definido. Si se quedan es porque los amenazan con fusilarlos o con hacerles daño a sus familias en caso de que intenten desertar. Además, les dicen que los ofrecimientos de las autoridades son un engaño, y que sólo les espera la cárcel y la tortura.

Alias *Isaza*, un guerrillero que ingresó a las FARC a los 14 años de edad y se desmovilizó a los 27, después de más de doce años en la organización y de haber llegado a ser comandante de guerrilla, será protagonista del próximo capítulo, porque se convirtió en el primer guerrillero en fugarse con un secuestrado a su cargo para acogerse al programa de reinserción del gobierno.

Cuando la periodista Marcela Durán, del Programa de Atención Humanitaria al Desmovilizado (PAHD), le preguntó a Isaza sobre lo que había hecho en su tiempo en la guerrilla, su respuesta fue ésta:

—Andar, aguantar necesidades, hacer lo que el comandante le diga a uno, y resignarse a la vida en el monte.

— ¿Por qué resignarse?

—Porque con el tiempo uno se da cuenta de que todo es falso, lo que le han dicho a uno, y que es una lucha inconclusa porque nunca se va a llegar al destino que se quiere llegar.

Más adelante, la entrevistadora le pide a Isaza que describa esos más de doce años que vivió en la guerrilla, y le pregunta sobre lo que aprendió en ese tiempo, a lo que él responde:

—Esos años para mí fueron perdidos porque solamente lo llevan a uno a conocer y a hacer cosas malas para la sociedad, a hacerle daño a la sociedad, mejor dicho. Nada bueno aprendí allá. No me sirvieron de nada porque fueron perdidos. No valió la pena tanto sacrificio allá…

¡Cuántos miles, como Isaza, siguen "secuestrados" con su fusil al hombro, desperdiciando los mejores años de su vida, persiguiendo una meta imposible y haciendo daño a su país!

"Es mejor un desmovilizado que un capturado o un muerto"

En marzo de 2007 presidí en Cartagena una emotiva ceremonia en la que los gobernantes locales, líderes comunales, organizaciones comunitarias, gremios sociales y económicos, y la Policía, suscribieron un Pacto por los Derechos Humanos y el Respeto a la Vida, comprometiéndose a tomar una serie de medidas para disminuir las agresiones y prevenir los homicidios, en el marco del Año del Respeto y la Protección de la Vida que el presidente Uribe había declarado.

Entonces pronuncié unas palabras que, desde ese momento, repetí en casi todas mis intervenciones ante la fuerza pública, y que resumen el compromiso de ésta con la vida y con darles una segunda oportunidad a los miembros de grupos armados ilegales que busquen tenerla.

"En cuanto a la fuerza pública —dije en Cartagena—, estamos invitando a nuestras tropas a que, sin que se afecte la lucha contra el terrorismo y el narcotráfico, privilegiemos la vida en todo momento y procuremos salvar incluso a aquellos que obran al otro lado de la ley.

"Más que guerrilleros o narcotraficantes o delincuentes dados de baja, ¡qué bueno que tengamos cada día más cifras de capturados y, ojalá, más desmovilizados que decidan voluntariamente responder por sus actos y acogerse a la generosidad del Estado!

"Queremos que quienes hacen parte de los grupos al margen de la ley conserven sus vidas, y por eso la posición del gobierno es generosa, dispuesta a darles a los violentos la oportunidad de desmovilizarse e iniciar una nueva vida como parte productiva de la sociedad".

Convertí este mensaje en un *leitmotiv* en todas mis intervenciones, que se resumía en la siguiente frase:

—Más vale un desmovilizado que un capturado, y más vale un capturado que un dado de baja.

Esto representaba un cambio en el esquema mental de las Fuerzas Militares donde, por la clásica formación bélica, se entendía la muerte del enemigo como la máxima presea. En adelante, la mayor conquista sería el logro de que el antiguo enemigo se convierta en una persona de bien para la sociedad.

Esta instrucción, que formaba parte del compromiso de las Fuerzas Armadas con los derechos humanos, fue luego plasmada en una directiva operacional para las tropas, firmada por el comandante general de las Fuerzas Militares.

CAPÍTULO XXXVIII

La fuga de Lizcano

Óscar Tulio Lizcano fue secuestrado por las FARC, siendo representante a la Cámara, el 5 de agosto del año 2000, en Riosucio (Caldas), y desde entonces quedó bajo custodia del frente Aurelio Rodríguez que operaba en los límites de los departamentos de Chocó y Risaralda. A diferencia de la mayoría de los secuestrados llamados canjeables —salvo el ex ministro Fernando Araújo, que vivió el mismo aislamiento—, Lizcano no estuvo acompañado por otros rehenes y tuvo que soportar más de ocho años de cautiverio en la más profunda soledad, pasando a veces meses sin tener una conversación con otro ser humano. Él mismo ha contado que, para mantenerse cuerdo y ejercitar su mente, practicaba sus habilidades como profesor —pues había sido docente de varias universidades— dando clases a un conjunto de estacas de madera, que para él eran sus alumnos. También se refugió en la poesía, que escribía para su esposa y sus hijos, y en la lectura reiterada de un libro del poeta español Miguel Hernández que llegó a sus manos. Su dura experiencia de secuestro está narrada, en forma vibrante, en su libro *Años en silencio.*

Aparte de la soledad y la dureza del cautiverio, Lizcano, que cumplió 60 años durante su secuestro, sufrió penosas enfermedades que hicieron temer por su vida. Muchas veces clamamos los colombianos, a los oídos sordos de las FARC, para que lo liberaran en un gesto humanitario, teniendo en cuenta sus problemas de salud.

En este estado de cosas, en marzo de 2008, el presidente Uribe abrió otra puerta para la libertad de los secuestrados, al anunciar la destinación de un cuantioso fondo para pagar recompensas a los guerrilleros que se fugaran con secuestrados bajo su custodia. Así lo dijo en un consejo comunal en San José del Guaviare:

"Quiero repetir que hay una oferta de 100 millones de dólares, para pagarles recompensas a los guerrilleros que abandonen la guerrilla y traigan consigo a los secuestrados.

"Esos guerrilleros están tan secuestrados como los secuestrados. Tan secuestrado está el guerrillero captor que está vigilando al secuestrado como el secuestrado. Y terminan sufriendo por igual.

"Ese llamado es para que esta guerrilla haga un alto en el camino, una reflexión, abandone esos grupos y traiga consigo a los secuestrados y los libere. Para eso tenemos un fondo de 100 millones de dólares para pagar esa recompensa".

Esta oferta comenzó a minar la moral de los guerrilleros que, cansados de años de sacrificios y vejaciones, veían la posibilidad de comenzar una nueva vida. Sin embargo, no era una decisión fácil de tomar. Los comandantes de las FARC se encargaban de atemorizarlos a cada momento, diciéndoles que las promesas del gobierno nunca se cumplían y recordándoles que, cualquiera que intentara desertar, sería fusilado en el acto.

No fue sino hasta finales de octubre de 2008 que un guerrillero se atrevería a dar el audaz paso, no sólo de fugarse, sino de llevar consigo a un secuestrado.

"Yo lo saco de aquí"

Desde comienzos del 2008, la Policía y el Ejército venían haciendo estricto seguimiento al frente Aurelio Rodríguez. La Policía, mediante actividades de inteligencia tanto humana como técnica, interceptaba las comunicaciones telefónicas o radiales de sus integrantes, contactaba a sus familiares para enviarles mensajes que los invitaran a desmovilizarse, y obtenía información puntual de quienes habían abandonado a la guerrilla. Cada mes que pasaba tenían más claras las actividades del frente y la posible localización de la comisión de la guerrilla que tenía en su poder a Óscar Tulio Lizcano. Entre tanto, el Ejército avanzaba en tareas de rastreo y cerco en las áreas de San José del Palmar, Bagadó y Condoto, en el departamento del Chocó, cerrando corredores de movilidad y rutas de abastecimiento, lo que hacía cada vez más precaria la situación de las FARC en la zona.

Hacia el mes de abril se presentó un relevo en la comandancia de la comisión que custodiaba a Lizcano. Alias *Sebastián* fue reemplazado por alias *Isaza*, un guerrillero con más de doce años de experiencia, considerado un buen combatiente, que había perdido un ojo cuatro años atrás en combates con el Ejército. El grupo que recibió Isaza estaba desmoralizado por el continuo acoso de la fuerza pública y por las dificultades para obtener comida. Además, las desmovilizaciones en el frente Aurelio Rodríguez eran cada vez más frecuentes. La misma compañera sentimental de Isaza, alias *Yurani*, desertó, así como alias *Kevin* y alias *Angy*, que se entregaron a tropas de la brigada móvil N.º 14 en San José del Palmar. Posteriormente, el 2 de octubre, se fugó alias *Morroco* y se presentó ante un puesto policial. Con su colaboración, se supo de las difíciles condiciones de salud que padecía Lizcano y se determinó con precisión la zona en que lo tenían.

Gracias a la información obtenida por la Policía, el Ejército pudo apretar aún más el cerco, en una operación de presión y bloqueo supervisada por su mismo comandante, el general Mario Montoya. Se sabía que los guerrilleros cruzarían el río Tamaná, siempre en jurisdicción de San José del Palmar, y se determinó apostar tropas en el río para bloquear cualquier salida. El objetivo, más que un ataque, que podría poner en peligro la vida del rehén, era reducir a la guerrilla a un área controlable, y presionar su desmovilización y la entrega del secuestrado. También la Policía tenía listo un contingente de hombres jungla para actuar.

Isaza, entre tanto, cavilaba, rumbo a la decisión más trascendental de su vida. Veía que su comisión estaba en un estado de total abandono por el resto del frente, con una creciente escasez de alimentos y otras provisiones; sentía la opresión del cierre del anillo militar sobre ellos, y sabía que los recientes desmovilizados podían haber proporcionado información clave al Ejército para su localización. Además, los mensajes que escuchaba en la radio estimulando la desmovilización y una carta que encontró en la selva —de los miles de volantes que con frecuencia se lanzaban desde helicópteros—, en la que las Fuerzas Armadas invitaban a los guerrilleros a dejar las armas y les garantizaban su vida, hicieron mella en su espíritu. Miraba a Lizcano, a quien le decía 'el Cucho', cada vez más demacrado y desnutrido, sufriendo los estragos de un reciente paludismo, y temía por su supervivencia. Si las cosas seguían así, iba a perder al secuestrado, y no a manos de la fuerza pública.

La fuga de Morroco acabó de forjar su decisión y, finalmente, en un momento en que estuvieron solos, le soltó esta frase a su rehén:

—Si usted se siente en condiciones, yo lo saco de aquí.

Lizcano, a pesar de su mala condición de salud, aceptó la propuesta y le dijo que por la libertad estaba dispuesto a hacer lo que fuera.

Así las cosas, en la noche del 24 de octubre, alrededor de las ocho de la noche, durante el periodo de guardia que Isaza había reservado para él, el cabecilla guerrillero salió sigilosamente del campamento, llevando consigo a Óscar Tulio Lizcano, cuyos pies llagados apenas si lo sostenían en pie, en un acto que podría costarles la vida o darles la libertad.

Después de dos noches y dos días de penosa travesía, en la que, al final, por la postración de Lizcano, Isaza tuvo que llevarlo cargado en sus espaldas, llegaron hasta el río Tamaná en la madrugada del domingo 26 de octubre, y divisaron una patrulla del Ejército en la otra orilla. Hicieron señales a los soldados pero estos no hicieron caso, pues parecían dos civiles borrachos abrazados, a los que había cogido la madrugada vagando por la ribera del río. Finalmente, Isaza les mostró su fusil, y los soldados entendieron que se trataba de un guerrillero desmovilizado y de Óscar Tulio Lizcano, el hombre al que habían buscado por tanto tiempo, y cruzaron en bote a recogerlos.

El ex congresista, con un pantalón y una camiseta cubiertos de lodo, una barba espesa y canosa, y el rostro cruzado de arrugas, reflejaba en su aspecto el calvario de más de ocho años que lo habían envejecido y debilitado más de la cuenta. Pero no perdió su lucidez ni dejó un momento de agradecer a Isaza, su último verdugo que, de un día para otro, se había convertido en salvador.

Pronto un helicóptero, donde venía el mismo general Montoya, acudió al lugar para recogerlos, y los llevaron a la base aérea Marco Fidel Suárez en la ciudad de Cali, donde Lizcano pudo al fin abrazar a su esposa, a la que había dedicado los más sentidos versos de amor, y a sus hijos, uno de los cuales se había convertido en congresista durante su cautiverio.

Allí tuve oportunidad de saludar a Óscar Tulio Lizcano, de darle un abrazo de bienvenida a la libertad y de conversar un rato con él, que estaba visiblemente agotado por su odisea. También le aseguré a Isaza que la oferta del gobierno se haría efectiva y que él recibiría los beneficios prometidos a quien entregara a un secuestrado.

Semanas después, y surtidos los trámites legales, Isaza obtuvo una millonaria recompensa y viajó a Francia, junto con Yurani, su compañera sentimental, invitado por el gobierno francés por intercesión de Íngrid Betancourt. Hoy es un hombre libre, que estudia y se prepara en París para hacer algo útil por él y por la sociedad. Ya no vivirá más años perdidos, como los que pasó en la guerrilla, sino años de crecimiento, en los que podrá recuperar la senda del conocimiento, del servicio y del amor.

CAPÍTULO XXXIX

El ejemplo cunde

La fuga de Isaza con Óscar Tulio Lizcano tuvo muchas consecuencias positivas. La primera es que generó una desbandada en el frente Aurelio Rodríguez, donde muchos otros guerrilleros optaron por dejar las armas. No más en el 2008, 79 integrantes de este frente se desmovilizaron ante las autoridades. De los que quedaron, dos de los principales, alias *Federico* y alias *Paludismo* cayeron en diciembre, el primero abatido en combate y el segundo capturado.

Y también cundió el ejemplo. Después del acto de valor de Isaza y de comprobar que el gobierno había cumplido su palabra y lo había recompensado, otros guardianes de las FARC se atrevieron a escapar con sus secuestrados.

El siguiente caso ocurrió en los primeros días de enero del 2009, cuando una guerrillera perteneciente al frente 51, comandado por Yerminson, conocida bajo el alias de *Myriam*, propuso a tres secuestrados que estaban bajo su custodia que se fugaran con ella. Dos no aceptaron —uno porque su avanzada edad le impedía una aventura como ésta y otro porque no quiso arriesgarse— y sólo uno, Juan Fernando Samudio, un comerciante que llevaba casi dos años en manos de las FARC, se atrevió a secundarla. La familia de Samudio había pagado en tres ocasiones rescate por su liberación y, a pesar de ello, seguían sometidos a la arbitrariedad de los secuestradores que cada vez incumplían con su parte del trato.

Myriam, de 35 años —18 de los cuales había estado en las filas de la guerrilla— estaba desencantada de la vida en el monte y quería a toda costa recuperar a sus hijos, a los que habían alejado de ella siguiendo las reglas internas de las FARC: uno tenía 17 años y el otro 5. De hecho, había planeado fugarse desde cuando fue trasladada al frente 51, que operaba en límites entre Uribe (Meta) y Cabrera (Cundinamarca), pero sólo cobró ánimos para hacerlo después de enterarse del buen éxito del escape de Isaza y del trato que recibió por las autoridades. Con esta motivación adicional, comenzó a preparar la huida con Juan Fernando. Pensaron, inicialmente, volarse en la noche del 31 de diciembre del 2008, pero abortaron el plan pues temieron que algunas guerrilleras se acercaran al cambuche del secuestrado a desearle feliz año y descubrieran su ausencia.

Finalmente, el 2 de enero por la noche, después de dejar en el camastro de Juan Fernando una especie de muñeco que simulaba su presencia, con unas viejas botas de caucho en el piso, salieron del campamento durante el tiempo en que ella estaba de guardia y comenzaron una travesía de varias horas que los llevó a inmediaciones de un contingente militar ante el que se presentaron. Myriam, hasta el último momento, tuvo dudas de desmovilizarse ante el Ejército, por las prevenciones que habían sembrado en ella sus comandantes. Incluso, había pensado en dejar a Juan Fernando cerca a una base y seguir sola su camino. Finalmente, acabó entregándose con él, y se vio sorprendida, desde el primer momento, por el buen trato y la bienvenida que le dispensaron los soldados.

—Fueron muy amables conmigo y con Juan Fernando —declaró luego en una rueda de prensa—. Eso me impresionó bastante porque lo que a uno le infunden es otra cosa y yo tenía una imagen diferente del Ejército, pero en este momento me doy cuenta de que no es así. Yo tenía miedo de entregarme al Ejército porque me decían que ellos me iban a violar y después me mataban. Pero (el teniente que me recibió) me explicó que la política es que es mejor un desmovilizado que un muerto y por eso les respetan la vida a las personas que se entreguen.

Hoy por hoy, Myriam ya se ha reencontrado con sus dos hijos, recibió una recompensa por su acto de valor y es un gusto verla, como cualquier otra colombiana, jugar con su niño pequeño, que es un volcán de energía, darle un beso y atajar sus travesuras, con un brillo de alegría en su mirada. Ahora puede ser madre, al fin una madre, algo tan natural como eso, que la guerrilla le había prohibido ser.

Pero los reencuentros no pararon ahí. En una demostración más de las paradojas de la guerra en Colombia, Myriam, la ex guerrillera, se reunió, a los pocos días de su desmovilización, con su hermano Roberto, un soldado profesional, que había sido mutilado el año anterior por una mina antipersona sembrada por las FARC. Los dos hermanos, que lucharon en bandos contrarios, y que tenían en su alma y su cuerpo las cicatrices de un conflicto absurdo, se fundieron en un abrazo y, juntos, enviaron un mensaje a los guerrilleros para que se desmovilicen y se reúnan con sus familias[25].

"Aquí estoy con vida y estoy delante de mucha gente"

Apenas diez días después de la fuga de Myriam con Juan Fernando, otros dos guerrilleros, en los límites entre Meta y Cundinamarca, en el área del páramo de Sumapaz, alias *Ernesto* y alias *David*, cada uno con más de seis años en las FARC, decidieron escaparse también, llevando consigo a dos secuestrados que

---

25. Myriam acaba de publicar, con su verdadero nombre, Zenaida Rueda, el libro *Confesiones de una guerrillera* (Planeta, 2009), donde narra su experiencia durante su larga y difícil militancia en las FARC, y hace una veraz radiografía de ese grupo terrorista.

habían sido plagiados en los días pasados: Leonardo Almáciga, un comerciante de 31 años, a quien habían raptado el 24 de diciembre, y Álvaro Martínez, un joven de 14, secuestrado tres días después, por el que pedían rescate a su familia, al tiempo que habían comenzado a adoctrinarlo para reclutarlo.

Los primeros días de su secuestro, Leonardo y Álvaro tuvieron que soportar temperaturas bajo cero, apenas abrigados en las noches con trozos de plástico, pues los guerrilleros no les daban nada para cubrirse. Alias *Ernesto*, que llegó el 3 de enero a su campamento, se compadeció de ellos y les proporcionó unas cobijas para dormir, y fue quien, al final, les propuso fugarse, plan que llevaron a cabo el 12 de enero.

A través de un celular que llevaba Ernesto, Leonardo logró comunicarse con su familia e informarles de su huida, y su familia le notificó al Gaula de la Policía que venía atendiendo el caso del secuestro. Gracias a esto, con esporádicas llamadas para no agotar la batería del teléfono móvil, pudieron finalmente ser hallados por el investigador a cargo, terminando así para los dos secuestrados las tres semanas más difíciles de su vida, y comenzando, para Ernesto y David, una nueva vida en la legalidad.

Según dijo Ernesto, lo que habían escuchado sobre las fugas de Isaza y de Myriam con los secuestrados a su cargo, los había motivado a realizar esta acción libertadora. Incluso, en la rueda de prensa que concedió con los demás protagonistas del escape, hizo una declaración contra el secuestro:

— Estoy en contra del secuestro, nunca me ha gustado. No miro a un grupo que dice luchar por una revolución y secuestre menores de edad, retenga gente y la tenga en la selva. Nunca me ha gustado eso.

Y concluyó:

—Invito a mis ex compañeros que quedaron en la selva a que me miren que aquí estoy, estoy con vida; no es como le dicen a uno allá, que uno se entrega y lo matan y lo desaparecen. Aquí estoy con vida y estoy delante de mucha gente.

CAPÍTULO XL

El arma secreta

La desmovilización de los miembros de los grupos armados ilegales, como las FARC, es un proceso que va más allá del abandono de la violencia; se trata de recuperar la vida que se dejó atrás, la familia, la libertad y un lugar en la sociedad. También es un síntoma de la decadencia de la guerrilla. Por cada combatiente o miliciano que se incorpora al programa de desmovilización —y el promedio oscila entre ocho y diez cada día— hay un golpe moral para quienes se quedan, preguntándose cada vez con mayor insistencia sobre el sentido de su vida en la selva, alejados de todo, huyendo siempre, causando daño y dolor a sus compatriotas, sin un horizonte para alcanzar.

La cifra de guerrilleros que han dejado voluntariamente las armas desde agosto de 2002, cuando comenzó el gobierno del presidente Uribe, hasta julio de 2009, se acerca a los 16.000, de los cuales unos 13.000 —más del 80%— pertenecían a las FARC.

Entre el 2006 y el 2008, en esos tres años en que esta organización recibió los más duros golpes de su historia, más de 7.000

abandonaron sus filas. Esto es un logro sin antecedentes que se explica por varios factores: desde el punto de vista externo, hay un acoso continuo de la fuerza pública, que hace que los guerrilleros teman la posibilidad cierta de morir o caer presos; hay una instrucción expresa para que los soldados, infantes y policías procuren la desmovilización de los combatientes enemigos, antes que su captura o su baja, y se adelantan continuas campañas, mediante mensajes en emisoras, perifoneo desde el aire, volantes y anuncios en televisión, invitando a la desmovilización y contando sobre los beneficios que reciben quienes se acogen a ella. Incluso se lanzó un vallenato, cantado por tres reconocidos artistas —Pipe Peláez, Peter Manjarrés y Checo Acosta—, llamado *En la distancia*, que cuenta la historia de un guerrillero que decide regresar a su hogar, lejos de la violencia, con su madre y la mujer que ama, que ha sido éxito de audiencia en las emisoras populares.

"Y se acabarán todas las batallas de esta tonta guerra sin cuartel que nos daña el alma", dice un aparte de su inspirada letra.

Pero también hay razones internas que conducen a la misma decisión: la dureza de la vida en los campamentos guerrilleros, que contradice las promesas que les hacen a los jóvenes cuando los reclutan; la falta de un proyecto viable, con futuro, que los motive; la nostalgia por la familia y, sobre todo, por los hijos de los que los obligan a separarse, y —algo recurrente en muchos relatos de desmovilizados— el desencanto y la rabia que les produce a los guerrilleros ver cómo dentro de su organización subsiste la inequidad contra la cual supuestamente luchan, y cómo los comandantes viven con comodidades y reglas excepcionales que no se aplican para el resto de la tropa.

Una guerrilla sin capitanes

El grado de desmoralización de las FARC en los últimos tres años se refleja, además, en un hecho que no puede pasar inadvertido: cada día más los desmovilizados son guerrilleros con mayor mando y antigüedad, lo que representa un descalabro inmenso para las filas de la guerrilla.

Como en cualquier institución, la experiencia acumulada por un miembro del equipo resulta irremplazable, y es así como cuadros con cinco, diez o quince años en la guerrilla, al desmovilizarse, terminan reemplazados por guerrilleros jóvenes e inexpertos, sin el mismo grado de compromiso y adoctrinamiento, que sucumben a la tentación de la riqueza narcotraficante que ven pasar por sus manos o cometen graves errores militares.

Mientras en el 2002 el 79% de los guerrilleros de las FARC desmovilizados no tenían ni siquiera un año en la organización, en el 2008 el porcentaje de "novatos" fue muy bajo, apenas el 5%. En cambio, mientras en el 2002 los guerrilleros desmovilizados que tenían cinco o más años de vinculación a su organización representaban el 4% del total, en el 2008 los desertores con más de cinco años en las FARC sumaban un 53%. Vale decir, en el 2008 más de la mitad de los que abandonaron sus filas —1.509 en términos absolutos— eran guerrilleros que llevaban más de un lustro en el monte. De ellos, 418 tenían una antigüedad entre 10 y 15 años, y 106 una antigüedad de 16 o más años, como es el caso de Karina y Myriam.

Si trasponemos estos datos a términos militares, diríamos que las FARC hoy no están perdiendo tantos soldados rasos por causa de la desmovilización, sino que cada vez más están perdiendo personal experimentado equivalente a sus capitanes —entre 10 y 15 años de formación— o incluso mayores y coroneles. También "generales", como Martín Sombra, que se desmovilizó en la cárcel después de 42 años en la guerrilla y más de cincuenta de lucha armada.

Esta tendencia continúa en el año 2009, en cuyo primer semestre se desmovilizaron 1.084 miembros de las FARC, de los cuales el 6% tenía menos de un año en la guerrilla, el 38% tenía entre uno y cinco años, el 37% tenía entre cinco y diez años, y el 19% tenía más de diez años en sus filas.

Es insostenible la situación de cualquier ejército, regular o irregular, cuando sus tropas desertan y se acogen a la benevolencia del enemigo. Qué se puede decir cuando no son muchachos asustadizos los que toman esta decisión sino oficiales, o su equivalente, en posiciones de mando, formados tras lustros o décadas de adoctrinamiento y combate. Cuando los capitanes se van, cuando los mayores y los coroneles se van, algo muy grave está pasando.

Una ventaja estratégica

Hay un secreto detrás del éxito de operaciones como Jaque, Fénix y tantas otras que llevaron a la neutralización de cabecillas estratégicos de las FARC o a la liberación de secuestrados: la información de los desmovilizados.

En la Operación Jaque, por ejemplo, sería inconcebible el logro de infiltrar y suplantar las comunicaciones de la guerrilla, incluidos sus códigos de comunicación, si no hubiera sido por los datos proporcionados por antiguos radio-operadores. Incluso, al momento de escoger los supuestos miembros de la misión humanitaria internacional que viajaron en helicóptero a las selvas del Guaviare, además de expertos oficiales, suboficiales y agentes de inteligencia, se llevó dentro del grupo a un guerrillero desmovilizado que cumplió el papel de representante de Alfonso Cano, para generar confianza en sus colegas del frente primero.

Los desmovilizados ganan una bonificación especial por la información que entregan sobre sus frentes y comandantes, y se han convertido en un eje fundamental del combate contra el terrorismo de las FARC.

Entre el 2003 y el primer semestre del 2009, 3.700 desmovilizados colaboraron con entregas y ubicación de armamento —164 ametralladoras y subametralladoras, 3.175 fusiles, 433 escopetas y carabinas, 1.578 pistolas y revólveres, 324 morteros y lanzagranadas, 1.406 cilindros de gas, 10.386 granadas, e innumerable cantidad de munición—, más de 116 toneladas de explosivos y 9.615 minas antipersona y hechizas. Además, ayudaron a localizar 615 campamentos y a detectar 162 campos minados, y proporcionaron testimonios clave para la judicialización de 522 cabecillas y otros 4.110 guerrilleros capturados.[26]

Si el Estado cuenta hoy con un "arma secreta" contra las FARC, esta arma se forjó en las mismas filas de la guerrilla.

---

26. Las cifras de este capítulo fueron proporcionadas por el Programa de Atención Humanitaria al Desmovilizado (PAHD) del Ministerio de Defensa.

LA CRUZADA POR LA LEGITIMIDAD

*Aquel que combate monstruos debe tener cuidado
de no convertirse, él mismo, en un monstruo.*

FEDERICO NIETZSCHE
Más allá del bien y del mal

CAPÍTULO XLI

Una política modelo en el mundo

Tengo muy vivo el recuerdo de un encuentro en Israel, en los años ochenta, en el que se reunió la crema y nata del periodismo mundial para analizar por qué ese país ganaba las batallas en el campo militar pero las perdía en el terreno político. Fue una invitación que hizo el mismo gobierno israelí, preocupado por la forma como los medios habían cubierto lo que llamaron la masacre de Sabra y Chatila, que contrastaba con la imagen de "guerra limpia" que se había dado al triunfo de la señora Thatcher en la guerra de las Malvinas.

Entre mis compañeros colombianos estaban Guillermo Cano, director de *El Espectador*, quien sería luego vilmente asesinado por órdenes de Pablo Escobar, y el padre jesuita Joaquín Sánchez, entonces decano de Comunicación Social y hoy rector de la Universidad Javeriana. La lección de esa interesante reunión la resumió Walter Cronkite, afamado periodista y presentador de noticias estadounidense, en una respuesta que le dio a un general israelí:

—Ustedes nunca ganarán la guerra ante la opinión pública internacional si el enemigo es el único que le da acceso a la prensa y aprovecha esa situación para presentarlos a ustedes como los máximos violadores de los derechos humanos.

Ganar la guerra ante la opinión pública es tan importante como ganar las guerras militares, fue la gran conclusión de esos tres interesantes días de discusión.

En Colombia, las organizaciones terroristas, y algunos idiotas útiles que les sirven de caja de resonancia, utilizan el debate de opinión para deslegitimar las instituciones colombianas, el gobierno y, por supuesto, su mayor enemigo, que son las Fuerzas Armadas del país, señalándolas —¡ah, paradoja, quiénes son los que muestran su dedo acusador!— de violar sistemáticamente los derechos humanos.

Desde que llegué al Ministerio me dediqué a dejar sin argumentos a estos pescadores en río revuelto, que aprovechan cualquier falla o falta que pueda cometer la fuerza pública —y sin duda las ha habido graves— para atacar políticamente al gobierno y a las instituciones armadas en particular.

El esfuerzo que realizamos en estos últimos años por mejorar, en todo sentido, el respeto y protección de los derechos humanos desde las Fuerzas Militares y la Policía, está consiguiendo dicho objetivo. Pero no lo hicimos por ellos, ni tampoco por presiones internacionales, sino porque tenemos la firme convicción de que la legitimidad en las acciones del Estado es fundamental para el logro de sus objetivos.

El fin no justifica los medios. Ni siquiera cuando dicho fin es tan loable y necesario como la derrota del terrorismo y el narcotráfico, y la recuperación de la seguridad y la tranquilidad de una nación. Como reza la frase del filósofo alemán Nietzsche que encabeza esta sección —y que repetí varias veces en mis discursos—, la primera preocupación de quien se enfrenta con monstruos debe ser no convertirse él mismo en un monstruo. Porque entonces, ¿qué habremos ganado? Habrá ganado el enemigo que nos obligó a caer en sus mismos abismos y a recurrir a los métodos que combatimos.

No se puede defender las instituciones obrando por fuera del marco institucional. La condición fundamental de un ejército victorioso es la legitimidad, porque el que triunfa pisoteando la ley y los derechos, lo hace a costa de sí mismo y de lo que dice defender.

Consciente de esto, desde el comienzo enfoqué mis esfuerzos en hacer de la legitimidad de las Fuerzas Armadas el eje sobre el cual girara toda su actividad operacional. No partía de cero, por supuesto. Mis antecesores habían abonado bien el terreno, pero hacía falta una política integral para colocar este tema en la lista de verdaderas prioridades. Y lo que era más importante: había que actuar en consecuencia.

Fue así como encargué al viceministro Sergio Jaramillo, filósofo y filólogo, ex director de la Fundación Ideas para la Paz, quien se había encargado de estructurar y redactar la Política de Defensa y Seguridad Democrática al comienzo del gobierno, para que liderara un equipo de expertos civiles, militares y policías, para producir dicha política de derechos humanos, que fuera en adelante el norte de las Fuerzas Armadas en este tema fundamental. Debo reconocer que el viceministro Jaramillo ha sido clave en su planteamiento y ejecución.

Dentro del proceso de modernización y reorganización del Ministerio, creamos la Dirección de Derechos Humanos con el fin de asegurar la conducción estratégica de todo el aparato de protección de los derechos humanos en la fuerza pública.

Luego nos dimos a la tarea de diseñar la política de derechos humanos, tratando de articular mejor los esfuerzos que ya estaban en marcha y de identificar los vacíos y las debilidades del sistema. Porque el tema de derechos humanos no se agota con un discurso o una cátedra; tiene que abarcar todo el aparato de controles que aseguran que las operaciones se desarrollan en el marco de la ley.

La política no se elaboró en el vacío. Varias misiones internacionales que fueron a terreno, una de la Oficina de la Alta

Comisionada para los Derechos Humanos de Naciones Unidas y otra del Ministerio de Defensa del Reino Unido, nos dieron elementos para hacer los correctivos necesarios y afinar el sistema. Ambas coincidían, por ejemplo, en que en Colombia se impartía más instrucción en derechos humanos que en cualquier otro país, pero que esa instrucción no siempre era la más práctica y la más adecuada a las necesidades del soldado.

Sobre esa base construimos todo un pilar de instrucción, con énfasis en el entrenamiento diferenciado según el nivel y la responsabilidad de nuestros hombres y mujeres. La idea era que los soldados comprendieran en el terreno, sobre casos concretos, cómo aplicar los postulados de los derechos humanos y el derecho internacional humanitario en situaciones de combate. Para ello ampliamos el sistema de pistas de derechos humanos e introdujimos un concepto nuevo, el de centros de entrenamiento (llamados GEPER) que combinaran el entrenamiento táctico con la aplicación del DIH y los derechos humanos.

De la misma manera desarrollamos un pilar de disciplina, fortaleciendo todos los mecanismos de control que sin duda se habían quedado cortos frente al rápido crecimiento de las fuerzas en los últimos años. Empoderamos a los inspectores y comenzamos un proceso de sistematización de las inspecciones, que se estaban ahogando en trámites de papeles, en lugar de salir a campo a pasar revista.

También acometimos una ambiciosa reforma de la Justicia Penal Militar, que por falta de recursos estaba muy debilitada en algunas de sus necesidades críticas: archivos, conectividad, centros de reclusión. Bajo el liderazgo de Luz Marina Gil, directora de la Justicia Penal Militar, se desarrolló, como parte de la reforma, un fuerte componente de instrucción en derechos humanos de los jueces penales militares, lo que contribuyó a una relación más fluida con la Fiscalía General de la Nación.

La política también incluyó un pilar de defensa, al que me referiré más adelante, otro de protección de poblaciones vulnerables (indígenas, afrocolombianos, sindicalistas, defensores de derechos humanos) y otro de cooperación. En la fase de consolidación, cuando la amenaza comienza a disolverse y mimetizarse con la población, la cooperación con la justicia es la mejor herramienta para reducir el riesgo de cometer errores. Y para cumplir por supuesto con el objetivo de la consolidación.

Por eso insistimos tanto en trabajar de la mano de la Fiscalía y la Procuraduría. Igualmente recibimos un apoyo crítico por parte del Comité Internacional de la Cruz Roja y de la Oficina de la Alta Comisionada para los Derechos Humanos de Naciones Unidas. La Cruz Roja nos ayudó con información confiable sobre casos de posibles graves infracciones y con expertos que nos apoyaron en todo tipo de tareas, desde talleres de lecciones aprendidas hasta el desarrollo del derecho operacional en el marco del DIH.

La Oficina, por su parte, acompañó la implementación de la política desde sus comienzos y nos alimentó permanentemente con información de terreno que contribuyó a validar los avances y a identificar las fallas. Como parte de la política de transparencia total, invitamos a la Oficina a visitar todas las divisiones y a discutir los problemas en detalle con los estados mayores de cada unidad. Hicieron tres rondas de visitas a cada división y nos dieron una idea mucho más clara de las dificultades que teníamos que afrontar.

Cuando, después de más de un año de intenso trabajo, reflexión y debate, finalmente publicamos la *Política Integral de Derechos Humanos y Derecho Internacional Humanitario*, el 22 de enero de 2008, invitamos a la Oficina a que la comentara ante un público que incluía al cuerpo diplomático y a las ONG. Generosamente la describieron como un "hito en el continente" y desde entonces no han dejado de ser un apoyo fundamental para el Ministerio de Defensa en la consolidación de los estándares de derechos humanos en las Fuerzas Militares.

Hoy por hoy, según muchos observadores internacionales, es difícil encontrar otra fuerza pública en el mundo que, como la colombiana, tenga tal nivel de capacitación y concientización en derechos humanos.

En eso nos diferenciamos

En una fuerza pública que reúne más de 420.000 militares y policías, enfrentados cada día a las más riesgosas situaciones, con cerca de 20.000 misiones tácticas por año, es supremamente difícil evitar que se presente algún desmán o violación a los derechos humanos o infracción al Derecho Internacional Humanitario. El objetivo que nos trazamos fue el de evitar que una violación o una infracción de éstas ocurriera y garantizar que, si se presentaba, se corrigiera la situación de forma inmediata y se sancionara ejemplarmente al responsable. Con esto en mente, pusimos en práctica una política de Cero Tolerancia frente a las eventuales violaciones de los derechos humanos dentro de las Fuerzas Armadas. Si éstas ocurrían, se obraba enérgicamente frente a los casos particulares, sin que pudiera nunca decirse que dicha violación era una política sistemática y oficial del estamento armado del país, como muchos han querido hacerlo aparecer.

Esto último es un tema mucho más importante de lo que mucha gente cree. Es bien conocida la estrategia de utilizar "las diversas formas de lucha" que la extrema izquierda ha ejecutado en Colombia para tratar de llegar al poder. Dentro de esas formas de lucha está, como ya dije, la de deslegitimar la democracia y la de desprestigiar —a como dé lugar— a las Fuerzas Militares. Para ello se valen de todo tipo de argucias, de calumnias, de medias verdades, y buscan presentar cualquier violación de los derechos humanos como parte de una política sistemática por parte del Estado colombiano. Les ha ayudado mucho la infortunada y despreciable convivencia de algunos uniformados con el paramilitarismo. En esa tarea de desprestigio, las FARC y sus aliados habían logrado un buen avance y por eso era urgente actuar para contrarrestarla.

El presidente Uribe ha sido particularmente claro en este tema cuando diferencia la Política de Seguridad Democrática que él ha implementado durante su gobierno de la Doctrina de Seguridad Nacional que, con dolorosos y vergonzosos resultados, se aplicó en las dictaduras militares de los años setenta y ochenta en varios países de América Latina, bajo el pretexto de combatir el comunismo. La palabra "democrática" en su política de seguridad no sólo significa que la seguridad debe ser para todos sin distingos: para la oposición política, para los periodistas, para los defensores de derechos humanos, para los indígenas, para las comunidades afrocolombianas, para las mujeres, para los niños, para los extranjeros, para los sindicalistas, para todos y cada uno de los habitantes del suelo colombiano, sino también que la seguridad debe buscarse dentro de la Constitución y las leyes. El presidente también insistió desde un principio en que la eficacia que debían tener nuestras Fuerzas Armadas contra los violentos debía estar acompañada de una absoluta transparencia.

No es fácil confrontar militarmente, dentro de un Estado de Derecho tan garantista como el nuestro, las continuas atrocidades de las FARC. Además, la fuerza pública tiene que enfrentar lo que podríamos llamar "la paradoja de la consolidación": mientras más avanzamos en seguridad, mayores son las dificultades para operar, porque el enemigo se diluye y se camufla entre la población civil, usándola de escudo. Conocemos incluso las órdenes de Jojoy prohibiéndoles operar en grupos numerosos.

Por eso, además de desarrollar una política de derechos humanos para la consolidación, repetimos una y otra vez el mensaje:

"Si no respetásemos los derechos humanos, si nos igualáramos a los agentes del narcotráfico y el terrorismo, que no tienen consideración por la vida de los demás, perderíamos nuestro mayor activo operacional, que no son los equipos, ni la tropa, ni la estrategia, sino el apoyo y la confianza de la población.

"Un ejército que no se gana, con su actitud recta y respetuosa de la comunidad, el apoyo y la confianza del pueblo, es un ejército derrotado de antemano, que ha perdido su razón de ser.

"Por el contrario, un ejército que acata la ley y respeta los derechos humanos, tiene consigo la mayor ventaja estratégica posible: la legitimidad".[27]

Y recalcábamos:

"Sólo con legitimidad moral y obrar impecable podemos vencer a los violentos, a los terroristas y narcotraficantes que se burlan de los principios humanitarios y pisotean sin piedad los derechos más básicos de sus compatriotas.

"¡En eso nos diferenciamos! ¡Ahí radica la legitimidad de nuestra fuerza y de nuestras acciones!

"Mientras los terroristas muestran total desprecio por la vida de sus compatriotas y por las consideraciones humanitarias, las tropas de la institucionalidad queremos preservar incluso la vida de los terroristas que nos atacan y los invitamos a desmovilizarse y a acogerse a los programas que el gobierno les ofrece".[28]

Como parte de esta política integral de derechos humanos, se dio la instrucción, a la que ya me he referido, de que había que privilegiar las desmovilizaciones sobre las capturas y las capturas sobre las bajas, porque el derecho a la vida debía estar en el primer lugar de los compromisos de nuestros soldados.

La prueba ácida del comportamiento de un ejército es la forma como actúa frente al enemigo, una vez éste es capturado o se entrega. Los miembros de la fuerza pública se han destacado, en los últimos tiempos, por el trato digno que dan a los miembros de las organizaciones armadas ilegales cuando caen en su poder. Les prestan primeros auxilios si están heridos, y respetan en todo momento su integridad y dignidad. No olvidan que son otros colombianos, como ellos, que tomaron un camino equivocado, muchas veces sin entenderlo o contra su voluntad.

---

27. Discurso de instalación del Congreso para el Fortalecimiento de los Derechos Humanos en el Ejército, Bogotá, 3 de febrero de 2009.

28. Discurso en ceremonia de ascenso de suboficiales de las Fuerzas Militares. Bogotá, 23 de marzo de 2007.

¡Qué diferencia con la forma inhumana en que las FARC tratan a los uniformados que caen en su poder! Lo hemos sabido por los dolorosos relatos de quienes han sobrevivido a ese infierno. Incluso, en los videos que se conocen de los militares y policías que siguen en poder de la guerrilla, estos salen, no sólo demacrados y enfermos por un cautiverio de más de once años, sino llevando cadenas en el cuello, que no les quitan ni para dormir.

Pero también en el campo de los derechos humanos las FARC por fortuna están siendo derrotadas. Mientras la fuerza pública colombiana redobla sus esfuerzos por respetarlos y acatarlos, cada vez resulta más patente ante el país y ante el mundo la forma en que aquellas se burlan de los derechos mínimos del ser humano y hacen oídos sordos a los reclamos por una actitud más humanitaria. Ésta era otra batalla que nos propusimos ganar, y los resultados se pueden apreciar en los recientes comentarios de muchas organizaciones internacionales sobre el avance de las Fuerzas Armadas y su compromiso en este frente.

CAPÍTULO XLII
Los "falsos positivos"

"Los Derechos Humanos no son, ahora ni nunca, una cortapisa a la acción militar, sino la mejor garantía de que obramos bien en el cumplimiento de la misión, dentro de los valores que nos diferencian de los terroristas. Porque solamente actuando con legitimidad puede ganarse una guerra. Solamente cumpliendo la ley vamos a construir una paz duradera. Solamente respetando la vida de todos los colombianos vamos a tener un ejército admirado y respetado por el pueblo. De nada nos sirve ganar una batalla si sembramos odio y rechazo entre la población".

Con estas palabras resumí, el 3 de febrero de 2009, en uno de los muchos ciclos de conferencias sobre derechos humanos organizado por el Ejército, un postulado fundamental: respetar los derechos humanos no es sólo un imperativo moral, sino que también es, para las tropas, un "seguro" de que están obrando bien y cumpliendo su objetivo estratégico.

Los derechos humanos no deben considerarse una amenaza que oscila sobre el obrar de los soldados como el ominoso filo de una guillotina, sino, todo lo contrario, como los mejores amigos del soldado, que lo guían en su proceder y garantizan que éste sea adecuado.

Primeras medidas

Las muertes en combate son legítimas y tienen todo el respaldo institucional; por eso mismo —por obrar dentro de las instituciones— las Fuerzas Armadas deben ser conscientes de la responsabilidad que implica el uso de la fuerza y el monopolio de las armas. Toda muerte fuera de combate, por el contrario, va en contravía del honor militar; es condenable desde el punto de vista penal y disciplinario, y termina afectando a la fuerza pública pues mancilla su nombre, y afecta su credibilidad y legitimidad.

Desde cuando llegué al Ministerio encontré que existían algunas denuncias por presuntos homicidios en persona protegida por parte de las Fuerzas Militares, que la justicia ordinaria y las organizaciones defensoras de derechos humanos llaman "ejecuciones extrajudiciales". En otras palabras, denuncias de posibles situaciones en que militares se extralimitaban en sus funciones y ejecutaban a civiles por fuera del combate. En algunos casos llamaban a estas ejecuciones "falsos positivos", pues los autores presentaban luego a sus víctimas como positivos operacionales, es decir, como bajas legítimas de integrantes de grupos narcoterroristas.

Esa situación era intolerable y, si resultaba cierta, estaba en total contradicción con las políticas de derechos humanos. Por eso desde un comienzo no dudamos en tomar decisiones cuando disponíamos de suficiente información (algo que en estos casos presentaba no pocas dificultades). Fue así como en enero de 2007, cuando tuvimos conocimiento de graves denuncias sobre la conducta de un oficial, las pusimos en conocimiento de las autoridades competentes y reiteramos en rueda de prensa nuestras políticas:

"El Ministerio de Defensa reafirma su política de cero tolerancia con las violaciones de los derechos humanos y con cualquier vínculo de miembros de la Fuerza Pública con organizaciones al margen de la ley.

"Reiteramos que aquellas bajas que no sean el resultado de operaciones de la fuerza pública son absolutamente inaceptables: la política del Ministerio, de las Fuerzas Militares y de la Policía es una política de estricto apego a la ley y de consolidación del control territorial.

"El Ministerio no permitirá que la posible conducta criminal de unos manche el nombre de los miles de hombres y mujeres de las fuerza pública que día a día ponen en juego su vida para garantizar la seguridad de todos los colombianos. La responsabilidad penal es de los individuos, no de las instituciones.

"El Ministerio actuará en derecho, en este y en cualquier caso, para que quienes hayan cometido actos delictivos sean investigados por la justicia, con el respeto al debido proceso".[29]

Las denuncias venían de diferentes fuentes, y la magnitud y la intensidad variaban ostensiblemente. Estas denuncias las conocía el Programa Presidencial de Derechos Humanos de la Presidencia, dirigido por Carlos Franco, uno de los funcionarios más competentes para manejar este delicado tema. Con él —respaldado con bríos por el vicepresidente Francisco Santos, quien fue un gran aliado en esta causa— y con el viceministro Jaramillo, nos propusimos investigar a fondo qué era y cuál era la verdadera magnitud de lo que estaba sucediendo.

Lo primero que hicimos fue hablar con las organizaciones e instituciones que tenían algún conocimiento del problema para tratar de aclarar cuál era la realidad de lo que se estaba denunciando. La Fiscalía, la Procuraduría, la Oficina de las Naciones Unidas para los Derechos Humanos, el Comité Internacional de la Cruz Roja, la propia oficina de la Vicepresidencia que, en cierta forma, trataba de centralizar la información, todos tenían datos parciales e información fragmentada. A estas entidades les

---

29. Comunicado del Ministerio de Defensa Nacional, 26 de enero de 2007.

dije que nuestros objetivos eran los mismos y que teníamos que trabajar en forma coordinada, cada cual dentro de su respectivas funciones y obligaciones. Con el comandante de las Fuerzas Militares, los comandantes de las respectivas fuerzas y el director de la Policía hicimos lo propio y todos —sin excepción— se comprometieron con esta tarea.

El 6 de junio de 2007 expedí la Directiva 10 con el fin de reiterar las obligaciones de las autoridades encargadas de hacer cumplir la ley y prevenir homicidios en persona protegida, y de formalizar el trabajo que estábamos adelantando. En dicha directiva se creó el Comité de Seguimiento a Denuncias por Presuntos Homicidios en Persona Protegida, para impulsar las investigaciones penales y disciplinarias, fortalecer los controles y prevenir la ocurrencia de nuevos hechos.

Buscamos que este comité tuviera una conformación que garantizara su efectividad. Para ello, quedó integrado por el ministro de Defensa; el viceministro para Políticas y Asuntos Internacionales; el comandante general de las Fuerzas Militares; los comandantes del Ejército y la Armada; el director general de la Policía; los inspectores del Comando General de las Fuerzas Militares, el Ejército, la Armada, la Fuerza Aérea y la Policía; la directora de la Justicia Penal Militar, y los coordinadores de derechos humanos del Ministerio de Defensa, del Comando y de las Fuerzas Militares. Además —y esto es muy importante—, eran invitados permanentes la Fiscalía, la Procuraduría, el director de la Oficina en Colombia del Alto Comisionado de Naciones Unidas para Derechos Humanos, el representante del Comité Internacional de la Cruz Roja y, por supuesto, el director del Programa Presidencial de Derechos Humanos.

Con controversias en su seno —que son sanas y naturales—, con aportes y discusiones sobre el curso a seguir y los controles que se deben imponer, el Comité de Seguimiento, que se reunía mensualmente, sirvió muchísimo para fortalecer la cooperación interinstitucional e identificar los obstáculos para el avance de las investigaciones.

Adicionalmente, en la directiva 19 del 2 de noviembre de 2007 ordené agotar todos los recursos disponibles para que, en el caso de muertes en combate, la diligencia de levantamiento y todas las pruebas preliminares fueran realizadas por la Policía Judicial y no por la tropa. De igual forma, instruí a los comandantes militares para que facilitaran la práctica oportuna de las diligencias ordenadas por las autoridades judiciales, y a la Dirección Ejecutiva de la Justicia Penal Militar para que promoviera el cumplimiento de la jurisprudencia de la Corte Constitucional, y del acuerdo firmado por mi antecesor con la Fiscalía, de forma que los procesos que correspondieran a presuntas faltas contra los derechos humanos ejecutados por fuera del servicio —como sería el caso de una ejecución extrajudicial— pasaran de la Justicia Penal Militar a conocimiento de la jurisdicción ordinaria.

Para comprender mejor qué era lo que realmente podría estar sucediendo, escogimos casos que, a juicio del representante de la oficina de Naciones Unidas, podían ser ilustrativos, y reprodujimos, en presencia del personal militar que había participado en la operación cuestionada, lo que había sucedido. Preguntábamos paso por paso qué había sucedido y por qué habían actuado de tal o cual manera. Esto nos ayudaba a entender —al alto mando, a las Naciones Unidas y a mí— si las denuncias tenían un sustento real y qué podíamos hacer desde el punto de vista de los controles y el procedimiento militar para evitar cualquier desmán.

Sin duda, todas estas medidas habían tenido un efecto positivo. De hecho, ya estaban en marcha cuando, en septiembre de 2008, el caso de los desaparecidos de Soacha, una población cundinamarquesa que forma parte del área metropolitana de Bogotá, nos obligó a tomar medidas mucho más drásticas porque era la primera vez que claramente se configuraba lo que muchos simple y llanamente nos resistíamos a creer que podía estar sucediendo: auténticos "falsos positivos".

Los desaparecidos de Soacha

El 22 de septiembre de 2008 diversos medios de comunicación publicaron una noticia que daba mucho que pensar: por lo menos once jóvenes de la población de Soacha, vecinos y amigos entre sí, habían desaparecido hacía ya varios meses, y sus cadáveres habían sido presentados a los pocos días en el departamento de Norte de Santander, a más de 600 kilómetros al noroccidente de Bogotá, como bajas en combate, supuestamente pertenecientes a la banda delincuencial de las Águilas Negras, y luego enterrados en una fosa común.

Los muchachos —que al final resultaron ser 19—, la mayoría de los cuales tenía antecedentes judiciales o problemas de consumo de droga, habían sido reclutados en Soacha para un supuesto trabajo rápido y lucrativo, y luego transportados hasta esa región fronteriza con Venezuela, donde fueron ultimados y presentados como "positivos" por el Ejército. Sería un caso típico de "falso positivo".

Como he dicho antes, desde hacía varios meses veníamos trabajando para investigar, controlar y sancionar posibles episodios como éstos, pero debo decir que la información de los desaparecidos de Soacha me tomó por sorpresa, y me causó no sólo dolor y preocupación, sino también una profunda indignación cuando pude comprobar que la información publicada tenía un buen sustento. Como ministro de Defensa, y como testigo permanente del compromiso y valor de la inmensa mayoría de los integrantes de la fuerza pública, me era difícil creer que hombres que vestían el uniforme del Ejército, que habían jurado proteger a sus conciudadanos, pudieran caer en conductas tan despreciables como asesinar a civiles para mostrar resultados operacionales, y ganarse unos días de asueto o una felicitación en su hoja de vida. Porque ningún uniformado recibía recompensas económicas por los terroristas dados de baja; la política de recompensas del gobierno se aplica solamente a los civiles que cooperan con las autoridades con información.

Ese mismo día produjimos con el general Freddy Padilla un comunicado, solicitando perentoriamente a la Fiscalía General de la Nación que diera prioridad a la investigación sobre la desaparición y muerte de estas personas. Lo mismo ordené a la Inspección del Ejército. Al mismo tiempo, ofrecí toda la colaboración del Ministerio para que las investigaciones se produjeran con la máxima celeridad, esclareciendo el accionar de la fuerza pública. "Los primeros interesados en que se investigue y sancione cualquier conducta irregular", terminaba el comunicado, "son el Ministerio de Defensa y el alto mando militar".

Ya antes de conocerse los casos de Soacha, la Inspección del Ejército adelantaba investigaciones internas por denuncias similares en unidades militares de Antioquia, Córdoba y Meta, la mayoría de las cuales estaba judicializada, con procesos que comprometían a uniformados retirados y en servicio activo. Incluso, varios coroneles se encontraban detenidos.

Pero la alarma de Soacha nos mostró que era urgente una depuración al más alto nivel. Convoqué el 29 de septiembre una reunión en mi despacho, a la que asistieron el vicepresidente de la República, los altos mandos de la fuerza pública, el fiscal general de la Nación, el defensor del Pueblo y el viceprocurador, entre otros altos funcionarios. Se establecieron canales expeditos de colaboración con la investigación de la Fiscalía, que se comprometió a conformar un grupo especial de trabajo, coordinado por su Unidad de Derechos Humanos, para investigar los graves hechos.

El 24 de octubre, con base en información testimonial recaudada por el propio general Mario Montoya, comandante del Ejército, que se pasó de inmediato a la Fiscalía, fueron retirados de sus cargos tres coroneles con mando en la zona de Ocaña (Norte de Santander), donde habían aparecido los cadáveres de los jóvenes. Sin embargo, la medida más dura estaba por venir.

Consideramos que la situación ameritaba la creación de un órgano de investigación dentro de las Fuerzas Militares, que obrara con total confiabilidad y celeridad, y ordené la constitución de una Comisión Especial, encabezada por el mayor general Carlos

Arturo Suárez, que estaba al mando de la JOEC, y compuesta por oficiales especializados en inteligencia, infantería y logística, y por el director del Programa Presidencial de Derechos Humanos de la Presidencia, Carlos Franco.

Con base en el informe puntual de dicha comisión, que no se circunscribió únicamente a los casos de Soacha, sino que abarcó también las denuncias en otros departamentos, el 29 de octubre el presidente Uribe anunció, después de evaluar detenidamente la situación con el general Padilla y conmigo, la determinación de llamar a calificar servicios a 27 miembros del Ejército, incluidos tres generales —comandantes de la segunda y séptima división del Ejército, y de la brigada 23—, cuatro coroneles, siete tenientes coroneles, cuatro mayores, un capitán, un teniente y siete suboficiales.

Fue una decisión dolorosa, pero necesaria. Al retirar a estos 27 militares no estábamos prejuzgándolos ni señalándolos como agentes activos de las desapariciones y ejecuciones —eso sólo podría determinarlo la justicia penal—. Obramos con discrecionalidad, pues determinamos que, así como en algunos casos podría haberse presentado un involucramiento directo con los casos de falsos positivos, en otros habían fallado los controles, o había habido negligencia o falta de cuidado en la ejecución de las operaciones militares, y eso ya era motivo suficiente para retirar a los responsables. En la carrera militar, es bien sabido, no sólo se responde por la acción personal sino también por la acción de los hombres a su cargo.

El presidente Uribe hizo las siguientes precisiones en la rueda de prensa:

"El prestigio de las Fuerzas Armadas de Colombia, en el corazón del pueblo y en la comunidad internacional, no puede mancharse por los delitos, por las fallas administrativas que algunos de sus integrantes cometan.

"Las Fuerzas Armadas de Colombia tienen un buen ganado prestigio. Cuando hay violaciones a los derechos humanos ese prestigio se enturbia. La política nuestra de Seguridad Democrática es una política sostenible, como lo requiere Colombia, en la medida que sea eficaz y que sea transparente. La transparencia es la adhesión rigurosa de esa política a los derechos humanos. No puede haber una sola violación de los derechos humanos".

Y añadió:

"Por eso nosotros no podemos permitir que se confunda la eficacia en la lucha contra los delincuentes con la cobardía para enfrentar a los delincuentes y la distorsión de eficacia, asesinando víctimas inocentes.

"El gobierno tiene que ser totalmente riguroso en su insistencia, en su exigencia de que esta política de seguridad les devuelva a los colombianos plenamente la tranquilidad, de que sea eficaz y, al mismo tiempo, el gobierno tiene que ser totalmente exigente de que esta política sea transparente; que no haya ninguna duda sobre su transparencia".

Una baja dolorosa

Entiendo que toda esta situación tuvo que haber sido especialmente difícil y angustiosa para el general Mario Montoya, quien vio destituir a 27 de sus hombres, incluidos tres de sus generales, y fue así como decidió, en un acto de honor militar, presentar su renuncia ante el presidente de la República el 4 de noviembre de 2008.

No debió haber sido una decisión fácil. Habían pasado 39 años desde su ingreso a la Escuela Militar y había dedicado esas cuatro décadas de su vida al servicio de su patria y la defensa de su bandera. Había escalado la más alta posición jerárquica dentro de su Ejército, y merecía terminar su carrera en unas circunstancias diferentes. Pero la vida pública no siempre es justa.

El general solicitó audiencia al presidente Uribe y le entregó su carta de renuncia, y el mismo mandatario contó después que le había pedido que no se fuera, que había ponderado su labor operativa y le había insistido en que esperara a que superaran las dificultades. Pero el general Montoya, un hombre de honor y de palabra, se mantuvo en su decisión.

En su carta pública de renuncia, que leyó ante los medios de comunicación, el general expresó:

"La Política de Seguridad Democrática, definitivamente, cambió la vida de los colombianos, se constituyó en la guía y misión para el Ejército que hasta hoy comando. La cumplimos sin vacilaciones, con la mayor fortaleza, lealtad y entrega.

"Sobre los recientes hechos en los cuales miembros de la institución se han visto comprometidos y que apenas están en etapa de investigación, pido a los colombianos no condenarlos sin antes haberles concedido el derecho de defenderse; esto es apenas un principio elemental de la justicia que debe cobijar por igual tanto a militares como a civiles".

El presidente Uribe, por su parte, dio una declaración emotiva en la que elogió la carrera de Montoya y lo presentó como "una equilibrada combinación de eficacia y transparencia". Al mismo tiempo, anunció la designación, en su reemplazo, del general Óscar González.

Fue una baja sensible y dolorosa para el Ejército, que perdía así a un apasionado conductor, nada menos que el líder militar de la Operación Jaque, entre tantas otras victorias que había logrado sobre el terrorismo y el narcotráfico en su extensa carrera militar. El presidente lo designó luego como embajador en República Dominicana.

Los frutos de la firmeza y la transparencia

El general Suárez había liderado, con eficiencia, la investigación que llevó a la más importante purga dentro del mando militar en los últimos tiempos, y determinamos designarlo como nuevo inspector del Ejército, encargado de vigilar y controlar que casos vergonzosos como los que se habían presentado no volvieran a producirse en las filas de la institución armada. Dando continuidad a la estructura de la comisión que había producido el informe, creamos la Comisión de Inspección Inmediata, para garantizar la investigación rápida y eficiente de hechos presuntamente violatorios de los derechos humanos, la cual se ha activado para cinco casos en diferentes unidades militares del país, incluidas las denuncias de Soacha.

En enero de 2009, ordenamos la salida de diez militares más que habían pertenecido al batallón de La Popa, en Valledupar, donde se habían presentado también graves denuncias de falsos positivos.

Pero no se trataba simplemente de llamar a calificar servicio a unos oficiales. El mismo mes de noviembre anunciamos toda una serie de medidas —conocidas como "las quince medidas"— con dos propósitos: extraer las lecciones que nos dejaba la comisión del general Suárez, para tomar los correctivos de forma inmediata, y acelerar la implementación de las medidas anunciadas en la *Política Integral de Derechos Humanos*.

Las quince medidas constituyen un amplio abanico, desde una revisión en profundidad de la instrucción —¿cómo nos pudo haber pasado esto con tanta instrucción?, nos preguntábamos— y de la doctrina de inteligencia, pasando por un fortalecimiento de los controles —creamos una red de inspectores en las regiones dedicados exclusivamente a hacer seguimiento a los derechos humanos y convertimos la comisión del general Suárez en una "comisión de inspección inmediata" para ir a terreno en el momento de recibir una denuncia—, hasta la creación de nuevos mecanismos de acompañamiento jurídico a las operaciones: entrenamos asesores jurídicos operacionales para que cada comandante de batallón tenga el soporte de una opinión experta a la hora de diseñar sus operaciones; introdujimos un novedoso sistema de reglas de encuentro "diferenciadas", según el tipo de objetivo y de operación, y ampliamos las medidas que ya mencioné para asegurar que el levantamiento de toda muerte en combate lo haga el Cuerpo Técnico de Investigación de la Fiscalía. Hoy en día es así, lo que representa un costo material y de oportunidad alto para las fuerzas —cientos de horas de helicóptero al mes— pero también una garantía de transparencia frente a la opinión. ¿En qué otro país se ejecutan operaciones militares con estos estándares?

No dudo en calificar esta situación como la más grave que tuve que asumir, a nivel interno, durante mi tiempo como ministro de Defensa. Los hechos probados, que hoy están siendo debidamente investigados y sancionados, con la colaboración de los estamentos armados —no más por los casos de Soacha están siendo procesados 44 militares—, son una vergüenza, una llaga en la piel de un Ejército que tiene muchos motivos para sentirse orgulloso y que no puede permitir que el accionar de algunos, que obraron contrariando instrucciones oficiales y doctrinas operacionales, manche su bien ganado buen nombre.

El presidente de la República, el ministerio a mi cargo y los altos mandos militares respondimos con precisión y firmeza, y sin ocultar nada. Todo lo contrario, nuestro empeño fue el de descubrir la verdad, corregir la situación y volverla irrepetible. Creo que en ello tuvimos éxito.

Hoy todas las fuentes hablan de una drástica reducción de estos casos. De acuerdo con estadísticas del Programa Presidencial para los Derechos Humanos, mientras en el año 2006 se registraron 143 quejas por casos de presuntos homicidios en persona protegida, en el 2008 el número de quejas bajó a 47, y en el primer semestre del 2009 no se reportó ninguna queja, por lo menos en el programa.

En junio de 2009 visitó el país el relator de las Naciones Unidas para las ejecuciones arbitrarias, Philip Alston, quien reconoció la mejoría del clima general de seguridad: "La cantidad de homicidios ha disminuido mucho y se han transformado los niveles de seguridad en muchas partes del país". En cuanto al tema específico de los "falsos positivos", se mostró explicablemente preocupado, sobre todo porque su repartición geográfica indicaba que las acciones habían sido "llevadas a cabo de una manera más o menos sistemática por una cantidad significativa de elementos dentro del Ejército". No obstante, reconoció que no se podían calificar estos hechos como una política del gobierno "o que fueron dirigidos o llevados a cabo a sabiendas del presidente o de los sucesivos ministros de Defensa".

Alston manifestó estar "muy alentado con las medidas adoptadas" y aclaró que "sería un error menoscabar la categoría del Ejército colombiano, que es disciplinado y efectivo" y que, además, "va por el camino correcto". Al tiempo que señaló que "ha habido una reducción significativa en la cantidad de alegatos de ejecuciones extrajudiciales registrados en los últimos seis a nueve meses", encomió los esfuerzos hechos desde el año 2007, sosteniendo que "el gobierno ha tomado medidas importantes para parar y responder a estos homicidios". Según el relator, "estas medidas demuestran el esfuerzo de buena fe que despliega el gobierno para hacer frente a los homicidios pasados y para prevenir que sucedan en el futuro".

Hasta nuestros más acérrimos críticos reconocen el cambio. El CINEP, una ONG históricamente de línea dura con el Ministerio y con el gobierno, pero seria en su trabajo, reportó recientemente dos posibles casos en el 2009, frente a 104 en 2008 y 181 en 2007, y, con ejemplar madurez, resaltó los efectos de las quince medidas del Ministerio y recomendó a la comunidad internacional "reconocer el avance en el tema de 'falsos positivos'".

Estos reconocimientos del trabajo del Ministerio me dan satisfacción. Pero me queda una frustración: no haber podido avanzar más en asegurar la defensa de nuestros soldados y policías. Lo dijimos en la *Política Integral de Derechos Humanos*: todo soldado y policía tiene el mismo derecho al debido proceso que cualquier ciudadano y merece una defensa adecuada, cuando a diario expone su vida por sus compatriotas. La defensa es el tercer pilar de la *Política*, y para sacarla adelante pasamos leyes por el Congreso y congregamos a las mejores oficinas de abogados para que nos asesoraran en la creación de una oficina de defensa moderna para las Fuerzas Militares y la Policía. Los elementos están ahí; estoy seguro de que mi sucesor los recogerá y hará de la tan ansiada defensa de la fuerza pública una realidad.

Con firmeza y transparencia el gobierno y las Fuerzas Militares asumimos el problema de los "falsos positivos". Pero no dejará de ser una espina clavada en el corazón de los colombianos y de su Ejército.

CAPÍTULO XLIII

El imperio de la vida

La protección de los derechos humanos es, básicamente, la defensa de la vida con todos sus atributos, incluyendo de manera especial la integridad física y la libertad. Por eso, ejecutar una política de seguridad democrática, que contrarresta el terrorismo, el secuestro y todo otro atentado contra la vida y la libertad, siempre y cuando se haga con apego a la ley y respeto a los derechos humanos, es garantizar el imperio de la vida.

Por muchos años, demasiados, los colombianos nos acostumbramos a convivir con altas cifras de homicidios y secuestros, más allá de cualquier proporción, que hoy nos estremece recordar.

En el 2002 se presentaron 28.837 homicidios en Colombia, lo que suponía una tasa de más de 70 homicidios al año por cada 100.000 habitantes. En el 2008, sólo seis años después —los mismos años de aplicación de la Política de Seguridad Democrática—, el número de homicidios disminuyó en un 44%, reportándose 16.140, vale decir, menos de 40 homicidios al año por cada 100.000 habitantes. Pero no son sólo cifras: ¡son personas!

Estamos hablando de que en el 2008 murieron, por causa de otro, 12.697 personas menos que en el 2002, 12.697 seres humanos que conservaron su vida. Un verdadero logro.

El caso del secuestro sí que es diciente. Mientras en el 2002 se presentaron 1.708 casos de secuestro extorsivo —casi cinco por día—, en el 2008 las víctimas de este delito cayeron a 197, lo que implica una disminución superior al 88%. Y lo bueno es que los indicadores de secuestro, así como los de homicidio, siguen bajando en el 2009.

Los colombianos sentimos por muchos años temor de salir a las carreteras con nuestras familias por el riesgo de caer en un retén ilegal de la guerrilla, que terminaba siempre en un secuestro extorsivo. A esos retenes los llamábamos, en un símil macabro, "pescas milagrosas", porque nadie sabía a quién le iba a tocar ni cuándo. Nos sentíamos presos en nuestras casas y nuestras ciudades. Y no era para menos: en el 2002 hubo 177 casos de secuestro en retenes ilegales, con casi 700 víctimas. Después de la aplicación de la Política de Seguridad Democrática, que recobró la presencia de las autoridades en todo el territorio, el número de casos de "pescas milagrosas" prácticamente bajó a cero. Los fines de semana, los puentes festivos y en las temporadas de vacaciones, las carreteras se ven abarrotadas de vehículos con familias que han recuperado el derecho elemental de trasladarse sin miedo dentro de su propio territorio.

Es resaltable, también, dentro de los logros de la Seguridad Democrática en el campo de los derechos humanos, cómo ha mejorado la situación de grupos vulnerables de población, a quienes se presta cada día más protección para evitar desmanes de grupos armados ilegales en su contra. Entre el 2002 y el 2008 los homicidios de sindicalistas y de maestros sindicalizados disminuyeron en un 81%. Debe tenerse en cuenta, además, que muchos de ellos no obedecen necesariamente a su condición de afiliados a un gremio sindical. Mientras en el 2002 fueron asesinados once periodistas en el país, en el 2008 no se presentó ni uno solo caso de estos. A pesar de las masacres de las FARC contra algunos grupos indígenas, los homicidios de indígenas disminuyeron en un 66% entre el 2002 y el 2008.

Son resultados que Colombia, y no sólo el gobierno y la fuerza pública, muestra con orgullo. Estamos recuperando el imperio de la vida sobre nuestro territorio, que es lo mismo que decir el imperio de los derechos humanos. Porque la Política de Seguridad Democrática es una política para garantizar los derechos de los colombianos.

Más tropas, menos quejas

Además de las ya indicadas, las medidas tomadas para garantizar el respeto de los derechos humanos por parte de las Fuerzas Armadas han sido variadas y de toda índole. Uno de mis últimos actos como ministro fue la inauguración de una escuela de derechos humanos del Ejército en la base de Tolemaida (Cundinamarca), que aspira a convertirse en un centro difusor en esta materia para todo el continente. Para garantizar la legalidad de las operaciones militares, ampliamos la planta de asesores jurídicos operacionales —que son abogados militares que brindan asesoría en este campo— en un 70%, alcanzando casi el centenar en todas las Fuerzas Militares. Se designaron, además, diez inspectores delegados de las Fuerzas Militares con dedicación exclusiva a temas de derechos humanos y derecho internacional humanitario.

Incluso, en nuestro afán de transparencia, el propio presidente Uribe creó un sistema de audiencias públicas televisadas para que cualquier colombiano, por teléfono o correo electrónico, pueda presentar sus quejas en directo y recibir respuesta inmediata de los comandantes militares o de policía en la zona respectiva, conectados mediante teleconferencia. El presidente, el ministro de Defensa y los respectivos comandantes de las instituciones armadas hemos estado al frente de estos programas de alcance masivo, de los cuales alcanzamos a realizar siete durante mi gestión.

Con todos estos elementos, el desempeño en derechos humanos de los miembros de la fuerza pública ha mejorado considerablemente, lo cual se refleja en que las quejas disciplinarias en su contra recibidas por la Procuraduría han caído en más del 80% entre el año 2004 y el 2008, pasando de 1.254 a 241, tendencia decreciente que ha continuado en el 2009. Estas cifras son aún más contundentes si se tiene en cuenta que el número de integrantes de la fuerza pública y el número de misiones tácticas se ha incrementado en los últimos años, en tanto las quejas disminuyen.

Quizás el indicador más diciente de la adecuada conducta de los militares y policías sea la favorabilidad que encuentran dentro de la población colombiana. Unas fuerzas armadas que violan los derechos humanos son temidas, pero no son populares. Por eso la legitimidad pasa su mayor prueba en la percepción de la gente del común, y ésta es irrebatible: en todas las encuestas las Fuerzas Militares y la Policía registran índices de aprobación superiores al 80 y al 70%, respectivamente, incluso por encima de instituciones tradicionalmente respetadas como la Iglesia católica y los medios de comunicación. ¡Qué contraste con organizaciones terroristas, como las FARC, que no alcanzan ni el 2% de opinión favorable dentro de la población por la que pretenden luchar! Los colombianos no son tontos y saben realmente quiénes los representan y quiénes están de su lado.

Podemos decir con orgullo que en el caso de los "falsos positivos" obramos con tal firmeza y transparencia que cortamos de tajo tan vil y deplorable práctica, que nunca fue política de las Fuerzas Militares y que no sucedió exclusivamente durante este gobierno: hay casos que se remontan inclusive a los años ochenta. Con la desaparición de este problema —pues lo que resta es que las investigaciones se realicen con todo el rigor, y produzcan las condenas y conclusiones que sean del caso—, el tema de la violación de los derechos humanos por parte de la fuerza pública ha dejado de ser central en las críticas que se le hacen. Ese era el objetivo y lo cumplimos. De paso les quitamos a las FARC y a sus aliados otro caballito de batalla.

EL PEOR MOMENTO DE SU HISTORIA

(La guerrilla en Colombia) se pervirtió para convertirse en un ejército de bandidos, narcotraficantes y secuestradores. Ejercen una acción que desde todo punto de vista es despreciable.

JOSÉ SARAMAGO
Premio Nobel de Literatura.
Entrevista publicada en *El Tiempo*, 15 de julio de 2007.

IV

iolentos

Los "años horribles" de las FARC, el largo *annus horribilis* del que he dado cuenta en estas páginas, comenzó en las postrimerías del año 2006 y es de esperarse que no termine sino hasta el momento en que esta organización entre en razón —por su debilitamiento militar y por la presión de la comunidad nacional e internacional— y acceda a iniciar un proceso sincero, sin cartas marcadas, para abandonar de forma definitiva las armas, el secuestro, los actos terroristas y la violencia contra sus compatriotas y contra la infraestructura nacional. La democracia colombiana hace tiempo adquirió la madurez para incorporar en su seno a quienes, habiendo saldado su deuda con la sociedad, están dispuestos a participar en el debate político y en la construcción de un país en paz. Constituyentes, ministros, gobernadores, alcaldes, congresistas, directores de entidades públicas, diplomáticos, candidatos a la Presidencia, que alguna vez empuñaron las armas contra el Estado y que tomaron la decisión de regresar a la vida civil, son el mejor ejemplo de que esto es posible.

He intentado hasta ahora hacer un recuento lo más amplio posible de la forma en que la aplicación de la Política de Consolidación de la Seguridad Democrática, la decisión irrevocable del gobierno nacional de recuperar la presencia del Estado en cada centímetro del territorio, y el accionar heroico —no existe otra palabra que lo describa mejor— de los hombres y mujeres de las Fuerzas Militares y la Policía, generaron un cambio profundo y positivo en el ya largo conflicto armado colombiano y llevaron a las FARC —también al ELN y los carteles del narcotráfico, pero eso sería tema para otro libro— a su peor momento en la historia, y a un punto de quiebre del que no podrán recuperarse, siempre y cuando se continúe con el esfuerzo y no se baje la guardia.

El presidente Uribe, cuyo liderazgo fue un factor fundamental para este avance, acostumbra a decir, refiriéndose a los grupos terroristas, que "la culebra sigue viva", y eso no podemos olvidarlo. La bestia del terrorismo en Colombia está herida de muerte, pero no hay nada más peligroso que una bestia herida y agonizante. Sus dentelladas pueden causar todavía muchas muertes y mucho dolor. Por eso es imperioso que, pese a los grandes éxitos alcanzados por nuestra fuerza pública, no se sucumba a la tentación del triunfalismo, y se siga avanzando por el sendero probado de la seguridad democrática.

Tres golpes más

He mencionado, en un orden que mezcla lo cronológico con la ubicación regional, los mayores golpes a las FARC en estos años, y me faltarían todavía varios capítulos para agotar este recuento. Sin embargo, más que ser exhaustivo en la materia, he preferido narrar y explicar las acciones más trascendentales y representativas, consciente de que algunas, similares en sus efectos y procedimientos, se quedan en el tintero.

No puedo, sin embargo, dejar de mencionar tres casos paradigmáticos —todos ocurridos con posterioridad a la Operación Jaque— que tienen un componente común en el que insistimos desde un principio, que resulta ejemplar para futuras operaciones:

en todos ellos hubo una colaboración y coordinación total entre la Policía Nacional, que ejecutó labores de inteligencia a través de la Dijín y operacionales a través de sus comandos jungla, y las Fuerzas Militares, más precisamente la Fuerza Aérea, que apoyó con el transporte y el bombardeo en el momento definitivo.

Además, son casos donde la inteligencia jugó un papel preponderante, no sólo en el campo de las interceptaciones y la información obtenida de desmovilizados, sino en el área de la infiltración en la misma guerrilla. Para lograr los resultados a que me referiré, hombres de la Policía tuvieron que asumir misiones de alto peligro que implicaban meses o incluso años de acercamiento a la guerrilla, asumiendo identidades ficticias, ganándose día a día su confianza, y corriendo el riesgo inminente de ser descubiertos y ajusticiados en cualquier momento. Todo para ubicar a los cabecillas estratégicos de las FARC y lograr su neutralización final.

Una vez obtenida la información, el general Óscar Naranjo, director general de la Policía, coordinaba con el general Freddy Padilla de León, comandante general de las Fuerzas Militares, y el general Jorge Ballesteros, comandante de la Fuerza Aérea, para que se realizaran los bombardeos sobre el área plenamente identificada por el personal infiltrado. Algo muy importante es que se verificara que no había secuestrados ni población civil en los alrededores del campamento. Muchas operaciones se dejaron de hacer por presencia de población civil en el área. La operación final corría a cargo de la Fuerza Aérea y de los comandos jungla de la Policía, a menudo apoyados por el Ejército, encargados de asegurar el lugar después del bombardeo.

Un resultado exitoso de este esquema se alcanzó el 21 de julio de 2008 cuando se bombardeó el campamento del frente 6 de las FARC, que opera en el departamento del Cauca, al suroccidente del país, controlando un corredor estratégico de la droga hacia el Pacífico. Allí cayó muerto alias *Dago*, cabecilla del frente, junto con varios de sus lugartenientes y acompañantes.

Menos de una semana después, en el otro extremo del país, al nororiente, en el departamento de Arauca, fronterizo con Venezuela, una operación similar concluyó con la baja de uno de los más buscados cabecillas del frente 10, conocido como alias *Jurga Jurga*, hombre clave en el manejo del narcotráfico y las milicias en la región.

En total, en esas dos operaciones, que nacieron de la infiltración y la información de inteligencia obtenida por la Policía, murieron por lo menos 50 guerrilleros, incluidos sus respectivos jefes. Fue tal el impacto que la revista *Semana* tituló su artículo de portada en su edición del 4 de agosto, dedicado a estos dos éxitos de las Fuerzas Armadas, con el sugestivo nombre de *Operación Jaque II*.

Apenas dos meses después de estos nuevos descalabros para la guerrilla, otra vez la Policía y la Fuerza Aérea, utilizando el mismo esquema, alcanzaron a un temido y muy perseguido cabecilla, que murió en un bombardeo en Vigía del Fuerte (Antioquia), el 22 de septiembre de 2008: Aicardo de Jesús Agudelo, alias *el Paisa*.[30]

La neutralización del Paisa era un objetivo de honor para las Fuerzas Armadas y para el gobierno, pues este hombre, que en su carrera de terror en el occidente de Antioquia había sido autor de innumerables secuestros, asesinatos y extorsiones, ejecutados por su frente 34, tenía en su prontuario dos crímenes, en particular, que le habían generado una especial recordación entre los colombianos: participó en el secuestro y posterior asesinato de la señora Gabriela White, madre de mi colega en el gabinete, la ministra de Educación, Cecilia María Vélez, y había ordenado el secuestro, mientras avanzaban en una caminata por la paz, del gobernador de Antioquia Guillermo Gaviria y el ex ministro de Defensa Gilberto Echeverry. Cuando, el 5 de mayo de 2003, un equipo conjunto de las Fuerzas Militares realizó una operación para intentar el rescate de los dos personajes y de un

---

30. No se debe confundir con Óscar Montero, que usa el mismo alias de *el Paisa*, cabecilla de la columna Teófilo Forero, que aún sigue delinquiendo.

grupo de militares secuestrados con ellos, el Paisa, antes de huir del campamento donde los tenían, ordenó a sus hombres que los asesinaran. Gaviria, Echeverry y ocho militares murieron por su decisión. De acuerdo con la lógica perversa de las FARC, prefieren ver muertos antes que libres a sus secuestrados.

Con tales antecedentes, no es de extrañar que el Paisa fuera considerado un objetivo estratégico por las Fuerzas Armadas, que estaban tras su huella desde hacía varios meses. Yo mismo fui informado, con días de anticipación, de que habían localizado su campamento en Vigía del Fuerte, y estuve pendiente, con los altos mandos militares y de policía, del resultado de la operación que acabó con la vida de un hombre que nunca respetó la de los demás.

Así anuncié al país, en una rueda de prensa, la baja del Paisa y de otros siete miembros de su frente:

—Éste es un golpe importante. Estábamos detrás de él hace mucho tiempo. Es una persona que no pertenecía ni al Secretariado, ni al estado mayor de las FARC, pero sí lo considerábamos nosotros como un objetivo de alto valor, por la crueldad y por el daño que le había hecho a la población civil y al Ejército.

CAPÍTULO XLV

Los años horribles

"A comienzos del 2008, el debilitamiento de las FARC es un hecho indiscutible. Se manifiesta en múltiples síntomas: reducción del pie de fuerza, destrucción de varios frentes, repliegue territorial, descenso del número de acciones, pérdida de varios altos cuadros, entre quienes por primera vez hay miembros del Secretariado, y problemas de comunicación interna. A esto hay que añadir la disminución de sus ingresos en metálico debida al descenso en los secuestros y las extorsiones, así como a su menor control sobre los cultivos de coca y los laboratorios. De manera global, se calcula que en 2007 sus recursos apenas llegaron al 40 % del total de que disponían en 2002.

"La multiplicación de las deserciones, incluso de combatientes aguerridos —entre las que sobresale Karina en mayo de 2008—, continúa, confirmando la desmoralización que prevalece en varias unidades. El hecho de que las FARC no reaccionen en circunstancias en las que habitualmente multiplicaban sus operativos es un signo más de su desconcierto. Casi no perturbaron el desarrollo de las elecciones de 2006, que condujeron a la holgada reelección de Uribe. Aun más extraordinariamente, no respondieron a las muertes de Raúl Reyes e Iván Ríos, dando así una impresión de indecisión por parte de la comandancia al más alto nivel".[31]

El diagnóstico preciso contenido en los dos párrafos anteriores fue escrito en mayo de 2008 por el profesor francés Daniel Pécaut, sociólogo y doctor en Historia, quien se ha especializado en al análisis del conflicto colombiano. No obstante, ni el mismo profesor Pécaut podía imaginar que, después de lo acaecido hasta entonces, llegarían nuevos eventos que harían aún más grave la situación de las FARC: se rescató a Íngrid Betancourt y a otros catorce rehenes en la impecable Operación Jaque; fueron dados de baja Dago, Jurga Jurga y el Paisa, así como Bertil, Gaitán y Mariana Páez, y fueron capturados Chucho, jefe de milicias del Bloque Oriental; el Negro Juancho, segundo del frente Manuel Cepeda Vargas en Buenaventura, y el Negro Antonio, segundo de la Red Urbana Antonio Nariño. Además, se fugaron Isaza con Óscar Tulio Lizcano, y otros tres guerrilleros con tres secuestrados más.

En septiembre de 2009, me entero de que la Policía capturó en Bogotá a alias *Alberto Chaparro*, cabecilla principal del frente 23 de las FARC que opera en Santander, y cuarto al mando del Bloque Magdalena Medio. Leo en la prensa que siguen desarticulando planes terroristas de la columna Teófilo Forero. En octubre, un bombardeo de la Fuerza Aérea, otra vez basado en información obtenida por la Policía, da de baja a alias *Jerónimo*, jefe del Comando Conjunto Central y mano derecha de Alfonso Cano. No pasa un día en que las FARC no lamenten una captura, una baja, varias desmovilizaciones y algún atentado frustrado. También siguen haciendo daño, y siguen sembrando minas y hostigando a la fuerza pública, pero ya no son ni la sombra de lo que fueron ocho años atrás, cuando completaban casi 20.000

---

31. Daniel Pécaut, *Las FARC, ¿una guerrilla sin fin o sin fines?* Ed. Norma, Bogotá, 2008. pág. 159.

hombres en armas, cuando aún se atrevían a soñar con la toma del poder y tenían su diplomacia terrorista en su máximo nivel.

Hoy las FARC aglutinan si acaso a 8.000 integrantes, casi todos jóvenes reclutados a la fuerza o bajo engaños, y, sobre todo, inexpertos, que buscan angustiados la forma de salir de la trampa en que cayeron.

Tal como lo afirmé en un documento que publicamos en el Ministerio de Defensa sobre el declive de esta organización, "las FARC de hoy están en el mismo punto donde empezaron hace más de cuarenta años, con una gran diferencia: la organización de hoy no tiene futuro".[32]

No tienen ninguna clase de apoyo popular masivo y, por el contrario, como lo prueban todas las encuestas y lo indica la participación multitudinaria del pueblo en marchas para protestar contra ellas, son la organización que mayor rechazo genera en la opinión del país.

Han perdido liderazgo (Marulanda, Reyes, Ríos) y combatientes históricos (Martín Sombra); han perdido presencia regional en zonas estratégicas como los Montes de María (Martín Caballero), el Pacífico (JJ, Santiago, el Negro Juancho), Cundinamarca (el Campesino, Diego Cristóbal, Chucho, el Negro Antonio, Gaitán, Mariana Páez) y Antioquia (Ríos, Karina, *el Paisa*); han perdido a los encargados del narcotráfico en las selvas del suroriente (el Boyaco, el Negro Acacio, Camilo Tabaco, César); han perdido a sus secuestrados más valiosos por fugas o rescates (Pinchao, Araújo, Íngrid, los tres norteamericanos, Lizcano); han visto frustrados infinidad de atentados terroristas (Hernán, Javier Calderón, James Patamala); han visto descubiertas sus alianzas estratégicas internacionales (computadores de Reyes y Camila), y han perdido tal capacidad de comando y control, de comunicación efectiva entre los comandantes y sus frentes, que cayeron

---

32. *Las* FARC *en el peor momento de su historia.* Ministerio de Defensa Nacional, 2008

en el más elaborado engaño de inteligencia que jamás se haya realizado en el país, y tal vez en el mundo (la Operación Jaque).

El Estado colombiano, el pueblo colombiano, no hemos ganado todavía la guerra frontal contra el narcoterrorismo de las FARC. Es indispensable mantener el esfuerzo, es imperioso no bajar la guardia, pero nadie puede negar que lo realizado en los últimos años, en esos "años horribles" para las FARC, ha sido el avance más importante en más de cuatro décadas de lucha.

Lo logrado es el resultado de la conjugación de muchos factores: el liderazgo del presidente Uribe, la decisión de impulsar la inteligencia y el trabajo conjunto y coordinado entre las Fuerzas Militares y la Policía, el creciente apoyo del pueblo colombiano a su fuerza pública, el profesionalismo y compromiso de los comandantes, y, sobre todo, el heroísmo, el sacrificio y el valor de los integrantes de las Fuerzas Armadas que día a día arriesgan su vida y su salud para proteger a sus compatriotas y darles la posibilidad de vivir, trabajar y prosperar en un ambiente de normalidad.

José Saramago, el lúcido escritor portugués que, desde su ideología comunista, no ha tenido reparos en condenar la demencia guerrillera, terminó una entrevista que concedió en el año 2007[33] con una frase que bien puede ser el colofón de este libro, de este testimonio fehaciente sobre cómo un país y sus Fuerzas Armadas recuperaron el derecho a vivir en paz:

—Si logra liberarse del horror de la guerrilla, Colombia tiene todo para convertirse en una gran nación.

---

33. *"La guerrilla colombiana es un ejército de bandidos y narcotrafi-cantes"*. Reportaje de Yamid Amat, *El Tiempo*, 15 de julio de 2007.

Índice

Planeta

España
Av. Diagonal, 662-664
08034 Barcelona (España)
Tel. (34) 93 492 80 00
Fax (34) 93 492 85 65
Mail: info@planetaint.com
www.planeta.es

Paseo Recoletos, 4, 3.ª planta
28001 Madrid (España)
Tel. (34) 91 423 03 00
Fax (34) 91 423 03 25
Mail: info@planetaint.com
www.planeta.es

Argentina
Av. Independencia, 1668
C1100 Buenos Aires
(Argentina)
Tel. (5411) 4124 91 00
Fax (5411) 4124 91 90
Mail: info@eplaneta.com.ar
www.editorialplaneta.com.ar

Brasil
Av. Francisco Matarazzo,
1500, 3.º andar, Conj. 32
Edificio New York
05001-100 São Paulo (Brasil)
Tel. (5511) 3087 88 88
Fax (5511) 3087 88 90
Mail: ventas@editoraplaneta.com.br
www.editoriaplaneta.com.br

Chile
Av. 11 de Septiembre, 2353, piso 16
Torre San Ramón, Providencia
Santiago (Chile)
Tel. Gerencia (562) 652 29 43
Fax (562) 652 29 12
www.planeta.cl

Colombia
Calle 73, 7-60, pisos 7 al 11
Bogotá, D.C. (Colombia)
Tel. (571) 607 99 97
Fax (571) 607 99 76
Mail: info@planeta.com.co
www.editorialplaneta.com.co

Ecuador
Whymper, N27-166,
y Francisco de Orellana
Quito (Ecuador)
Tel. (5932) 290 89 99
Fax (5932) 250 72 34
Mail: planeta@access.net.ec

México
Masaryk 111, piso 2.º
Colonia Chapultepec Morales
Delegación Miguel Hidalgo 11560
México, D.F. (México)
Tel. (52) 55 3000 62 00
Fax (52) 55 5002 91 54
Mail: info@planeta.com.mx
www.editorialplaneta.com.mx
www.planeta.com.mx

Perú
Av. Santa Cruz, 244
San Isidro, Lima (Perú)
Tel. (511) 440 98 98
Fax (511) 422 46 50
Mail: rrosales@eplaneta.com.pe

Portugal
Planeta Manuscrito
Rua do Loreto, 16-1.º Frte.
1200-242 Lisboa (Portugal)
Tel. (351) 21 370 43061
Fax (351) 21 370 43061

Uruguay
Cuareim, 1647
11100 Montevideo (Uruguay)
Tel. (5982) 901 40 26
Fax (5982) 902 25 50
Mail: info@planeta.com.uy
www.editorialplaneta.com.uy

Venezuela
Final Av. Libertador con calle Alameda,
Edificio Exa, piso 3.º, of. 301
El Rosal Chacao, Caracas (Venezuela)
Tel. (58212) 952 35 33
Fax (58212) 953 05 29
Mail: info@planeta.com.ve
www.editorialplaneta.com.ve

Grupo 🌐 Planeta   Planeta es un sello editorial del Grupo Planeta   www.planeta.es